POPOL VUH

POPOL VUH

ORGANIZAÇÃO

**GORDON BROTHERSTON
E SÉRGIO MEDEIROS**

2ª EDIÇÃO REVISTA

ILUMI//URAS

Copyright © 2018
Gordon Brotherston e Sérgio Medeiros

Copyright © desta edição
Editora Iluminuras Ltda.

Capa e projeto gráfico
Eder Cardoso / Iluminuras
sobre relevo maia, em lápide do túmulo de Pakal II

Revisão técnica
Sérgio Medeiros

Revisão
Milagros Luna
Editora Iluminuras

DADOS INTERNACIONAIS DE CATALOGAÇÃO NA PUBLICAÇÃO (CIP)
(Câmara Brasileira do Livro, SP, Brasil)

Popol Vuh / Gordon Brotherston e Sérgio Medeiros,
organizadores; – São Paulo : Iluminuras, 2007; 2ª edição revista, 2018.

Título original : Popol Vuh
Edição bilíngue : maia quiché/português.
Bibliografia.
ISBN 978-85-7321-557-9

1. Guatemala - Literaturas 2. Índios Quiché - Religião
3. Índios Maia - Religião 4. Literatura maia
5. Literatura quiché 6. Mitologia quiché
I. Brotherston, Gordon. II. Medeiros, Sérgio.

07-6826   CDD-299.7

Índices para catálogo sistemático

1. Índios maia-quiché : Mitologia   299.7

2018
EDITORA ILUMINURAS LTDA.
Rua Inácio Pereira da Rocha, 389 - 05432-011 - São Paulo - SP - Brasil
Tel/Fax: 55 11 3031-6161
iluminuras@iluminuras.com.br
www.iluminuras.com.br

A Haroldo de Campos
e
Munro Edmonson
(in memoriam)

SUMÁRIO

PREFÁCIO DOS ORGANIZADORES, 9

POPOL VUH:
   CONTEXTO E PRINCÍPIOS DE LEITURA – *Gordon Brotherston*, 11
      Estrutura e narrativa, 15
      Gente de barro e gente de madeira, 18
      Vuqub Kaqix e Família, 21
      A descida a Xibalba, 26
      Gente de milho, 36

POPOL VUH
dos Maias-Quichés da Guatemala

PRIMEIRO CANTO, 41
SEGUNDO CANTO, 81
TERCEIRO CANTO, 121
QUARTO CANTO, 261
      Glossário, 447

APÊNDICES

O TEXTO COMO GERME – *Gordon Brotherston*, 455
      Bibliografia, 458
VARÈSE E BORGES: (DES)LEITORES DO *POPOL VUH* – *Sérgio Medeiros*, 461
     I. O "POPOL VUH" ELETRÔNICO: MITO E VANGUARDA, 462
      Nova York, Século XX: Percussão, 462
      Quiché, Século XVI: Eletrônica, 465
      Os Desertos da Alma, 469
      Bibliografia Consultada, 470

     II. UM OLHAR, UMA SENTENÇA, 471
      Bibliografia Consultada, 478

SOBRE OS ORGANIZADORES, 479

PREFÁCIO DOS ORGANIZADORES

Esta edição brasileira do *Popol Vuh* vem suprir uma antiga lacuna editorial. Como um clássico americano indígena, esta obra maia-quiché[1] do século XVI já foi traduzida para as principais línguas europeias, em certos casos mais de uma vez, e chegou à Ásia através do japonês. Na América, há muito o livro foi explorado por artistas e escritores que trabalham com as línguas principais do Continente (espanhol, inglês), tendo-lhes servido de fonte, conforme se discute nos ensaios incluídos nesta edição.

Ao preparar esta versão em língua portuguesa,[2] a primeira no seu gênero, baseamo-nos sobretudo na pioneira tradução para o inglês do falecido Munro Edmonson, de 1971, feita diretamente do original quiché. Agradecemos-lhe calorosamente sua permissão de usar seu trabalho dessa maneira. Para os aspirantes a tradutores que decidam seguir seus passos, a versão de Edmonson possui várias vantagens evidentes: ela inclui uma transcrição do original quiché; leva em conta a estruturação em versos do original; e compara meticulosamente as soluções que tradutores anteriores deram a passagens opacas e difíceis. Seguimos cuidadosamente seu exemplo, divergindo apenas nos seguintes detalhes: com relação aos nomes próprios, de personagens e de lugares, preferimos manter o original quiché, respeitando a ortografia reconhecida por Edmonson quando conveniente e oferecendo, a cada primeira ocorrência de um termo indígena, sua tradução (entre parênteses), informação reproduzida igualmente no Glossário. Optamos, além disso, por não incluir os ocasionais versos "desaparecidos", hipoteticamente reconstituídos na sua versão para o inglês. Com relação a certas passagens particularmente intrincadas, preferimos às vezes adotar outras soluções, frequentemente utilizando informações que o próprio Edmonson fornece e consultando traduções posteriores à dele, como a de Dennis Tedlock, de 1985, as dos tradutores guatemaltecos (Asturias, Recinos, Cardoza y Aragón), e comentários oferecidos por eruditos quichés, como Sam Colop e Victor Montejo. Agradecemos ao último, ademais, as sugestões feitas durante conversas e por carta. Somos igualmente gratos a Jim Fox, da Stanford University, que está preparando sua própria tradução para o inglês do *Popol Vuh* e que compartilhou conosco seu grande conhecimento das línguas maias.

---

[1] O termo "quiché" nomeia uma região na Guatemala e a população indígena maia que vive nela.
[2] Uma tradução em prosa, sem o texto original, foi publicada no Brasil pela Livraria Editora Cátedra, em 1979, assinada por Raul Xavier. Em 1990, a Editora Ícone publicou outra versão em prosa do *Popol Vuh*, também sem o original, de autoria de Antonio Augusto Pires Schmidt. Uma terceira tradução foi publicada pela Hiena Editora de Lisboa, Portugal, em 1994, assinada por Ernesto Nunes Sampaio.

Agradecemos também à CAPES, que concedeu uma bolsa de estudos a Sérgio Medeiros, dando-lhe condições para revisar sua tradução do *Popol Vuh* nos Estados Unidos, entre 2001 e 2002, e à Stanford University Library, que nos permitiu pesquisar e copiar materiais necessários à elaboração e conclusão deste trabalho.

Pessoas que nos são caras nos apoiaram de diferentes maneiras, acompanhando de perto ou de longe os encontros que mantivemos durante os meses de trabalho em Pacifica, Califórnia: Dirce Waltrick do Amarante, Lúcia Sá e Douglas Diegues, a quem também agradecemos.

São Francisco, janeiro de 2002

POPOL VUH:
CONTEXTO E PRINCÍPIOS DE LEITURA[1]

Gordon Brotherston

Qualquer descrição competente da gênese americana terá de deter-se no *Popol Vuh*, conhecido por muitos como "a Bíblia" do continente, que é o Quarto Mundo na história planetária. Este livro foi escrito em meados do século XVI pelos quichés na sua própria língua, pertencente à família maia. Naquele momento, os quichés viviam, como continuam vivendo, nas montanhas da Guatemala ocidental, perto da fronteira do que era o império tributário mexica ou asteca e do que hoje são os Estados Unidos do México. O *Popol Vuh* nasceu então no coração da Mesoamérica, aquela parte do continente americano que, entre os mares do sul e do norte (Pacífico e Atlântico) estende-se da Nicarágua no leste até Michoacan e Jalisco no oeste. Numa história urbana que começou, há milênios, com a cultura-mãe dos olmecas ou "gente da borracha", a Mesoamérica é caraterizada pela produção e uso de livros de papel e de pele (os chamados "códices"), e pela articulação de dois ciclos calendáricos. Um deles divide o ano em 18 grupos de 20 dias ou vintenas; o outro funda-se nas nove luas da gestação humana, onde as luas são contadas por noites em séries de nove, que contêm os 260 dias identificados pelos 13 Números e pelos Vinte Sinais, verdadeira enciclopédia do Quarto Mundo. As escritas destes livros mesoamericanos incluem a hieroglífica maia e o *tlacuilolli* ("coisa escrita ou pintada" em náuatle, a língua dos astecas), que é mais internacional por não estar restrito à fonética de uma língua só. No ciclo do ano dos maias, a primeira sílaba do próprio título do *Popol Vuh* pode indicar o começo, "Pop", sendo também o equivalente à vintena que pode iniciar o ano nos códices (Brotherston 2005). Do ciclo da gestação, os 13 Números (também na forma de "voadores", **Quecholli** em náuatle) e os Vinte Sinais nomeiam forças vitais e personagens pelo texto inteiro, desde as primeiras menções a Hu r aqan e Quq Kumatz.

Escrito apenas três décadas após a invasão do território quiché liderada por Pedro de Alvarado em 1524, o *Popol Vuh* procura afirmar memória e direitos locais, perguntando: quem, naquele ano, entrou na história de quem? Quem entende melhor o tempo que vai prevalecer agora, "na Cristandade"? A quem pertence a narrativa

---

[1] Este ensaio nasce do capítulo 9 do livro *Book of the Fourth World*, publicado em 1992 (primeira edição) pela Cambridge University Press, a quem agradecemos a autorização para reproduzi-lo aqui. A tradução é de Sérgio Medeiros, revista pelo autor (BROTHERSTON, Gordon. 1992. *Book of the Fourth World: Reading the Native Americas through their Literature*).

mais original da gênese do mundo? Narra com clareza de detalhes a história da criação do Quarto Mundo, numa forma que recorre com engenhosidade à tradição de escrita indígena da qual ele próprio reivindica ter sido copiado. Tendo surgido no centro da Mesoamérica, o *Popol Vuh* é um ponto de referência incomparável para aquela região, para as inscrições e os códices tanto hieroglíficos como em *tlacuilolli*. Destacam-se entre estes últimos a magistral "Pedra dos Sóis" asteca (centrada na roda dos Vinte Sinais que contêm os quatro sóis ou idades do mundo inerentes no presente do Quinto Sol — um sol é uma idade do mundo), a criação representada no primeiro capítulo do *Códice Vaticano*, e narrativas correspondentes escritas, como o *Popol Vuh*, no alfabeto, em línguas maias e em náuatle. O texto maia-quiché tem parentesco íntimo e altamente informativo com os livros de *Chilam Balam* que, ao norte na planície de Yucatan e Peten, transcrevem para o alfabeto os textos hieroglíficos das grandes cidades maias (300-900 d.C.), dando-lhes continuidade; ao mesmo tempo, liga-se diretamente com textos em náuatle como a *Lenda dos Sóis* e o começo dos *Anais de Cuauhtitlan*. Chega também a iluminar e a ser iluminado por cosmogonias clássicas do Quarto Mundo para além da Mesoamérica, como o *Watunna* caribe, a *Lenda de Jurupary* do Rio Negro e o *Ayvu Rapyta* guarani, que compartilham a sua forte consciência sobre a riqueza biótica e imaginativa da floresta tropical da América; o *Manuscrito de Huarochiri* quéchua, que respeita em termos parecidos a dinâmica vulcânica dos Andes, vértebra ocidental do continente; e textos do norte como o *Diné bahane* navajo, que igualmente privilegia a epopeia, a viagem xamânica que segue os passos de Vênus, Lua e Sol.

Como crônica e como construção literária, o *Popol Vuh* possui qualidades que fazem dele, sem dúvida, uma obra capital não apenas do Novo (ou Quarto) Mundo, mas da literatura em geral. Empreender uma leitura atenta e crítica desse texto significa buscar o cerne da América indígena, o que implica, por sua vez, levantar questões filosóficas que não deixam de interpelar a inteligência humana.

O mais antigo manuscrito conhecido do *Popol Vuh* é uma cópia, feita em Rabinal, Guatemala, de outra cópia, feita no povoado de Chichicastenango, também na Guatemala, do original maia-quiché do século XVI, que utiliza a escrita alfabética introduzida pelos conquistadores. Seu título é justificado por alusões no interior do texto (versos 49 e 8.149) à sua fonte pré-hispânica, também denominada *Popol Vuh*. Em quiché, e geralmente nas línguas maias, o elemento "pop" significa esteira trançada, assento da autoridade e conselho, mas é também o nome de uma festa anual, que é representada, num hieróglifo maia,[2] como um trançado. "Vuh" significa simplesmente livro, tanto na língua maia da montanha quanto na da planície. A história de sua tradução para as línguas europeias começa com a versão setecentista do padre Ximénez, que foi seguida por versões em francês e alemão, e por outras em espanhol. Sua primeira tradução direta para o inglês foi feita em 1971, por Munro Edmonson,[3] e a segunda, em 1985, por Dennis

---

[2] Dentro da grande família das línguas maias, distingue-se o yucateco-chol da planície norte, por haver sido escrito no sistema que registra as sílabas dessa língua por meio de sinais hieroglíficos.
[3] EDMONSON, Munro. 1971. *The Book of Counsel: The Popol Vuh of the quiché maya of Guatemala*. New Orleans:Tulane University Press.

Tedlock.[4] As maiores qualidades da edição de Edmonson derivam do fato de reproduzir o texto quiché em uma ortografia padronizada, que foi adotada nesta tradução bilíngue para o português, e de examinar as onze principais traduções feitas diretamente do quiché, até aquele momento, para o espanhol, o francês, o alemão e o russo. Essa edição também considera seriamente a estrutura dos versos, fator geralmente ignorado até hoje. Seguindo sua concepção de que a literatura indígena mesoamericana é caracterizada, no seu conjunto, pelo dístico, Edmonson organiza todo o texto em versos pares numerados, o que se revela pelo menos de grande valia para o comentário crítico, além da vantagem adicional de estabelecer relações exatas de tamanho entre episódios e partes que, anteriormente, haviam permanecido ocultos ou obscurecidos. A edição de Tedlock, por sua vez, embora desacompanhada do quiché original, apresenta um elemento novo e precioso, pois vem enriquecida pelos dados que recolheu durante sua estada entre os quichés que vivem hoje na Guatemala. Em particular, Tedlock tomou ciência da lógica ritual do texto, graças a estudo e conversas com xamãs quichés, que, sob muitos aspectos, poderiam ser considerados, com justiça, os herdeiros intelectuais daqueles que escreveram o *Popol Vuh*. Proclamando-se a si mesma como definitiva (Borges observou, em "As versões homéricas", que "o conceito de *texto definitivo* não corresponde senão à religião ou ao cansaço"), a versão de Tedlock discorda da de Edmonson repetidamente, embora, na maior parte dos casos, em detalhes pequenos. Também descarta a estruturação em versos binários de Edmonson, a qual é, entretanto, mantida naqueles momentos da narrativa que considera de maior intensidade.

Em termos de gênero literário, como Edmonson mostrou, a melhor maneira de interpretar o *Popol Vuh* é, em primeiro lugar, tratá-lo como *título* (a palavra é a mesma em espanhol e português). Isto é, como tantos outros documentos nativos da Mesoamérica do século XVI, este foi composto por uma comunidade local ou, talvez, por uma parte dela, a facção kavek da cidade de Santa Cruz Quiché, Guatemala, para reclamar, perante o governo colonial espanhol, um benefício ou privilégio que datava de uma época anterior à invasão. O texto começa e conclui reconhecendo claramente o poder atual da cristandade e dos invasores conduzidos a Quiché em 1524 por Pedro de Alvarado, tenente de Cortés. Encerrada nestes dois momentos, a narrativa começa pela própria origem dos tempos, oferece um relato das quatro idades do mundo, características da cosmogonia do continente americano, e concentra-se, a seguir, na história quiché enquanto tal e nos eventos particulares nos quais os kaveks baseiam sua reivindicação legal. Consequentemente, os vulcões surgidos no início da criação são depois identificados com marcos que definem e protegem o território quiché. Longe de diminuir o valor do texto, a sua função prática de *título* imediatamente o eleva e nos alerta para os vários e diferentes níveis de tempo e de propósitos que a narrativa no seu conjunto unifica.

Tem-se dado, com razão, grande importância ao fato de o *Popol Vuh* referir-se a si mesmo como originário de um texto anterior, também chamado *Popol*

---

[4] TEDLOCK, Dennis. 1996 (1985). *Popol Vuh: The Mayan Book of the Dawn of Life*. Nova York: Simon and Schuster

Vuh, cujos leitores, afirma-se, agora "escondem sua face". Não há nenhuma razão para não aceitar essa afirmação, que é ponderada e corresponde a reivindicações existentes em muitos outros textos das línguas maia e náuatle, os quais se baseiam, de uma maneira ou de outra, nas tradições de escrita mesoamericana. Sem dúvida, certas passagens do texto têm forte qualidade oral, como, por exemplo, o final onomatopaico da conclusão da segunda era ou idade do mundo e os diálogos ágeis e irônicos entre os Gêmeos e seus antagonistas animais. Ainda assim, parece improvável que a versão em escrita alfabética fosse, na sua totalidade, uma transcrição direta de um original só falado ou cantado. Outras características, contudo, como a estruturação geral dos episódios das idades do mundo e os detalhes políticos da história quiché posterior, têm analogias significativas com a tradição das escritas indígenas.

O desacordo entre os estudiosos diz respeito à escrita indígena específica a que o texto se refere; o *Popol Vuh* não é preciso nesse assunto. Baseando-se apenas no fato de que o quiché pertence ao grupo de línguas maias, muitos especialistas, entre eles Edmonson e Tedlock, concluíram automaticamente que a escrita indígena em questão deveria ser a escrita hieroglífica maia. Existem boas razões para ampliar as possibilidades.

Em primeiro lugar, a escrita hieroglífica maia é empregada exclusivamente na fonética maia da planície chol-yucateca, localizada no México e países vizinhos, e em seus arranjos especiais de consoantes e vogais; embora também maia, o quiché é língua das terras montanhosas, cuja fonética diferencia-se significativamente (*r* por *l*, *a* por *i*, por exemplo). Em segundo lugar, a cultura quiché ocupa uma área externa à região dos hieróglifos, tal como esta é definida pelos monumentos e inscrições que ainda subsistem. Além disso, em todos os exemplos de seu uso, a escrita hieroglífica maia está ligada ao calendário *tun* de 360 dias, o preferido pelos habitantes da planície, mas não pelos habitantes das montanhas maias; por contraste, o calendário que rege a narrativa do *Popol Vuh* é o do ano solar e não o dos (apenas) 360 dias do *tun*; depende de uma série de quatro "portadores" de anos solares que também vemos na obra sobre os quichés de Fuentes y Guzmán, e está relacionado historicamente com o *tlacuilolli* e a escrita não-hieroglífica ou icônica[5] da Mesoamérica.[6] Além disso, numa passagem em que o texto menciona a escrita, os antepassados dos quichés se dirigem para a grande cidade de Tula, para receber as insígnias e os presentes de Quetzalcoatl, e trazem de volta a escrita denominada *u tzibal Tollan* (verso 7.315), de Tula, ou tolteca. Tal como a utilização do calendário solar, esta definição não corresponde de imediato à tradição hieroglífica maia, na qual o tolteca é, caracteristicamente, algo estrangeiro e inferior, mas à tradição icônica, na qual Tula e Quetzalcoatl são repetidamente celebradas como as bases da história política mesoamericana. Em vez de invocar a escrita fonética do hieróglifo maia — a mão que fala —, os textos icônicos jogam com a oposição binária entre

---

[5] Escrita icônica: termo de conveniência para o que é frequentemente referido como o mixteco-asteca ou sistema de escrita pictórica da Mesoamérica, especialmente distinto da escrita hieroglífica maia.
[6] FUENTES Y GUZMÁN, F. A. de. *Recordación Florida... del reyno de Guatemala* (3 v.). Cidade da Guatemala, Biblioteca "Goathemala"; FUENTES Y GUZMÁN, Francisco Antonio de. *Recordación Florida* [1699]. Edición y Estudio de Carmelo Sáenz de Santa María. Biblioteca de Autores Españoles. Madri: Ediciones Atlas, 1969.

linguagem verbal e linguagem visual, *tzih* e *tzib* em quiché, que é típica da escrita icônica ou *tlacuilolli*.[7]

Ademais, permanece o fato de que, embora o *Popol Vuh* seja indubitavelmente escrito em quiché, o texto incorpora um grande número de palavras de origem náuatle, língua que sempre esteve associada historicamente com o *tlacuilolli* e não com a escrita hieroglífica. Sem considerar que, a despeito de haver sido modismo atribuir os elementos náuatles presentes na língua quiché à influência asteca ou tlaxcalteca e, a partir daí, vê-los como tardios e destituídos de importância em termos literários, a opinião dos especialistas agora começa a admitir horizontes mais antigos. Esta perspectiva temporal mais larga ajusta-se melhor ao papel fundamental que o náuatle desempenha no *Popol Vuh*: fornece os nomes dos deuses fundadores, como a avó Xmucane, que lança as sementes de milho, e seu consorte, Xpiacoc — um par que corresponde a Oxomoco e Cipactonal dos *teoamoxtli*.[8] Logo no início, o epíteto aplicado à grande Quq Kumatz (*tepev*, ou "majestade") provém da fonte náuatle supracitada.

ESTRUTURA E NARRATIVA

Não relegar o *Popol Vuh* inteiro à região hieroglífica maia tem consequências importantes para a leitura do texto, especialmente pelo fato de revelar como sua estrutura está relacionada às sequências da lógica espacial, que é mais típica da escrita *tlacuilolli* que do manuscrito hieroglífico. Dentro de seu contexto cristão — isto é, entre o prólogo, que situa o texto na cristandade, e a intrusão de Pedro de Alvarado (versos 46, 8.411), no final da narrativa —, o *Popol Vuh* divide-se em duas partes, claramente definidas, de extensão quase igual. A primeira trata das origens do próprio mundo e tem seu ponto culminante na vitória dos Gêmeos sobre os Senhores de Xibalba (inframundo), preparando-nos para a criação, a partir do milho, das primeiras pessoas da nossa era. Este evento na verdade abre passagem para a segunda parte, na medida em que essas primeiras pessoas são também definidas, mais especificamente, como os primeiros moradores de Quiché e os mais antigos ancestrais da dinastia reinante naquela cidade, quando Alvarado apareceu. A criação dos homens de milho, no começo da segunda parte, é, pois, o momento fundamental de toda a narrativa, para onde tudo se move e de onde tudo parte.

São muitas as diferenças entre as duas partes, assim interpretadas. A primeira transcorre entre dimensões múltiplas de tempo, possui uma estrutura intrincada (Quadro abaixo), apresenta mudanças nas formas de tratamento e nos tempos verbais e depende inteiramente da numeração complexa dos sistemas de sinais rituais mesoamericanos; a segunda avança de maneira progressiva numa dimensão de tempo, possui uma estrutura simples, é gramaticalmente uniforme e depende da

---

[7] "Tlacuilolli": termo náuatle que significa, como já se disse atrás, "algo pintado ou escrito"; é compartilhado por várias culturas da Mesoamérica, entre elas a tolteca, a mixteca e a asteca. Reúne conceitos que, no Ocidente, correspondem à letra, à imagem e ao número.

[8] "Teoamoxtli": livro ritual ou poético, um dos dois gêneros principais de livro em *tlacuilolli*, conhecido também como *temicamatl*, livro de sonhos. O outro gênero consiste em anais (*xiuhtlapoualli*).

numeração ritual apenas no nível do calendário. Nela, é maior a presença de náuatle, o discurso formal não é empregado e os diálogos são menos desenvolvidos. Um comentador até chegou a imaginar dois manuscritos originalmente independentes, um da região guatemalteca de Carchah e outro de Quiché, que teriam sido reunidos por um clérigo espanhol. Contudo, como mostrou Tedlock em sua refutação dessa teoria, é precisamente na oposição entre as duas partes que o texto revela uma sólida inteireza como artefato indígena, possuindo estrutura própria e abrindo passagem para os homens de milho.[9]

TEMPO MAIS RECENTE

TRANSIÇÃO DA COSMOGONIA À HISTÓRIA

Gente de milho; criada com a ajuda de Xmucane

4) Família proto-humana, e descida ao inframundo Xibalba:
avó   pais   filhos
Xmucane   Hun Hun Ah Pu   irmãos mais velhos, viram macacos
             E irmão   irmãos mais novos, os Gêmeos

3) Família ave-ofídio de Vuqub Kaqix, com dois filhos sáurios
Gêmeos crianças (episódio sucedido durante a idade da gente de madeira)

2) Primeiras criações: gente dura e seca demais
Gente de madeira; criada com a ajuda de Xmucane.Viram macacos

1) Primeiras criações: gente branda e molhada demais
Gente de barro

TEMPO PROFUNDO
Estrutura da primeira parte do *Popol Vuh*

A segunda parte narra como o povo quiché veio a estabelecer-se em seu domínio montanhoso no centro da Mesoamérica, visitou a grande Tula da planície e lutou pela supremacia política, o que o próprio texto estava destinado a expressar e defender. Em outras palavras, é basicamente um relato histórico, de maneira

---

[9] Tedlock, 1996 (1985); ver Brotherston, 1992, nota 10 do capítulo 2. As atas do Primeiro Congresso Internacional sobre o *Popol Vuh* (Guatemala, 1979) foram publicadas in CARMACK, Robert M. e MORALES SANTOS, Francisco (Eds.). *Nuevas perspectivas sobre el Popol Vuh* (Cidade da Guatemala: Editorial Piedra Santa, 1983). Ver também PREUSS, Mary. *Gods of the Popol Vuh* (Culver City, CA: Labyrinthos, 1988), que chama a atenção para a transcrição de Burgess e Xec e a cópia da tradução para o espanhol feita pelo frei Francisco Ximénez: "Empiezan las Historias del Origen de los Indios de esta Provincia de Guatemala", existente no Museu Popol Vuh (Universidad Francisco Marroquín, Quetzaltenango, Guatemala); uma edição fac-similar foi publicada sob o mesmo título por Agustín Estrada Monroy (Cidade da Guatemala: Editorial José de Pineda Ibarra, 1973). Sobre o título, ver EDMONSON, Munro. "Historia de las tierras altas mayas, según los documentos indígenas", in VOGT, Evon Z e RUZ, Alberto L. (Eds.). *Desarrollo cultural de los mayas*, pp. 273-302 (2. ed., México, DF: Universidad Nacional Autónoma de México – UNAM, 1971); CARMACK, Robert M. *Quichean Civilization: the ethnohistorical, ethnographic and archaeological source* (Berkeley e Los Angeles: University of California Press, 1973); CARMACK, Robert M. e Mondloch, James L. *El título de Yax y otros documentos quichés de Totonicapan*. (Edição fac-similar. México, DF: Universidad Nacional Autónoma de México – UNAM, 1989). Sobre a continuidade da vida quiché, ver CARMACK, Robert M. *The quiché Mayas of Utatlan: The evolution of a highland Maya kingdom* (Normam: University of Oklahoma Press, 1982). Tedlock compartilha sua experiência de traduzir o *Popol Vuh in* WARREN, Rosanna. *The Art of Translation: voices from the field*, pp. 73-82 (Hanover, NH: New England University Press, 1989).

nenhuma destituído de elegância literária, mas formalmente comprometido com uma realização narrativa menos elaborada que a da primeira parte.

Não sendo seu desenvolvimento tão simples, a primeira parte é muito mais difícil de resumir. Como nos diz o prólogo, ela relata as quatro criações inerentes ao tempo atual. Identificar e computar essas criações não tem sido fácil. Ao discernir nelas as etapas de desenvolvimento de formas específicas de vida, dentro de uma narrativa evolutiva, Edmonson fala de seus inícios e finais como "nascimentos e humilhações". Tedlock, por outro lado, adere à costumeira preferência espacial e apresenta as quatro criações como "formadas e repartidas em quatro partes, assinaladas e medidas... nos quatro ângulos, nos quatro lugares". Dado o vasto escopo da narrativa, parece provável que os termos-chave maias em questão (*tzuq, xukut*) incluam as duas possibilidades, neste caso a configuração americana do espaço e o percurso evolutivo do próprio texto descartariam um modelo espacial do qual estivesse ausente o tempo.

Quais são, então, essas quatro criações? Até certo ponto, a resposta é suficientemente clara, graças a indicações explícitas no texto. Não pode haver dúvida, nessas condições, sobre a criação centrada em Vuqub Kaqix (Sete Papagaio) e sua família, nem sobre a epopeia posterior no inframundo Xibalba, seguida, por sua vez, pela criação das pessoas de milho, o momento decisivo com que principia a história quiché e a segunda parte. No início, contudo, onde o texto trata da criação das pessoas de barro e, a seguir, das pessoas de madeira, a explicação para sua divisão correta é mais enigmática. Edmonson e Tedlock oferecem o seguinte esquema:

[Primeira parte]
1. Gente de barro; gente de madeira
2. Vuqub Kaqix
3. Xibalba

[Segunda parte]
4. Gente de milho; história dos quichés (4 e 5, em Tedlock)

São dois os motivos para desejar rever esse esquema, dado que os "cantos" das traduções ao inglês não são comensuráveis com as idades do mundo. No contexto da cosmogonia mesoamericana, as quatro criações no *Popol Vuh* se encaixam no padrão quádruplo dos sóis ou idades do mundo descritos na literatura náuatle e na famosa "Piedra de los soles" dos astecas. De estrutura complexa, o próprio texto oferece instruções precisas, ainda que discretas, sobre como as unidades episódicas, da primeira parte, visam a estar juntas numa ordem quádrupla. Pois as quatro criações "de todo o Céu e de toda a Terra" (versos 61-2) pertencem por definição a esta parte inicial cosmogônica, anterior à história política. Além disso, as pessoas de barro e as pessoas de madeira (1, pág. anterior) são claramente separáveis graças às suas respectivas forças de criação, e, acima de tudo, porque se afirma que a criação de Vuqub Kaqix ocorreu durante a era dos homens de madeira ("Isso foi durante a criação e o afogamento dos homens entalhados na madeira", versos 881-4), fazendo desta um conceito separado. (Mercedes de la Garza corrige sucintamente a fusão da primeira criação com a segunda, "onde outras pessoas são formadas".[10]) Depois, quando as primeiras pessoas de milho são criados (4, *idem*, de Edmonson e Tedlock), e seus olhos e sua inteligência ainda não estão obliterados pelos deuses, afirma-se explicitamente que elas recordam as quatro criações, das quais de fato emergiram, no momento da passagem para a era histórica. Em outras palavras, os homens da nossa idade — o quinto Sol dos astecas — se distinguem conceitualmente das quatro idades anteriores. Sob esse ponto de vista, um esquema preferível poderia partir do quadro "Estrutura da primeira parte do *Popol Vuh*", à página 16:

PRIMEIRA PARTE
Prólogo
1. Gente de barro
2. Gente de madeira
3. Vuqub Kaqix
4. Xibalba

Transição da cosmogonia para a história: gente de milho/ primeiros quichés

SEGUNDA PARTE
História dos quichés

Esta disposição é corroborada pela extensão proporcional das criações respectivas. Assim, a primeira e a segunda criações têm, juntas, o mesmo comprimento da terceira, e as três primeiras criações, a metade do comprimento da quarta. É este esquema o que mais permite ver as concordâncias estruturais entre o *Popol Vuh* e as idades do mundo representadas não só na "Pedra dos Sóis" e outros textos mesoamericanos como também no Quarto Mundo em geral.

GENTE DE BARRO E GENTE DE MADEIRA

No princípio do tempo que lhe corresponde, o mundo jaz expectante: "Na verdade estava calmo. Na verdade estava solitário e também estava ainda vazio, o útero do Céu" (versos 100-2). Em sua face obscura os fenômenos que irão povoá-lo são definidos pela ausência: "Não havia ainda nenhuma pessoa, nenhum animal, pássaro, peixe, caranguejo, árvore, pedra, buraco, desfiladeiro, campo ou floresta" (versos 105-16). A primeira união alterna a atmosfera com a esfera, lança

---

[10] "donde se crean otros hombres" (GARZA, Mercedes de la. In: MONJARÁS-RUIZ, José (Coord.). *Mitos cosmogónicos del México indígena*. México: Instituto Nacional de Antropología e História, 1987, p. 26). Como uma linha que perpassasse este esquema cósmico e culminasse na criação das pessoas de milho, as duas sucessivas criações de proto-humanos (como aqui, feitas de lama e depois de madeira) claramente ecoa por toda a Mesoamérica e o Quarto Mundo; entre os iroqueses está ritualmente consagrada em dois tipos distintos de máscaras (SPECK, Frank G. "Concerning iconology and the masking complex in eastern North America". *Univesity Museum Bulletin*, Filadélfia, v. 15 n. 1, pp. 1-57, 1950); FENTON, William N. "Masked Medicine Societies of the Iroquois", in *Smithsonian Institution Annual Report for 1940*. Washington, DC: Smithsonian Institution Press, pp. 397-429, 1941 – e *Iroquois reprints*, Ohsweken, Ont.: Iroqratfs, 1984; FENTON, William N. *The False Faces of the Iroquois*. Norman: University of Oklahoma Press, 1987.

um nome brilhante como um raio ou pensamento entre u Kux Kah (o Coração do Céu) e Quq Kumatz (Quetzal Serpente),[11] iridescente na água noturna situada abaixo.

Manifestando-se como uma tríade de relâmpagos, chamados de raio, anão e verde, Um Perna é *Hu r Aqan* em quiché, o furacão caribenho, um deus da tormenta cujo redemoinho reúne fisicamente o céu e o mar.[12] Além de indicar a forma, esculpida em efígies da Jamaica e das Guianas realmente como uma única perna, mas com braços que giram, o termo "Hu r Aqan" também se relaciona ao *tonalamatl*,[13] através do Hun Oc (perna ou pé) maia das planícies, o equivalente dos nomes usuais em quiché e náuatle para o décimo sinal: Sinal X (Cachorro: *tzi*; *itzcuintli*), dos Vinte Sinais mesoamericanos.[14] Quanto à Quetzal Serpente (Quq Kumatz ou Quetzalcoatl), nós a encontramos aqui em sua forma primitiva, um resplandecente pássaro-réptil, encarregado da força evolucionária ascendente que se manifestará. Tal como Hu r Aqan, ele também pertence ao *tonalamatl*, já que, como um dos **Quecholli**,[15] Quetzal corresponde ao número Doze, e a Serpente é o Sinal V. Graças a isso, conforme os dois vão pensando e conversando, estabelecem por meio do *tonalamatl* um ritmo de gestação profunda no tempo, cujas fases e cujos intervalos em princípio podem ser medidos.

A consequência física da intensa meditação de Hu r Aqan e Quq Kumatz foi a formação da crosta terrestre. Como se fosse resultado da ação vulcânica comemorada nas cosmogonias originais dos Andes e da serra ocidental do continente, as montanhas se elevaram para separar os rios que fluíam e proporcionar encostas para florestas de cedro e pinheiro, onde as criaturas selvagens logo fizeram suas tocas. Elas se mostraram, contudo, incapazes de expressar o hino de veneração que lhes exigia seus criadores, nessa que foi a primeira tentativa específica de modelar e formar seres humanos.

A substância usada nessa tentativa foi o notório barro de Adão. Mas a figura resultante mostrou-se totalmente insatisfatória. Não podia inclinar a cabeça, tinha a face assimétrica e era incapaz de olhar ao redor, falar, andar ou reproduzir. Depois de criados, esses seres foram abandonados pelos deuses e entregues às águas. As características deste primeiro antecedente da raça humana — uma cabeça que não se inclina e uma face na qual apenas uma das metades pode mover-se — são curiosamente repetidas nas máscaras assimétricas, denominadas "caras de barro",

---

[11] "Quetzal Serpente", protótipo patente do Quetzalcoatl náuatle (personagem da segunda parte), é a tradução literal (pássaro-réptil) e, portanto, mais adequada de *Quq Kumatz*; alguns tradutores e estudiosos usam contudo "Serpente Quetzal", invertendo a sequência das palavras.

[12] HANDLER, Jerome. "The Bird Man: A Jamaican Arawak wooden idol", *Jamaica Journal*, n. 11, pp. 25-9, 1978. Hu r Aqan virou "huracán" em espanhol e "hurricane" em inglês. Por muito tempo debatida, esta etimologia de tormenta, que chegou à Europa através do Caribe, é agora mais aceitável (Tedlock, 1996: 343).

[13] "Tonalamatl": termo náuatle que corresponde à contagem ou ao registro dos destinos dos dias e das noites da gestação humana. É fundamental nos livros escritos tanto em hieróglifos maias quanto em *tlacuilolli*. O *tonalamatl* consiste formalmente em várias séries de sinais e de números. Distinguem-se dentre estes os 9 senhores da noite (Yoalitecutli), os treze voadores (Quecholli) e os Vinte Sinais. Aqui, ao fazer a contagem destes últimos, utilizamos números romanos, de modo que o quinto sinal, serpente, é V, e o segundo, vento, é II. As identidades de certos sinais variam segundo as línguas e as culturas da Mesoamérica. O sinal X, cachorro, é *tzi* em quiché; o pé em maia; o sinal XX, é flor e senhor-caçador, respectivamente.

[14] Ver nota anterior.

[15] "Quecholli": "voadores, pássaros" (náuatle), notavelmente o grupo de Treze que integra o *tonalamatl*.

dos iroqueses. Na história das espécies vertebradas, correspondem ao peixe, a cujo elemento úmido também essas criaturas retornaram.

Depois deste malogro, Hu r Aqan e Quq Kumatz decidem chamar o par de avós Xpiacoc e Xmucane, conhecidos em náuatle como Cipactonal e Oxomoco, genitores e portadores, e capazes de trocar de sexo. Com o poder que foi lhes outorgado como contadores das noites e dos dias do *tonalamatl*, eles apelam para a linguagem do gênero e da genética. Preveem o futuro com grãos de milho e de feijão *tzite*, dizendo: "Aproximem-se agora e sejam um par" (versos 605-6), ato celebrado visualmente nos códices mesoamericanos: no *Borbonicus*, onde os grãos de milho de Oxomoco também são 9, por exemplo, e na Inscrição de Yauhtepec,[16] que enfatiza o papel de Cipactonal como entalhador e marcador de dias.

As criaturas produzidas por Xpiacoc e Xmucane, esculpidas em madeira, assemelham-se a pessoas, falam e se multiplicam rapidamente. Contudo, se seus predecessores eram molhados e brandos, elas por sua vez são secas e duras. Quais bonecos, movem-se desajeitadamente e, como se esquecem de seus criadores, são também rejeitadas, na condição de "uma primeira tentativa, (...) apenas um ser para demonstração" (versos 645-6).

Ao passo que os seres de barro são derrotados em solidão, as pessoas de madeira tornam-se grandes exploradoras de outras vidas e objetos. Na verdade, como são muito duras, insensíveis e agem como autômatos, não demonstrando nenhuma reverência ou respeito para as coisas e seres que dominam e controlam, deverão ser esmagadas, por sua vez, por todos aqueles que alguma vez exploraram, e por monstros que descem do céu: os *tzitzimine*[17] do eclipse solar, que arrancam olhos e atacam violentamente com pederneiras e facas. "Por causa deles a face da Terra ficou escura e aí começou uma chuva negra, dia e noite" (versos 715-8). Pois a gente de madeira havia desrespeitado o contrato doméstico que é fundamental na cosmogonia e na filosofia do Quarto Mundo, maltratando seus perus e seus cães — os únicos animais domesticados da Mesoamérica. Os mais antigos amigos dos seres humanos, os cães, sabem pressentir o eclipse solar e o terremoto. Por conseguinte, esses animais retornaram ao estado selvagem e atacaram seus donos com recriminação furiosa. Até mesmo as grelhas e as panelas das pessoas de madeira se queixaram de terem sido tratadas com grande insensibilidade, numa passagem de vigorosos efeitos fonéticos:

"Éramos batidas por vocês
Todo dia —
　Todo dia —
Noite e dia,
　O tempo todo —
Triturando!
　Triturando!

[16] Reproduzido em Nowotny, Karl A. 1961. *Tlacuilolli: Die mexikanischen bilderhandschriften,:Stil und inhalt*. Berlim: Verlag Gebr. Mann, p. 53.
[17] Monstros noturnos, da escuridão, que atacam as pessoas.

Craque!
Craque!"
(Holi!/Holi!/Huk'i!/Huk'i!) (versos 736-44)

Os poucos que sobrevivem a esta revolução fogem para as florestas, transformando-se nos "macacos que estão na floresta hoje" (verso 810).

A narrativa do *Popol Vuh* começa com a primeira e a segunda criações, as quais têm em comum o fato de que, em ambas, os agentes celestiais, necessitando de reconhecimento, ou *anagnorisis*, produzem os antecedentes da raça humana, mas falham nas duas tentativas e os destroem por intermédio de catástrofes. A ruptura entre os dois esforços dos deuses, contudo, é claramente assinalada, além do que, na segunda criação, o foco narrativo é, no conjunto, mais minucioso, oferecendo detalhes sobre os agentes e o processo, os quais, em princípio, estão ausentes da primeira. Essa tendência se torna mais marcada no próximo estágio da narrativa, que focaliza a família de Vuqub Kaqix, sua esposa, Chimalmat (Carregadora de Escudo), e seus dois filhos, Cipacna (Jacaré) e Kaab r Aqan (Dois Perna).

VUQUB KAQIX E FAMÍLIA

Ao aproximar-se a terceira criação, ao leitor são dados esclarecimentos precisos sobre como situá-la em relação às duas já relatadas. Pois a história de como Vuqub Kaqix e sua família foram derrotados pelos Gêmeos, na época duas crianças — um quarteto perfeitamente constituído em si mesmo —, é situada na era das pessoas de madeira, isto é, durante a segunda e não durante a primeira criação, o que, como já foi observado, certamente contradiz, em lugar de confirmar, a fusão das duas primeiras criações, proposta por Edmonson e Tedlock. Seja como for, a essa altura a narrativa como um todo não pode mais ser pensada como uma simples sequência cronológica ou mesmo linear: trata-se antes de níveis sucessivos de tempo, os primeiros sendo os mais profundos. Gerado *ex abrupto* pela bravura de Vuqub Kaqix e não por uma decisão dos deuses, este episódio das aves-ofídios termina com o comentário de que pertence à infância dos Gêmeos, quando eles viviam na superfície da terra, antes de descer a Xibalba.

Narrativa tão longa quanto as duas primeiras criações juntas, esta terceira criação será melhor lida como um drama em quatro atos, cujos personagens se dividem em dois grupos antagônicos. De um lado, encontra-se Vuqub Kaqix e sua família; do outro, os Gêmeos Hun Ah Pu (Caçador) e X Balam Ke (Jaguar Veado), além de seus protetores e aliados. A ação dos personagens e a luta que travam quase já não deixam espaço para as divindades controladoras, ou para seus representantes. Dando atenção especial à aparência e ao comportamento de tipos individuais, a narrativa analisa aquelas que haviam sido as qualidades indiferenciadas e a situação geral das pessoas de madeira; mas, se por um lado, nem as pessoas de barro nem as pessoas de madeira jamais pronunciaram palavra, por outro estes personagens conversam continuamente, uns com os outros ou sozinhos, em solilóquios.

Observando sua evidente autodenominação como episódio, seu tom dramático e seu léxico náuatle dominante, Munro Edmonson chegou até a referir-se a esta terceira criação como uma "inserção do século X",[18] uma passagem introduzida, por assim dizer, num texto maia preexistente. Quaisquer que possam ser as razões dessa afirmação, em termos literários o episódio está brilhantemente integrado na narrativa maior. Ele alude frequentemente às duas criações anteriores, especialmente aquela das pessoas de madeira, em cujo período é situado, estabelecendo etimologias e uma lógica evolucionária e completando o plano de grandes metamorfoses em peixes, macacos, estrelas e montanhas. Ao mesmo tempo, através das pessoas dos Gêmeos, o episódio avança para a quarta criação, que constitui sua epopeia. Além disso, em termos de argumento, um substrato mesoamericano comum tanto à versão maia quanto à náuatle das idades do mundo e da epopeia dos Gêmeos existe também em textos otomanguanos,[19] como *Nai tzult, nai tza*, que trata dos Gêmeos solar-lunares mazatecos.

A peça começa quando Vuqub Kaqix anuncia sua primazia como herdeiro da criação até esse momento. Sua grande estatura, suas penas brilhantes e suas feições radiantes como joias e metais preciosos equipam-no para ser considerado nada menos que o Sol e a Lua. O seu orgulho prolonga-se em seus dois filhos, Cipacna e Kaab r Aqan, que, dotados de força descomunal, distraem-se construindo e destruindo montanhas. Observando a família e percebendo a preferência de Hu r Aqan por outra ordem de grandeza, os Gêmeos decidem reduzir-lhes o tamanho, começando pelo pai, Kaqix.

Enquanto Kaqix devora as frutas da sua grande árvore, anunciando estridentemente seu despertar, os Gêmeos Hun Ah Pu e X Balam Ke o atingem com sua sarabatana. Na luta que se segue, Hun Ah Pu perde um braço, que Vuqub Kaqix leva como troféu para casa, entregando-o à esposa, Chimalmat, em meio a reclamações sobre a insuportável dor de dente causada pelo dardo envenenado de Hun Ah Pu. Nisso os Gêmeos, órfãos e agora mais desamparados do que antes, são adotados por um casal ancião de cabelos brancos, Zaqi Nim Aq (Grande Porco Branco) e Zaqi Nima Tziz (Grande Quati Branco), que, protegendo-os como se fossem seus próprios descendentes, lhes permitem se tornar os dentistas de Kaqix: "Que tipo de veneno vocês sabem fazer? Que veneno podem medicar?" (versos 1.087-8), ele lhes pergunta. Os Gêmeos aproveitam a oportunidade para, recorrendo a um anestésico, remover seus dentes e as insígnias preciosas que o haviam tornado um senhor, substituindo-os por uma dentadura postiça. Ele então morre, seguido pela esposa, Chimalmat. Tendo recuperado seu braço, Hun Ah Pu o enxerta satisfatoriamente no mesmo lugar.

O segundo ato da peça diz respeito aos Quatrocentos filhos, aparentemente órfãos como os Gêmeos, que são no início vistos de relance cortando árvores com

---

[18] EDMONSON, Munro S. (Ed.). 1985. *Literatures*. Supplement 3: *Handbook of Middle American Indians – HMAI*. Austin: University of Texas Press, pp. 111-12. Com seu inconteste período de tempo imerso na cosmogonia mesoamericana, a versão otomanguana desta narrativa proíbe vigorosamente tal fragmentação: os Gêmeos mazatecos, idênticos àqueles dos quichés enquanto protótipos do Sol e da Lua (Nai Tzult, Nai Tža), saem ambos com a sarabatana para caçar pássaros nas montanhas e, enganando a avó, iniciam o épico jogo de bola (INCHÁUSTEGUI, Carlos. 1977. *Relatos del mundo mágico mazateco*. México, DF: INAH, pp. 27-34); portanto, reafirmam a conexão entre a terceira e a quarta criações no *Popol Vuh*, que em cada caso está implícita, por terem ambas os Gêmeos como protagonistas.

[19] Esse termo se refere a um antiquíssimo tronco linguístico indígena da Mesoamérica.

machados, a fim de construírem para si próprios uma casa. Incapazes de levantar a trave-mestra, eles aceitam o auxílio de Cipacna, que se oferece para carregá-la, mas, temerosos da sua tremenda força, decidem matá-lo, perfurando um poço enorme para que caísse nele. Convencidos de que Cipacna morrera a partir da evidência de que cabelos e unhas estavam sendo trazidos para cima pelas formigas, celebram o feito bebendo grande quantidade de cerveja caseira *pulque*. No auge da sua alegria, Cipacna, que havia permanecido deitado todo o tempo, vinga-se, derrubando a casa em cima deles e matando-os todos. O destino deles é então subir ao céu e se converter nas Plêiades, a constelação menos equívoca de todo o caminho do zodíaco.

Sabendo disso, os Gêmeos vingam no terceiro ato os Quatrocentos, matando Cipacna. Obtêm sucesso atraindo-o a uma caverna, sendo a isca ou chamariz um caranguejo falso, cuja carne rosa lhe dá água na boca. A entrada é tão estreita que ele tem de descer deitado de costas para agarrar a isca e, como fica ali entalado, a montanha, chamada Meavan, esmaga-o. Tedlock (1996) chama a atenção para o humor erótico que esta sequência ainda tem para os quichés (o caranguejo é considerado homossexual) e para a posição de Meavan na geografia local.

Finalmente, completando o quarteto de episódios, os Gêmeos conseguem que Kaab r Aqan, o outro filho de Kaqix, se submeta a eles. Esse personagem é uma monstruosa paródia de Hu r Aqan e um sáurio gigante como seu irmão; ele destrói as montanhas que o outro levanta, para deixar a luz surgir a este. É derrotado porque não é capaz de resistir à comida preparada pelos Gêmeos, um pássaro assado no gesso. Após ingerir o gesso, substância a que ele mais se assemelha, Kaab r Aqan se enrola todo, de modo que os Gêmeos conseguem amarrá-lo e enterrá-lo. Virando pedra em forma de estrato, estes filhos sáurios de Vuqub Kaqix lembram criaturas que encontram a mesma sorte no *Manuscrito de Huarochiri* e textos similares. A mais complexa dentre elas seria talvez o Xiuhcoanaual náuatle, sáurio metamórfico e proteico do ano e do tempo.

Com isso, a peça está completa, sua lógica quádrupla, que não admite subtração ou adição, consumada. Os Gêmeos derrotam Vuqub Kaqix; o primeiro filho de Kaqix derrota os Quatrocentos meninos; os Gêmeos derrotam o primeiro filho de Kaqix; os Gêmeos derrotam o segundo filho de Kaqix. Satisfatória enquanto tal, esta criação desenvolve o argumento evolucionário do *Popol Vuh*, dando especial atenção à anatomia, à pele e ao comportamento de seus personagens principais. Na verdade, o conflito entre esses personagens é confirmado pelo tipo de pele, na medida em que o partido de Vuqub Kaqix se veste de escamas e penas, enquanto seus oponentes possuem apenas pelo, essas três possibilidades sendo as únicas disponíveis aos vertebrados americanos. Chamada de Chimalmat, palavra náuatle para "escudo", a mulher da família de Kaqix "cobre" a sua ninhada, inicialmente um ninho cheio de ovos, tanto de sangue quente quanto frio. Embora nascidos da mesma bolsa amniótica, os mamíferos são, em comparação, indefesos, e tanto os Gêmeos quanto os Quatrocentos meninos estão descritos como "meninos perdidos" de pais desconhecidos. Precisamente por esta razão, o par idoso e "humilde" Zaqi Nim Aq e Zaqi Nima Tziz, cuja idade avançada seus cabelos e barbas brancos revelam, se oferece para proteger os Gêmeos como seus descendentes adotivos. Eles o fazem movidos pelo mesmo tipo de solidariedade que impele os Gêmeos a vingar os Quatrocentos meninos; e, etiologicamente, isto contrasta com o parentesco meramente formal dos ovíparos pássaros-répteis.

Embora ele seja chamado Kaqix (os cakchiqueles dizem Arara), o detentor deste nome deve ter tido enorme estatura e poder, pois foi capaz de arrancar o braço direito de Hun Ah Pu da sua raiz: o *Códice Borgia* e outros mostram de fato a imagem de um papagaio monstruoso, com o braço cortado no bico. Uma criatura similar quase homônima aparece no mesmo momento na história das idades do mundo no *Manuscrito de Huarochiri*. Com os dentes que o transformaram em senhor, e que depois perdeu, deve-se interpretá-lo como um voador primitivo, um ser que eleva do mar para o céu o brilho de quetzal: talvez um arqueopterix, ou o mais modesto hoatzin americano, cuja ninhada, nas primeiras semanas de vida, ainda revela sinais atávicos de dentes e garras de répteis. De qualquer modo, este episódio nos recorda que as aves já tiveram dentes e que na lógica numérica os grãos de milho — os dentes postiços — crescem em fila dupla, como na série binária dos dentes. Segundo a mesma lógica aritmética, Vuqub Kaqix remata a série ritual dos Treze Quecholli, e os números do seu nome completo somados sugerem a base vigesimal, isto é, 7 + 13 = 20. Multiplicado, o nome produz a soma dos **Quecholli**; em outras palavras, todos somados, dão 7 × 13, ou 91, uma expressão matemática de potencial combinado. Esta decifração numérica é confirmada pelo episódio de Ah Muzen Cab, nos *Livros de Chilam Balam*,[20] onde a figura que se vê despojada de seu orgulho e insígnia é chamada Oxlahun-ti-ku, "deus-13" (*Chumayel*). Em todo o caso, o problema com Kaqix é que ele leva longe demais, e na direção errada, o impulso anunciado, no início da narrativa, nas penas da Quq Kumatz.

Os dois filhos sáurios de Kaqix representam a outra metade da ave-ofídio Quq Kumatz, como um dos vertebrados de sangue frio que adquiriram proporções enormes no cretáceo. O nome do primeiro filho, Cipacna, significa jacaré (Cipactli em náuatl, uma raiz também visível no nome Cipac-tonal/Xpiayacoc, o consorte de Oxomoco/Xmucane), cujos hábitos exibe, deitando-se imóvel e fingindo-se de morto, e cuja anatomia compartilha, ao tentar agarrar o caranguejo pondo-se de barriga para cima. Pois os jacarés e seus ancestrais são identificados pelo fato de suas mandíbulas se abrirem de maneira invertida, para cima em vez de para baixo, o que efetivamente limita o tamanho e o formato do seu crânio. Uma vez imobilizado debaixo de Meavan, Cipacna volta a ser a própria terra, uma marca de sua antiguidade celebrada, por exemplo, nas imagens do Quarto Mundo do jacaré como a fundação de edifícios e a terra na qual crescem as primeiras plantas. Na estela 25, na vizinha Izapa (México), assim como na distante Chavin (Peru), o jacaré serve desta maneira de base e alicerce para o crescimento vegetal, ao mesmo tempo que ostenta as unhas invocadas no *Popol Vuh*, em mãos bem cuidadas.

---

[20] *El Libro de Los Libros de Chilam Balam*: textos calendáricos e cosmogônicos, escritos pelos maias no alfabeto após a invasão de Yucatán e em parte transcritos de originais hieroglíficos. (Ver: BARRERA VÁSQUEZ, Alfredo e RENDÓN, Silvia. Trads. 1982. *El libro de los libros del Chilam Balam*. México: Editorial Fondo de Cultura Económica; e BOLIO, Antonio Mediz, editor. 1988. *Libro de Chilam Balam de Chumayel*. México: Universidad Nacional Autónoma de México – UNAM).

Como o primeiro dos Vinte Sinais, Cipactli também é literalmente a base desse conjunto de sinais do *tonalamatl*. Contudo, embora constitua um risco, com sua força telúrica e sua capacidade de levantar para o céu camadas inteiras de terra, como o fizeram os deuses no início da criação, lhe é atribuída a formação de vários vulcões que, muito mais adiante na história, aparecem como marcos e protetores do divisor continental de águas no território quiché: um feito que atenua seu aspecto de simples monstro.

O outro filho, Kaab r Aqan, que derruba o que Cipacna erige, também termina na terra, fatalmente enfraquecido por comer o que mais aprecia numa forma cozida nociva a seu sistema gástrico. No que se refere à anatomia, seu nome sugere a forma de um tiranossauro; e os testemunhos fósseis mostram que os dois quartos traseiros desses animais sempre são mais largos que os dianteiros, enquanto a forma de sua pelve revela o nexo genético com as aves. Deste modo, Kaab r Aqan faz uso máximo da articulação entre quadril e joelho, tal como detalhada nos códices. Por meio dela, ele se apresenta como uma contrafação de Hu r Aqan Kux Kah (Um Perna Coração do Céu), a tal ponto que este último comenta o fato com os Gêmeos, quando os incentiva a dar ao mundo espaço para respirar, domesticando e reduzindo os três machos da família de Vuqub Kaqix.

Por sua vez os Gêmeos, os Quatrocentos meninos (aos quais aqueles se parecem muito como verdadeiros órfãos) e o casal de cabelos brancos que os adota têm em comum a vulnerabilidade e a propensão a atacar primeiro, a enganar, a usar subterfúgios. Zaqi Nim Aq e Zaqi Nima Tziz mentem com êxito para Kaqix, os Quatrocentos meninos mentem (sem êxito) para Cipacna e os Gêmeos enganam toda a família, sobressaindo-se também na arte do engodo (o caranguejo) e do substituto fraudulento (os dentes falsos de Kaqix). Os Gêmeos e os Quatrocentos meninos se distinguem, além disso, como usuários de ferramentas, particularmente a sarabatana e os venenos fabricados, tão celebrados por Lévi-Strauss, o machado e o pote para fermentar *pulque*. Como pioneiros em uma paisagem selvagem, onde derrubam árvores para levantar a viga mestra de sua casa, os Quatrocentos meninos são como os onze "Bebedores de *pulque*" nos códices, brandem machados e, seguindo o primeiro exemplo das Plêiades (isto é, os Quatrocentos meninos na sua forma celeste), marcam as estações do caminho do zodíaco. Assim, eles preparam a estrada celestial que os Gêmeos irão mais tarde tomar.

No *corpus* dos códices, numerosas imagens no estilo do braço humano retido por Kaqix e da árvore cortada pelo machado fundamentam a dialética evolucionária desta quarta parte da peça, que penetra a própria lógica do *tonalamatl*. Kaqix remata os Treze **Quecholli**, seu filho Cipacna (Sinal I) provê a base dos Vinte Sinais e seu outro filho, Kaab r Aqan, como Hu r Aqan, invoca uma versão arcaica do Sinal X. No que se refere aos Gêmeos, Hun Ah Pu é a forma quiché do Sinal XX (flor em náuatle, senhor em yucateco) e, como X Balam Ke (Sinais XIV e VII), seu irmão combina o carnívoro e o herbívoro, o caçador e a caça, contrapostos também no nome e no atributo do herói dos anais mixtecos, Oito Veado Garra de Jaguar. Em termos numéricos, este encargo semiótico do texto refina as fases e os ritmos do *tonalamatl*, instituído, no começo do *Popol Vuh*, por Hu r Aqan (1 X) e Quq Kumatz (12 V).

Como prova da antiguidade mesoamericana da lógica desenvolvida nessas três criações, encontramos em Chalcatzingo, no México, uma sequência de inscrições em pedra do antigo horizonte olmeca. Ali, retratando o mesmo conflito, embora com uma resolução mais selvagem, a imagem é a de um mamífero-humano despido e infeliz, devorado por um dragão, cuja cabeça enorme e cujos dentes são semelhantes aos dos sáurios e pássaros, e cujo corpo, ondulante, sinuoso e provido de uma nadadeira, é coberto de uma mistura de escamas e penas.[21]

A DESCIDA A XIBALBA

Sobre a forma e o significado geral da quarta criação não há maiores discussões. Fiéis à sua linhagem chamada "copeiros", os autores quichés do clã kavek iniciam o relato propondo um brinde ao nome do pai dos Gêmeos, Hun Hun Ah Pu (Um Caçador), e ao ato que gerou os Gêmeos. E a sequência termina quando os Gêmeos são vistos pela última vez caminhando pelo céu para reunir-se às Plêiades, como Sol e Lua.

Se a terceira criação foi uma peça de metamorfoses em quatro atos, com toques épicos, a quarta satisfaz inteiramente às exigências da epopeia. Ratifica-se o papel dos Gêmeos como vingadores, desta vez desafrontando a morte de seu pai, assassinado pelos Senhores de Xibalba, criaturas esqueléticas do inframundo. Sob esse aspecto, o enredo pode ser resumido em poucas frases. Chamados a Xibalba para um jogo de bola com seus governantes, o pai dos Gêmeos, Hun Hun Ah Pu, e seu irmão, Vuqub Hun Ah Pu (Sete Caçador), são humilhados e mortos. Milagrosamente concebidos do cuspe que brota da cabeça decepada do pai, os Gêmeos seguem os passos paternos, porém, para triunfar onde ele fracassou. Tendo suplantado seus irmãos mais velhos como herdeiros de Hun Hun Ah Pu, os Gêmeos derrotam os Senhores de Xibalba e, triunfantes, revelam seus nomes e motivos. Reúnem então com reverência a cabeça e o corpo do pai e sobem para o céu.

Por razões linguísticas, esta sequência de Xibalba foi destacada por Edmonson como especialmente maia; e os especialistas em cultura maia a têm estudado em busca de coincidências entre o *Popol Vuh* e o que é denominado seu códice,[22] isto

---

[21] A propósito desse "sáurio compósito e místico", Monumento 5 em Chalcatzingo, afirma Grove brandamente que, embora alguns arqueólogos tenham desejado ver nele um protótipo da Serpente Emplumada mesoamericana, não existe evidência visual para isso, e que, de qualquer modo, "é altamente duvidoso que analogias entre conceitos usados durante o século XVI e aqueles do período formador de 2000 anos antes possam ser demonstrados" (GROVE, David C. 1984. *Chalcatzingo: Excavations on the Olmec Frontier*. Londres: Thames and Hudson, pp. 112-13). Até mesmo uma inspeção superficial do original revela que aqueles que Grove desautoriza estão corretos, pois as "escamas" são muito semelhantes a penas e a cabeça tem características claras de ave; no que se refere à questão sobre a continuidade da cultura mesoamericana, ela está completamente assegurada, ao menos pelo uso ininterrupto neste período do *tonalamatl*, cujo primeiro sinal é afinal de contas o jacaré *cipactli*. Mais amplamente, como um pássaro-sáurio que personifica a família de Vuqub Kaqix, esta poderosa personagem olmeca antiga recorda por sua vez os monstros estudados por Lévi-Strauss (LÉVI-STRAUSS, Claude. 1993. "The Serpent with Fish inside his Body". In: LÉVI-STRAUSS, *Structural Anthropology*. Harmondsworth: Penguin Books, pp. 269-76), especialmente o engolidor num vaso nazca. Em Chalcatzingo começa a sequência de "caçador" dos Monumentos 5, 4, 3 e 2, que inclui felinos predadores e guerreiros armados com lanças (Grove os chama de remos curtos, apesar de sua clara definição militar em Palenque e Loltun).

[22] COE, Michael D. 1978. *Lords of the underworld: Masterpieces of classic Maya ceramics*. Princeton, NJ: Princeton University Press; ROBISCEK, Francis e HALES, Donald M. 1981. *The Maya book of the dead: The Ceramic Codex*. New Haven, CT: Yale University Press e 1981, Charlottesville, VA: University of Virginia Art Museum/University of Oklahoma Press; KERR, Justin. 1989. *The Maya Vase Book: A corpus of rollout photographs of Maya vases*. New York: Kerr Asso-

é, cenas pintadas em vasos e outros artefatos maias da planície, particularmente da área Carchah-Chamá, tradicionalmente associada com o caminho para Xibalba. Ao mesmo tempo, a narrativa segue o paradigma do passeio planetário característico dos heróis épicos americanos em geral, ou seja, a rota astronômica que passa entre os horizontes ocidental e oriental através do inframundo (conjunção inferior) e o zênite (conjunção superior). O tema específico do jogo de bola que os Gêmeos disputam contra os Senhores de Xibalba é comum nos textos otomanguanos da Mesoamérica, e também é conhecido entre os sioux e algonquinos da América setentrional.

Duas vezes mais extensa do que as três primeiras criações juntas, a quarta tece toda uma rede de significados em torno deste paradigma e faz uma excelente contraposição entre pares e conjuntos de personagens. O par principal, os Gêmeos, relaciona-se primeiramente com os seus antecessores, o pai Hun Hun Ah Pu e o tio Vuqub Hun Ah Pu (Um e Sete Caçador, Sinal XX), depois com seus irmãos mais velhos, Hun Baatz e Hun Choven (Um e Um Macaco, Sinal XI), os filhos da primeira mulher de seu pai; e, finalmente, com seus inimigos arquetípicos, Hun Kame e Vuqub Kame (Um e Sete Morte, Sinal VI) e outros Senhores de Xibalba. Por sua vez, esta distribuição de papéis inteiramente masculina relaciona-se de modo engenhoso com as mulheres: Xmucane, a mãe do pai; Cipacyalo (Jacaré Arara), a mãe dos macacos; X Kiq (Moça de Sangue), a mãe dos Gêmeos. Embora sejam apenas três, estas mulheres fornecem o fio de continuidade sem o qual a aventura masculina não chegaria a nenhum termo.

Os Senhores de Xibalba decidem chamar, inicialmente, os Pais e, posteriormente, os Gêmeos, porque estão irritados com o barulho dos jogos de bola disputados por eles no pátio de jogo da família, por cima de suas cabeças; do seu ponto de vista subterrâneo, o problema são as pessoas do andar de cima. Nas duas ocasiões, a convocação é comunicada por emissários, que são pássaros carnívoros que voam diretamente para o campo de jogo, empoleirando-se lá de modo agourento. Os Pais estão jogando bola pelo mesmo motivo por que jogam dados, para passar o tempo; e as convocações, levadas diretamente por quatro corujas de alta classe, não lhes deixam nenhuma escolha, segundo seu código de honra. Os Gêmeos, ao contrário, jogam bola com entusiasmo, logo após recuperarem os equipamentos de jogo dos Pais, mas são convocados indiretamente, pelo Falcão, um pássaro diurno. A mensagem foi levada primeiro a sua avó, Xmucane, na casa da família, que a comunicou depois aos netos no campo de jogo, por meio de uma pulga que ficou presa na baba de um sapo, que foi engolido por uma cobra, que foi então devorada pelo Falcão. Ao sintetizar uma cadeia alimentar que alterna tipos de locomoção (o pular, o correr), esta sequência também indica que, ao final, os próprios Gêmeos têm comichões (por isso a pulga) de desafiar os assassinos de seus pais.

Ao despedir-se de Xmucane, os Pais só podem deixar seus primogênitos Macacos para guardar a casa e mantê-la aquecida; depois, ao descer para Xibalba, deparam-se com quatro estradas coloridas: uma vermelha, outra preta, uma terceira branca e

ciates. O último inclui o ensaio de Coe, "The Hero Twins: Myth and Image" (Coe, 1989: 161-184), onde de novo Xibalba é vinculada retrospectivamente ao *corpus* hieroglífico sem aparente consciência da matriz épica maior; ademais, aqui, Coe muda de opinião a respeito da questão sobre quem é o tema, se os Gêmeos ou os Pais.

uma última amarela, mas escolhem a fatídica cor preta. Por sua parte, não tendo nenhuma descendência para deixar com Xmucane, os Gêmeos lhe confiam o cuidado de um pé de milho, o qual, plantado exatamente no interior da casa, irá vicejar à medida que eles forem avançando, anunciando seu triunfo final e a nova raça de pessoas de milho que dele surgirá. Do mesmo modo, as cores das suas estradas formam pares, o preto e o branco, o vermelho e o verde, sendo que o verde variável denota novo crescimento no registro do milho.

Quando chegaram a Xibalba, os Pais foram humilhados e ridicularizados pelo humor cru dos Senhores. Tomando-os erroneamente pelos próprios Senhores, saudaram cortesmente uma fila de doze bonecos de madeira, colocados ali para ludibriá-los, e provocaram grande hilaridade; e, quando convidados a sentar-se, o fizeram sobre uma pedra quente, o que os obrigou a saltar prontamente, provocando mais risadas. Num jogo de cartas marcadas, tiveram então de aceitar a dádiva do tabaco, tradicionalmente o símbolo da hospitalidade. Aqui, contudo, durante a noite passada na Qequma Haa (Casa da Escuridão), depararam-se com a opção impossível entre não consumir o tabaco e parecer rudes e consumi-lo e parecer gulosos. Em outras palavras, não tiveram nenhuma oportunidade, desde o começo; e os senhores, ao invés de respeitar a formalidade de realmente jogar com eles uma série de jogos de bola, decidem não só sacrificá-los, mas decapitar Hun Hun Ah Pu imediatamente. São apenas mencionados os outros terríveis quartos de hóspede que eles teriam ocupado em noites seguidas — a Xuxulim Haa (Casa do Calafrio), a Balami Haa (Casa do Jaguar), a Zotzi Haa (Casa do Morcego) e a Chayim Haa (Casa da Faca).

Em todas essas situações os Gêmeos se saem muito melhor que os Pais. Antecipando seus inimigos, aliciam um mosquito para picar os Senhores, um por um, e descobrem assim os que são de madeira e os nomes daqueles que são os verdadeiros Senhores:

"Ai!",
    Cada um foi dizendo à medida que era picado.
"O quê?"
    "Ai!", disse Hun Kame.
"O que foi, Hun Kame?
O que foi?"
"Estou sendo picado!"

versos 3.497-3.503

Recusam o assento quente e, introduzidos sucessivamente numa série de quartos de hóspede, descobrem meios de enganar os seus anfitriões homicidas. Ao aceitar o charuto, simulam sua brasa ardendo na escuridão com os órgãos fosforescentes de um pirilampo colocado numa pena de papagaio. Aos enfurecidos habitantes da Balami Haa, X Balam Ke diz: "Não nos comam" (versos 3.903-4), apelando ao parentesco dos jaguares com o herói Veado Jaguar X Balam Ke.

Os primeiros a perfazer o caminho épico sobre a terra e o céu, Hun Hun Ah Pu e Vuqub Hun Ah Pu são ultrapassados a cada passo e falham nos testes que caracterizam a jornada do xamã americano nativo. Seguindo seus passos, e tendo agora como seu marcador os filhos que se transformaram nas Plêiades, os Gêmeos se saem muito melhor, sendo dotados de uma memória instintiva ou genética: a narrativa insinua isso, ao propor um paralelo direto entre evento e evento, como Edmonson detalhou. Seus destinos diferentes correspondem a seus nomes: em termos aritméticos, Hun Hun Ah Pu e Vuqub Hun Ah Pu implicam o *tonalamatl* todo, construído de acordo com o Sinal XX, que, na convenção de contagem final dos maias da planície, nomeia *tuns* e *katuns*. Não numerados, os Sinais dos Gêmeos continuam este nobre precedente, mas o intensificam com o nome animal duplo de X Balam Ke (XIV e VII), o qual aponta para a capacidade de compreender o mundo natural e de comunicar-se com ele, o que salva suas vidas em muitas ocasiões, particularmente na Balami Haa.

A relação dos Gêmeos com seus irmãos mais velhos Macacos, os primogênitos de Hun Hun Ah Pu, é em grande parte de animosidade, uma consequência sobretudo do nascimento incomum dos Gêmeos. Pois X Kiq os concebeu milagrosamente do cuspe que caiu na sua mão direita, lançado pela caveira de Hun Hun Ah Pu. Tendo ambos regressado de Xibalba para a casa de Xmucane, na parte de cima, foram saudados por ela como sendo a sua verdadeira descendência, para grande desgosto de seus irmãos Macacos. Percebidos desde o início como uma ameaça e como usurpadores potenciais, os Gêmeos são tratados de modo humilhante pelos Macacos, que os mandam para fora de casa e os mantêm afastados e privados de comida. Durante o curso da ação, os Macacos expõem uma série de imperfeições — preguiça, raiva "de cara vermelha" (versos 2.851-2, a imagem exata de um guariba), inveja e orgulho fanfarrão —, as quais provocam a sua ruína. Com astúcia, os Gêmeos conseguem afastá-los e convertê-los em macacos autênticos; eles partem então para a floresta a fim de juntar-se aos bonecos sobreviventes, que haviam sofrido a mesma metamorfose, um acontecimento que, como a reaparição de Xmucane, une esta quarta criação à segunda. Balançando-se de maneira extravagante ao compasso da música dos Gêmeos, com as suas tangas pendendo para baixo a fim de simular um pênis-rabo símio (*topos* da iconografia da floresta tropical), são efetivamente repudiados por sua bisavó Xmucane, que não pode evitar rir deles, embora saiba que isso significa perdê-los para as regiões selváticas. Todo este episódio cabe sob a denominação de partenogênese,[23] a concepção miraculosa que caracteriza os Gêmeos e outros heróis épicos do Quarto Mundo. A resolução específica quiché das anomalias formais de parentesco implicadas é notável por sua engenhosidade, e mostra, como no romance *Le Neveu de Rameau*, de Diderot, que a música e o riso podem confundir a racionalidade e o controle humano.

Ao assumir a herança dos Macacos, os Gêmeos não se descuidam, contudo, de homenagear seus talentos como artesãos, dançarinos e pintores. No *tonalamatl*, o nome deles aparece como o Sinal (XI) para essas habilidades, e tem a honra de inaugurar a sua segunda década, ou segunda metade.

---

23 Esta faceta da natureza deles se torna muito mais clara através de comparações com os heróis-trickster da Mesoamérica, como os gêmeos Sol e Lua dos Mazatecos (Incháustegui, 1977) e da floresta tropical (BASSO, Ellen B. 1987. *In favor of deceit: A study of tricksters in an Amazonian society*. Tucson: University of Arizona Press). Matthew Arnold, que será mencionado a seguir nesta introdução, expõe suas preferências pelo herói "nobre" da epopeia em "On Translating Homer", *Literary and Critical Essays*. Londres: Everyman, 1906, pp. 210-75.

Antes de partir realmente para Xibalba, os Gêmeos de novo se distinguem de seus irmãos Macacos por sua vocação. Entre os vários trabalhos dos Macacos como descendentes da casa de Hun Hun Ah Pu, um era tomar conta da milpa e alimentar a família. Com o rebaixamento para o estado selvagem, os Gêmeos herdaram automaticamente esse dever, embora demonstrando muito menos predisposição. Novamente recorrendo à astúcia, eles simulam diante de sua avó agir como agricultores quando na realidade estão caçando, fiéis ao nome Caçador e ao seu sinal hieroglífico equivalente, Ahau, cuja boca arredondada está prestes a assoprar a sarabatana. Nisto foram ajudados por suas ferramentas, o machado e a enxada, que de tão eficientes trabalharam como movidos por vontade própria, dando-lhes tempo para excursionar com suas sarabatanas.

Como tal, esta oposição entre lavrador sedentário e caçador errante corresponde a uma oposição consagrada. Aqui, a predileção dos Gêmeos pela caça e sua ação de relegar a agricultura a meros instrumentos produz a desforra do selvagem e seus "protetores": à noite, conduzidos pelo jaguar (que desempenha o mesmo papel nos códices, defendendo a sua floresta), os animais anulam o trabalho de limpeza do campo feito durante o dia. Observados furtivamente pelos Gêmeos, o último e o mais lerdo deles é apanhado: o Rato, que, para salvar a vida, se oferece para mostrar onde o utensílio de jogo do pai deles fora escondido no teto da casa. A recuperação e o uso renovado dessa relíquia de família conduzem os Gêmeos ao campo de jogo, onde, convocados por Xibalba, iniciam sua grande aventura épica como viajantes-caçadores.

Como cinco pares mais um (o Rato), os animais que, liderados pelos felinos pantera e jaguar mostram a face um depois do outro ao defender a floresta no coração da noite (u Kux aqab), constituem um time de onze plenamente comparável com os zodíacos do cosmos amazônico enumerados na *Lenda de Jurupary*, por exemplo, ou pelos bororos. Além disso, nos *Adugo biri* (peles de jaguar pintadas como códices) os bororos baseiam cálculos astronômicos nesta mesma cifra onze (Brotherston 2005a). Neste sentido, a luta social entre agricultor e caçador vira a luta celeste entre o sol do dia e as estrelas da noite, cada um com os seus próprios ritmos e medida de ano, nos fluxos temporais entre leste e oeste (sol) e entre oeste e leste (estrelas).

A revelação do Rato deixa sem solução, por enquanto, este conflito específico entre agricultor e caçador, e casualmente priva Xmucane e X Kiq de seus trabalhadores do campo. Na verdade, as coisas só serão resolvidas mais tarde, através da dialética do pé de milho, o qual os Gêmeos deixaram aos cuidados de Xmucane, como um sinal de sua identidade de agricultores. Aqui, a sua arrogância implícita em relação aos irmãos e às duas mulheres antecipa seu heroísmo em Xibalba, porém prejudica esse mesmo heroísmo ao situá-lo no âmbito doméstico, de uma maneira que seria inconcebível no modo épico "nobre", preferido por, digamos, Matthew Arnold, nas suas interpretações da epopeia clássica grega e romana. Afinal, toda a questão da responsabilidade dos Gêmeos é inseparável do fato de que a revelação do seu grande destino foi confiada ao humilde Rato.

Nesta quarta criação, o encontro com os Macacos é notável porque fornece os indícios e os meios através dos quais a epopeia dos Gêmeos pode ser inserida na narrativa geral do *Popol Vuh*, pois, seguindo a narrativa de perto, vemos que houve apenas um momento em suas vidas em que teriam podido se encontrar com Kaqix, o assunto da terceira criação: depois de seu nascimento, obviamente, e antes de sua descida a Xibalba, de onde retornam apenas como seres astrais. Mais particularmente, tal encontro teria de acontecer antes da destituição de seus irmãos Macacos, quando eles próprios e sua mãe ainda eram maltratados como intrusos e não haviam sido admitidos na casa de Xmucane. Só então é que somos informados que eles "prosperaram nas montanhas", lugar que é, na realidade, o ambiente criado pelo segundo filho de Vuqub Kaqix, Kaab r Aqan, que levantou a terra. Em outras palavras, se por um lado se pode relacionar a terceira criação retrospectivamente à segunda, como sucedendo durante o seu transcurso, por outro lado ela também se relaciona prospectivamente com a quarta, como um fragmento da experiência específica dos Gêmeos, um mundo perdido de monstros da infância e vastos novos dias. Esta última conjunção da memória externa com a interna, da cosmogonia com a psicologia, testemunha a elevada sofisticação literária do *Popol Vuh*.

Quando descem a Xibalba, a motivação pessoal dos Gêmeos é vingar seu pai. Ao mesmo tempo, eles agem em nome de u Kux Kah, como o fizeram quando dominaram Kaqix. Agora, levam a narrativa para uma realidade social que se estende para além da família, ao conselho dos doze senhores de Xibalba.

Semelhantes a Lúcifer e conhecidos como Tzontémoc, em náuatle — "caídos de ponta-cabeça" —, estes doze revelam toda a "compaixão" de seus conjuntos individuais de doze costelas esqueléticas na sua tarefa de derribar as pessoas com vômito de sangue, enfarte e outros tipos de morte súbita, segundo a ética inscrita nos nomes de seus líderes, Hun Kame e Vuqub Kame. Dentro do seu inframundo, exercem enorme poder por meio de suas conspirações e de sua polícia secreta: fumando seus charutos, eles querem tudo e não toleram rivalidades, nem próximas nem distantes. Tal como mostram no tratamento dispensado a Hun Hun Ah Pu e Vuqub Hun Ah Pu, desrespeitam as regras básicas de toda relação e hospitalidade humanas, e jogam apenas para humilhar o outro time. Hoje, em seus livros feitos de papel indígena, os otomíes de Pahuatlan, no México, continuam a pintar o "presidente del inferno" e os seus parceiros como um conselho de doze, obcecados pelo poder e que também "causam morte fulminante na estrada".[24]

Ao escapar das armadilhas que mataram seus pais, os Gêmeos finalmente se encontram frente a frente com os Senhores, no seu campo de jogo. Jogam com eles uma série de partidas, permitindo que os Senhores na verdade ganhem uma vez, sem que isso seja percebido. O relato sobre o jogo enfatiza a importância do jogo em si, suas regras, a linha que define o campo, a quem pertence a bola usada, a pontuação e o resultado, que depende de movimentos ágeis. Na prática, tanto quanto nos 90 metros

---

[24] GARCÍA TÉLLEZ, Alfonso. *Historia de la curación de antigua de San Pablito, Pahuatlan*. Puebla, México, 1978, um livro tradicional de folhas dobradas, em *papel amate*, do tipo descrito por DYCKERHOFF, Ursula. "La historia de curación antiqua de San Pablito, Pahuatlan", *Indiana* n. 9, Ibero-Amerikanisches Institute (Instituto Ibero-Americano de Berlin), Berlim, 1984, pp. 69-86; o time de doze jogadores do *presidente del infierno* (pp. 9-16), inclui furacão, arco-íris, Montezuma, Judeus e animais de origem europeia. Sobre os charutos de Xibalba, ver ROBICSEK, Francis. *The Smoking Gods: Tobacco in Maya art, history and religion*. Norman: University of Oklahoma Press, 1978.
Papel amate (amatl). Espécie rústica de papel produzido pelos astecas, extraído da casca da árvore *ficus*. Seus importantes codex foram pintados nesse papel.

de extensão na cidade yucateca de Chichén Itzá, o campo de jogo de bola representa um primeiro emblema da construção urbana e do comportamento humano no interior dela: sobre suas metades e quartas partes, fixa de modo característico as condições dos partidos políticos contrários, do tributo trimestral e da fortuna. Quanto à bola de borracha, o Sinal Ollin (XVII) também significa esse material, a mudança, a alteração e o terremoto que porá fim a esta Era (Quarto Ollin), e designa o "povo de borracha", os olmeca de *hule*, no espanhol mexicano: sua precisão elástica era absolutamente indispensável para o jogo. Sem a borracha, produto exclusivo do Quarto Mundo, não teria podido surgir o tipo de jogo de bola mesoamericano, nem tampouco a filosofia que a partir dele se desenvolveu. Num nível mais profundo, quando consideramos os entalhes encontrados nos campos que sobreviveram, como aqueles de Cozumalhuapa, Chichén e Tajin, podemos deduzir uma lógica do jogo em idéias de decapitação, que fazem da cabeça uma bola substituta, e do sangue do corpo, alimento para o crescimento das plantas. Estes motivos aparecem justamente na epopeia do *Popol Vuh* com uma peculiaridade apenas que, novamente, favorece os Gêmeos. Tendo perdido sua cabeça, na noite anterior, quando se encontrava no quarto de hóspede da Zotzi Haa, Hun Ah Pu se dirige ao campo de jogo com uma cabeça falsa, feita de abóbora. Durante o jogo, ele consegue recuperar a sua cabeça original; mas a abóbora, que para os senhores de Xibalba ainda era a cabeça, vai rolando de volta para o campo de jogo. Os Senhores atacam-na com sofreguidão, apenas para receber o borrifo das sementes em suas faces.

Tudo isso lembra a história da concepção dos Gêmeos, quando sua mãe, X Kiq, desobedecendo à ordem paternal dos Senhores de Xibalba, aproximou-se da árvore onde a cabeça decepada de Hun Hun Ah Pu se achava pendurada como um porongo, e assim a sua semente ou o seu cuspo foram capazes de fecundá-la. Do mesmo modo como u Kux Kah já havia intervindo no momento decisivo para assegurar o valor genético da sua descendência (os Gêmeos), ele o faz aqui de novo para assegurar o sucesso da cabeça falsa de Hun Hun Ah Pu. Essas cabeças análogas que agraciam Hun Hun Ah Pu e seu filho, porongo e abóbora, são produtos primordiais da ciência americana das plantas e aparecem já nas primeiras inscrições da América tropical, em Chavin (Peru) e com os olmecas em Chalcatzingo (México). Aqui, por assim dizer, elas desafiam abertamente Xibalba, para benefício da humanidade futura. E, mais imediatamente, ambos os eventos representam para os Senhores uma humilhação sexual.

Assegurada agora a sua vitória no mais alto nível político, os Gêmeos planejam então arruinar Xibalba, decidindo o curso de sua própria morte e a sua consequência; e com esse objetivo, conspiram com os personagens chamados Pakam (Rico) e Xulu (Pobre). Saltam num forno, são reduzidos a pó e depois lançados no rio; no quinto dia, retornando, por meio da evolução, ao tempo das pessoas de barro, reaparecem como peixes humanoides (o prazo de cinco dias é norma nas cosmogonias andinas e da floresta tropical) e, uma vez mais, como uma dupla de mendigos muito miseráveis, os mais baixos de todos. Neste disfarce, eles tomam de assalto Xibalba graças à sua habilidade de dançarinos e mágicos: simulam um incêndio e o sacrifício do coração, a tal ponto que os próprios Senhores acabam desejando ver esses fenômenos e solicitam

uma performance para a realeza. Tomados de "desespero e desejo" ao constatar o brilho dos Gêmeos, eles também querem participar e pedem para ser sacrificados:
"Façam para nós!
Sacrifiquem-nos!", eles disseram então.
"Sacrifiquem-nos da mesma maneira",
Hun Kame
E Vuqub Kame disseram.

versos 4.471-6

Com esta vitória psíquica, testemunhada por toda Xibalba, os Gêmeos finalmente revelam quem são e por que vieram ali. Denunciando a mesquinhez dos Senhores como criaturas binárias do preto e do branco, eles os matam levados pelo entusiasmo, instituem o habeas-corpus e prescrevem os limites futuros de Xibalba com seu "Sol baixo" (verso 4.565).[25] Com isto eles voltam à fonte xamanista da epopeia terapêutica e tornam o mundo mais saudável para viver, ao conter o poder corrosivo, mas necessário, de Xibalba. Com compaixão, os Gêmeos enterram então seu pai de maneira digna, estabelecendo ritos ainda hoje reconhecidos pelos quichés. Toda a sequência conclui quando eles se dirigem para cima, caminhando pelo horizonte terrestre da luz, e chegam ao céu, para reunir-se às Plêiades, Sol masculino e Lua masculina:

E então eles caminharam de volta para cima
　Aqui no meio da luz,
E imediatamente
　Eles caminharam no Céu.
E um é o Sol
　E o outro a Lua.
Então aumentou a luz no Céu
　E sobre a Terra.
Eles estão ainda no Céu.
　De fato para lá subiram também
Os quatrocentos filhos
　Que foram mortos por Cipacna,
Assim agora eles se tornaram seus companheiros;
　Eles se tornaram Estrelas do Céu.

versos 4.695-708

Ao passar do inframundo para o horizonte para atingir o céu, os Gêmeos seguem o caminho do sol e dos planetas que caracteriza a epopeia de toda a América do norte e que obedece a modelos numéricos da astronomia xamânica.

---

[25] No panorama político antigo de Tilantongo, que corresponde à divisão tríplice da Mesoamérica do *Popol Vuh* e associa o oeste com a neve dos vulcões do México, Hun Kame e Vuqub Kame aparecem na região leste justamente com esse Sol, baixo e ensanguentado; entre eles estão os Sinais correspondentes àqueles que os derrotaram, Hun Ah Pu (Flor) e X Balam Ke (*Nuttall Codex*). Na biografia de Oito Veado (no anverso do mesmo livro desdobrável), a futura herança do herói é mostrada como uma "rede de milho" (p. 3), que em Quiché está colocada como o quarto dos Vinte Sinais Q (*q'at*).

Até agora, foi considerado apenas o lado integralmente masculino desta epopeia: isto é, os Gêmeos vencedores, seus Pais, os Macacos e os Senhores. Com eles se relaciona o trio feminino que, embora pequeno e pouco destacado, mantém a narrativa unida. Sendo três, elas se igualam com o número de pedras do forno que defendem, um símbolo das mulheres mesoamericanas.[26]

A principal é Xmucane, a mãe dos pais e a única presença contínua, tanto aqui, nesta quarta criação, quanto além. Inicialmente, na segunda criação, tendo-se encontrado com Xpiacoc como modeladora dos bonecos, ela sobrevive, viúva, para formar os antecessores dos quichés depois do final da quarta. Ela procria, decidindo quem vai herdar. Quando X Kiq chega à sua casa grávida dos Gêmeos, Xmucane lhe impõe a tarefa de mostrar que pode prover alimentos, pedindo-lhe que encha uma cesta com o milho de um campo vazio. Só depois de passar neste teste, X Kiq é admitida dentro de casa. Quando nascem os Gêmeos, eles não são reconhecidos até o momento em que Xmucane, à revelia de seu desejo, trai seus irmãos mais velhos, os Macacos, ao rir deles repetidamente. Ela também cuida da casa, no sentido de preparar comida e bebida com tal cuidado e economia literal que permite aos Gêmeos enganá-la quando o Rato lhes fala dos apetrechos de jogo do seu pai, bem ocultos no teto. Numa cena de marcado enfoque doméstico, primeiro vemos o Rato "na" tigela de pimenta, isto é, refletido verticalmente do teto, e depois uma fenda microscópica na jarra de água, feita, a pedido dos Gêmeos, por um mosquito aliado. Oculta aos olhos de Xmucane e de X Kiq, a imagem do rato na comida saudável não pressagia nada de bom: quando percebem a fenda na jarra, as mulheres se preocupam com o desperdício, mas não se dão conta da remoção dos objetos de jogo. A esse respeito, o cuidado de Xmucane outorga-lhe o papel de protetora e verdadeiro árbitro dentro da casa que os Gêmeos irão abandonar.

Xmucane, em particular, expressa o patos da casa de Hun Ah Pu, chorando em silêncio e sozinha quando, primeiro seus filhos e depois seus netos, tomam a estrada, e ela suspeita que não retornarão. Na ausência dos Gêmeos, dedica todo seu cuidado ao pé de milho que eles lhe deixaram e que agora cria raízes não lá fora, nos campos, mas no centro da casa. Ao cuidar do milho no mundo de cima, ela ajuda seus netos embaixo, pois o milho viceja conforme a situação deles. E pela mesma razão, ela pode perceber o destino dos Gêmeos. No instante crítico da sua vitória final sobre Xibalba, a narrativa se desloca para o choro dela, desta vez de alegria, porque o milho floresceu pela segunda vez, tendo antes murchado qual tivesse sido queimado pela fornalha onde os Gêmeos pularam. Como um corolário da epopeia dos Gêmeos caçadores, a planta de Xmucane surge como o meio eficaz e indispensável através do qual o milho, como já indicara seus grãos adivinhatórios na segunda criação, torna-se a substância apta para criar a raça humana, que será trazida à vida ao final da quarta idade.

As noras de Xmucane, Cipacyalo e X Kiq, as duas outras mulheres da peça, representam uma antítese. Em seu nome náuatle, Jacaré Arara, a primeira esposa de Hun Hun Ah Pu, Cipacyalo, combina os elementos de pássaro e réptil da família

---

[26] Lugar-comum em toponímicos, o conjunto das três pedras do fogão é mostrado como parte dos recursos femininos em, por exemplo, *Mendoza* (p. 60).

de Vuqub Kaqix — seu filho jacaré, ou Cipacna, e ele mesmo — e, assim, reúne a mensagem genética da terceira criação. Silenciosa durante seu breve tempo, no início da quarta criação, ela remete a um nível anterior de tempo, limitado por genes que não permitem a seus filhos chegar a nenhuma forma superior à dos macacos. Ao contrário, como descendente de Kuchuma Kiq (Chefe de Sangue), o quarto Senhor de Xibalba, X Kiq anuncia novas possibilidades. Precisamente por causa da conexão observada entre sangue e medula, os ritos e as orações das parteiras mesoamericanas invocam não apenas a avó Oxomoco/Xmucane, mas também o Senhor esquelético do inframundo, como o fazem os códices, que mostram o bom sangue vermelho sendo gerado de um osso de tutano amarelo. Para que este mundo se torne habitável e a Era comece, os Senhores têm de ser subjugados, tarefa atribuída aos Gêmeos; ao mesmo tempo é mais crítica a necessidade do inframundo de exportar sua força. Após a morte de Hun Hun Ah Pu, os Senhores tentaram manter as coisas como estavam, proibindo toda Xibalba de se aproximar da árvore onde a cabeça dele havia se transformado em porongo. Apenas X Kiq desafia a interdição e, em consequência, fica grávida, injetando genes fortes de Xibalba na raça anunciada pelos Gêmeos. Em vez de funcionar como um princípio negativo detestado, os Senhores Hun Kame e Vuqub Kame são integrados deste modo na própria definição da vida; o pai de X Kiq vira o avô dos próprios Gêmeos.

Considerada traidora pelos senhores, X Kiq foge do inframundo para salvar-se, sendo nisso ajudada por uma coruja vira-casaca da polícia, que não entrega aos senhores o coração dela, mas um substituto feito de cochonilha e seiva, causando assim a primeira "derrota" a Xibalba. A viagem dela para o mundo de cima representa uma contrapartida à epopeia masculina, a qual é revivida na prática das parteiras e oferece logicamente a mesma oportunidade de presciência para os Gêmeos, especialmente porque estes, afinal de contas, nasceram através de Xibalba.[27] Ela "surge", crescendo como a Lua depois de seis meses, e respeitando a divisão em trimestres, que é a característica da gravidez dos *teoamoxtli* e que equivale em importância aos trimestres do ano que começam com o equinócio de setembro e culminam no solstício de junho. Mais uma vez, ao ser aceita por Xmucane no mundo de cima, ela estabelece outro precedente: a rede cheia de espigas de milho que consegue juntar serve geralmente como um símbolo da herança na Mesoamérica. A história de curiosidade e desobediência e de coragem de X Kiq, tanto diante dos senhores paternais de Xibalba quanto diante de sua sogra, Xmucane, que a acolhe como uma prostituta, constitui o fio delgado do qual dependerá por nove luas a continuidade inteira da epopeia. Não há aborto. "Só uma moça" (verso 2.420) inflige a primeira derrota aos Senhores. E "entra na palavra" de Hu r Aqan no sentido genético e no narrativo.

---

[27] Esta ligação genética é aludida na presciência que tem os Gêmeos de Xibalba (verso 3.470) e na observação irônica que fazem diante dos Senhores: "E vocês são os que governam sua criança nascida, sua criança engendrada" (versos 4.482-4); o equivalente, na *Eneida* de Virgílio, é o verso imponente: "*omnia praecepi atque animo mecum ante peregi*" ("Previ todas as coisas e viajei com elas em minha alma") (Livro VI, verso 106). Sobre a epopeia feminina, ver *Florentino Codex*, livro 6, caps. 27-9, que registra a viagem das mulheres que, morrendo no oeste, retornam a Mictlan.

GENTE DE MILHO

Com a ascensão dos Gêmeos ao céu, o *Popol Vuh* completa sua narrativa das quatro criações e humilhações anunciadas no início. Tendo determinado o destino das pessoas de barro, de madeira, da família de Vuqub Kaqix e dos Senhores de Xibalba, a narrativa nos conduz agora ao ponto crucial, à criação das pessoas de milho, especificamente os quichés, que habitam esta Era. Ao longo das quatro criações movemo-nos da mais grandiosa à mais sutil das metamorfoses, do oceano e do vulcão ao jarro de água rachado sobre a mesa, passando por estratos e ordens de tempo, externos e internos. Daqui por diante, as correntes convergem na história.

A criação de pessoas de milho requer os esforços de vários grupos. Primeiro, os animais têm de buscar as espigas de milho amarelo e de milho branco na montanha "fendida" de Paxil, ao norte de Quiché, onde estão escondidas, junto com o cacau, o chocolate e uma abundância de outros alimentos de boa qualidade. Retornando mais uma vez à narrativa, após os dias das pessoas de barro e dos bonecos de madeira, Quq Kumatz e seus companheiros supervisionam o ato de moer e moldar o milho; então Xmucane faz sua última aparição, a fim de dar-lhe as 9 bênçãos da parteira. Este ato conclusivo relembra as luas da gestação de seus próprios netos e a estabelece como deusa das parteiras e dos 9 Poderes da Noite que envolvem a epopeia masculina dos dias. Desta vez a operação é tão bem-sucedida que as pessoas que emergem, os antepassados dos quichés, têm uma visão semelhante à divina: videntes que veem longe, gozam de um sentido de percepção elevado e podem ver e conhecer toda a terra e o céu imediatamente. Compreendem os quatro grandes esquemas dos quais eles mesmos são o resultado final, e comentam a respeito disso quando dão os devidos agradecimentos aos deuses. Assombrados com seu triunfo, os deuses decidem reduzir os olhos e a inteligência dessas criaturas, a fim de que vejam "como a face embaçada de um espelho" (verso 4.999). Fixam-lhes limites mortais, obrigando-as a uma ontologia sexual como progenitores dos quichés.

Como clímax da cosmogonia e de todo o texto, a criação das pessoas de milho une muitos fios da narrativa até aqui. Façanha principal da agricultura americana, desenvolvida como o produto mais importante das montanhas no terceiro milênio antes de Cristo, o próprio milho declara a filosofia segundo a qual somos o que comemos. Conclui o desenvolvimento das gramíneas-cereais, relatada nos códices, e coroa a história mais vasta — insinuada mediante referências anteriores no *Popol Vuh* —, a dos feijões *tzite*, dos porongos e das abóboras, dos tomates e dos pimentões na mesa dos Gêmeos. Como produto do desejo de Xmucane e da audácia dos Gêmeos, o milho, nesta forma intensificada, resolve o antagonismo entre o agricultor e o caçador, oferecendo uma razão fundamental para sua reciprocidade social. Além disso, desde que surgiu a crosta da terra, o texto afirma, por meio de intricadas trocas de enfoque e de níveis de tempo, o contrato doméstico e a sensibilidade para toda espécie de vida que foi desrespeitada pelos homens de madeira; assegura um lugar para os mamíferos no mundo dos aves-répteis e fixa as regras de hospitalidade e o jogo social — tudo isso produzindo as condições prévias para o triunfo do milho.

Finalmente, ao propor um modo de vida ainda defendido pelos quichés de hoje (por exemplo, nas lúcidas palavras de Rigoberta Menchú), o *Popol Vuh* serve como uma carta constitucional dessa nação e, de modo geral, da sociedade humana. Além disso, e muito apropriadamente para este estágio da história planetária, ao argumentar dessa maneira não o faz em prol da supremacia humana mesquinha, mas invocando e honrando as espécies e as forças vitais que preencheram sua cosmogonia. Amarrando o último fio solto quando participam da busca do milho em Paxil, os animais modificam sua defesa unilateral da vida selvagem, reservando um lugar para eles próprios no mundo da cultura,[28] e superando assim o binômio hegeliano Natur/Kultur.

---

[28] Esta leitura é confirmada pelas narrativas mais modernas dos kekchis-maias, coletadas em Purula (Guatemala) por Otto Schumann; sua versão da narrativa da criação implica como ajudantes o pássaro carpinteiro, o quati e outros mamíferos (que, sendo dotados de cinco dedos em cada pé, são "como nós"): "Y dijo [DIOS] a los animales que habían ayudado por eso cuando fueron a las milpas no los iban a molestar, pues ellos habían ayudado a encontrar el maíz" (in SERRA PUCHE, Mari Carmen (ed.). 1988. *Etnología: Temas y tendencias. I Coloquio Paul Kirchhoff*. Universidade Nacional Autonoma de México – UNAM, p. 215).

POPOL VUH
dos Maias-Quichés da Guatemala

Tradução
Sérgio Medeiros

Revisão
Gordon Brotherston

PRIMEIRO CANTO

I

Are, u xe 'oher tzih.
    Varal K'iche, u bi.
Varal x chi qa tz'ibah vi,
    X chi qa tikiba vi 'oher tzih,
U tikaribal
    U xenabal puch
R onohel x ban pa tinamit K'iche,
    R amaq' K'iche vinaq.
Are q'ut x chi qa qam vi
    U k'utunizaxik,   10
U q'alahobizaxik,
    U tzihoxik puch
Evaxibal,
    Zaqiribal
R umal Tzakol,
    Bitol;
Alom,
    Q'aholom, ki bi,
Hun Ah Pu Vuch',
    Hun Ah Pu 'Utiv,   20
Zaqi Nim Aq,
    Tziiz,
Tepev,
    Q'uq' Kumatz,
U K'ux Cho,
    U Kúx Palov,
Ah Raxa Laq,
    Ah Raxa Tzel, ch uch'axik,
R ach' biixik,
    R ach' tzihoxik ri,   30

PRIMEIRO CANTO

I

Esta é a raiz da palavra antiga.
    Aqui é Quiché[1] seu nome.
Aqui escreveremos então,
    Iniciaremos então as palavras antigas,
Os inícios
    E a raiz principal
De tudo o que se fez na cidade de Quiché,
    A tribo do povo quiché.
Assim, isto é o que vamos reunir então,
    A decifração,   10
O esclarecimento,
    A explicação
Dos mistérios
    E a iluminação
Dos feitos de Tzakol (Construtor)
    E Bitol (Modelador);
Alom (Portador)
    E Qaholom (Gerador) são seus nomes,
Hun Ah Pu Vuch (Caçador Gambá),
    E Hun Ah Pu Utiv (Caçador Coiote),   20
Zaqi Nim Aq (Grande Porco Branco)
    E Tziiz (Quati),
Tepeu (Majestade)
    E Quq Kumatz (Quetzal Serpente),
U Kux Cho (O Coração do Lago)
    E u Kux Palou (O Coração do Mar),
Ah Raxa Laq (Espírito do Prato Verde-Azul)
    E Ah Raxa Tzel (Espírito da Tigela Verde-Azul), como se diz,
Que são também chamados,
    Que são também conhecidos   30

---

[1] Mantivemos, nesta tradução, a forma já consagrada "quiché", para o nome designativo da linhagem kiche, usada no *Popol Vuh*, e "Quiché", para a cidade ocupada por essa mesma linhagem.

Iyom,
    Mamom,
Xpiacoc,
    Xmucane, u bi,
Matz'anel,
    Ch'uqenel,
Ka mul Iyom,
    Ka mul Mamom,
Ch uch'axik
    Pa K'iche tzih.   40
Ta x ki tzihoh r onohel
    R uq x ki ban chik
Chi zaqil q'oolem,
    Zaqil tzih,
Vae x chi qa tz'ibah ch u pam chik u ch'aabal Dios,
    Pa Christianoil chik.
X chi q elezah
    R umal ma ha bi chik
Ilobal r e Popol Vuh,
    Ilobal zaq petenak ch aqa palov,   50
U tzihoxik qa muhibal,
    Ilobal zaq k'azilem ch uch'axik.
Q'o nabe vuhil,
    Oher tzi'ibam puch,
Xa, eval u vach ilol r e,
    Bizol r e.
Nim u peyoxik,
    U tzihoxik puch
Ta chi k'iz,
    Tzuq   60
Ronohel kah,
    Ulev;
U kah tzuquxik,
    U kah xukutaxik,
R etaxik,
    U kah cheexik,
U meh q'aamaxik,
    U yuq q'aamaxik,
U pam kah,
    U pam ulev.   70
Kah tzuq
    Kah xukut, ch uch'axik
R umal ri Tzakol,

Como Iyom (Mulher com Netos)
    E Mamom (Homem com Netos),
Xpiacoc
    E Xmucane são seus nomes,
Matzanel (Amparador)
    E Chuqenel (Protetor),
Bisavó
    E Bisavô,
Como se diz
    Em palavras quichés.   40
Então eles disseram tudo
    E fizeram tudo também,
Em clara existência
    E claras palavras.
Isso escreveremos agora na palavra de Deus,
    Agora na Cristandade.
Nós o preservaremos
    Porque não existe mais
Uma visão do *Popol Vuh*.[2]
    Uma visão das coisas claras veio do lado mar,   50
A descrição das nossas sombras,
    Uma visão da vida clara, como é chamada.
Houve uma vez o manuscrito disso,
    E foi escrito há muito tempo,
Só que ocultando a face está o seu leitor,
    O seu pensador.
Grande foi o seu valor
    E a sua narração
Quando se concluiu
    O nascimento   60
De todo o Céu
    E de toda a Terra:
As quatro criações,
    As quatro humilhações,
O conhecimento
    Das quatro punições,
A corda de medir e atar,
    A linha de medir e atar,
O útero do Céu,
    O útero da Terra.   70
Quatro criações,
    Quatro humilhações, como contavam,
Feitos por Tzakol,

[2] *Popol Vuh*: Livro do Conselho.

  Bitol,
U chuch,
  U qahav
K'azilem,
  Vinaqirem,
Abanel,
  K'uxilanel,   80
Alay r ech,
  K'uxilay r ech
Zaqil,
  Amaq'il,
Zaqil al,
  Zaqil q'ahol,
Ah biz,
  Ah naoh
Chi r ech r onohel,
  A to q'ool vi: 90
Kah,
  Ulev,
Cho,
  Palov.

  II

Are, u tzihoxik
  Vae:
Q'a ka tz'inin ok,
  Q'a ka chamam ok.
Ka tz'inonik,
  Q'a ka zilanik.   100
Q'a ka lolinik,
  Ka tolon a puch u pa kah.

  III

Vae q'ut e nabe tzih,
  Nabe' uch'an.
Ma ha bi 'ok hun vinaq,
  Hun chikop,
Keh,
  Tz'ikin,
Kar,
  Tap,   110

        Bitol,
A Mãe
    E o Pai
Da Vida
    E da Humanidade,
O Inspirador
    E Animador,   80
Gerador
    E animador da
Luz
    E da Corrida,
Zaqil al (Filhos da Mãe da Luz),
    Zaqil qahol (Filhos do Pai da Luz),
O Meditador,
    O Pensador
De Tudo
    O que existe: 90
Céu,
    Terra,
Lago
    E Mar.

II

Aqui está a narração
    Dessas coisas:
Na verdade, ainda estava quieto,
    Na verdade, ainda estava silencioso.
Estava quieto.
    Na verdade estava calmo.   100
Na verdade estava solitário
    E também estava vazio ainda, o útero do Céu.

III

Estas foram na verdade as primeiras palavras,
    As primeiras expressões.
Não havia ainda nenhuma pessoa,
    Nenhum animal,
...,[3]
    Pássaro,
Peixe,
    Caranguejo,   110

[3] Segundo a tradução de Edmonson, aqui estaria faltando um verso, provavelmente *keh*, veado.

Chee,
>	Abah,
Hul,
>	Zivan,
K'im,
>	K'icheelah.
Xa, u tukel kah q'oolik.
>	Ma vi q'alah u vach ulev.
Xa, u tukel r emanik palo,
>	U pam kah,						120
R onohel.
>	Ma ha bi naki la
Ka molobik,
>	Ka kotz'obik.
Hun ta ka tz'inibik,
>	Hun ta ka zilobik,
Ka mal ka banatah,
>	Ka kotz' ka banatah pa kah.
X ma q'o vi naki la
>	Q'oolik yakalik.					130
Xa r emanik ha,
>	Xa liyanik palo,
Xa, u tukel r emanik;
>	X ma q'o vi naki la lo q'oolik.
Xa ka chamanik,
>	Ka tz'ininik
Chi q'equm,
>	Chi 'aqab.
Xa, u tukel ri Tzakol,
>	Bitol,							140
Tepev,
>	Q'uq' Kumatz,
E' Alom,
>	E' Q'aholom,
Q'o pa ha.
>	Zaq tetoh e q'o vi.
E muqutal pa q'uq',
>	Pa raxon.
Are, u biinam vi
>	Ri Q'uq' Kumatz.					150
E nimaq etamanel,
>	E nimaq ah naoh chi ki q'oheyik.
Kehe q'ut xax q'o vi ri kah,

Árvore,
    Pedra,
Buraco,
    Desfiladeiro,
Campo
    Ou floresta.
Por si só o Céu existiu.
    A face da Terra ainda não era visível.
Por si só o mar ficou represado,
    E o útero do Céu, 120
Tudo.
    Não havia mais nada, o que quer que fosse,
Em silêncio
    Ou em repouso.
Cada coisa foi feita silenciosa,
    Cada coisa foi feita quieta,
Foi feita invisível,
    Foi feita para descansar no Céu.
Não havia de fato nada então
    Que estivesse imóvel lá. 130
Só a água retida,
    Só o mar liso,
Por si só ele se estendia represado.
    Não havia nada então, nada que pudesse ter existido de fato.
Era só quietude.
    Estava quieto
Na escuridão,
    Na noite.
Todos sozinhos, Tzakol
    E Bitol, 140
Tepev,
    E Quq Kumatz,
As Mães
    E os Pais
Estavam na água.
    Luminosos eram eles então,
E cobertos de penas de quetzal
    E de pombos.[4]
Daí veio o nome
    De Quq Kumatz. 150
Grandes sábios eram eles
    E grandes pensadores em sua essência,
Pois realmente há Kah (o Céu)

---

[4] Segundo nota de Edmonson, trata-se de um pássaro cinza com asas azuis, chamado "Raxon".

        Q'o nay puch u K'ux Kah.
Are, u bi
        Ri kabavil ch uch'axik.

        IV

Ta x pe q'ut u tzih varal.
    X ul
K uq ri Tepev,
        Q'uq' Kumatz,   160
Varal chi q'equmal,
        Chi 'aqabal.
X ch'av r uq ri Tepev,
        Q'uq' Kumatz, x e ch'a q'ut,
Ta x e naohinik;
        Ta x e bizonik.
Ta x e riqo k ib;
        X ki kuch
Ki tzih,
        Ki naoh.   170
Ta x k alah,
        Ta x ki k'uxilah k ib.
X e vizaq ta
        X k alah puch vinaq.
Ta x ki naohih u tzuqik,
        U vinaqirik
Chee,
        Q'aam,
U tzuquxik puch k'azilem,
        Vinaqirem   180
Chi q'equmal,
        Chi 'aqabal,
R umal ri, u K'ux Kah,
        Hu r Aqan u bi.
Ka Kulaha Hu r Aqan nabe,
        U kaab q'ut Ch'ipi Ka Kulaha,
R ox chik Raxa Ka Kulaha,
        Chi' e q'u' oxib ri, u K'ux Kah.
Ta x e' ul k uq ri Tepev,
        Q'uq' Kumatz, ta naohixik   190
Zaq,

E há também u Kux Kah (o Coração do Céu).
Esse é o nome
    Do deus, como se contava.

IV

Assim então chegou a palavra dele aqui.
    Ela alcançou
Tepev
    E Quq Qumatz   160
Lá na escuridão,
    Na noite.
Ela falou a Tepev
    E Quq Qumatz, e eles falaram.
Então eles pensaram;
    Então eles refletiram.
Então concluíram entre eles;
    Eles juntaram
Suas palavras.
    Seus pensamentos.   170
Então geraram —
    Então eles mesmos se encorajaram.
Então mandaram que fosse criado
    E geraram os homens.
Então conceberam o nascimento,
    A criação
De árvores
    E arbustos,
E o nascimento da vida
    E da humanidade   180
Na escuridão,
    Na noite
Por meio daquele que é u Kux Kah,
    Hu r Aqan (Um Perna)[5] é seu nome.
Ka Kulaha Hu r Aqan (Raio Um Perna) é o primeiro,
    E o segundo é Chipi Ka Kulaha (Raio Anão),
O terceiro então é Raxa Ka Kulaha (Raio Verde),
    Assim os três são Kux Kah.
Então eles vieram a Tepev
    E Quq Qumatz, e então foi a invenção   190
Da luz

---

[5] A palavra *Hu r Aqan*, que significa Um Perna (um nome do calendário mesoamericano), deu origem à palavra espanhola huracán, que em português se transformou em furacão. Era costume dar a personagens e pessoas o número do dia em que nasciam. Os povos maias e quichés designavam os dias antepondo um número a cada um.

    K'azilem,
"Hu pa cha ta chavax ok?
    Ta zaqir ok puch a pa chi nak,
Tzuqul,
    Kool.
Ta ch ux ok.
    K ix noohin tah.
Are ri ha ch el tah,
    Chi hama tah,   200
Chi vinaqir va,
    Ulev,
U laqel ta q'u r ib
    Ch'at ta q'ut
Ta chavax ok
    Ta zaqir ok
Kah,
    Ulev.
Ma ta q'ut u q'ihilabal,
    U q'alahibal   210
Ri qa tzak,
    Qa bit,
Ta vinaqir ok vinaq tzak,
    Vinaq bit," x e ch'a q'ut.
Ta x vinaqir q'u ri, ulev k umal.
    Xa ki tzih x q'ohe ri, u vinaqirik.
Chi vinaqir ulev, "Ulev," x e ch'a.
    Libah chi x vinaqirik.
Kehe ri xa tzutz',
    Xa may vi,   220
U vinaqirik chik,
    U pupuheyik.
Ta x ta pe pa ri huyub.
    Hu zuq nimaq huyub x uxik.
Xa ki naval,
    Xa ki puz
X banatah vi
    U naohixik
Huyub,
    Tak'ah.   230
Hu zuq r ach' vinaqirik u k'izizil u pa,
    Chahil u vach.
Kehe q'ut x kikot vi ri Q'uq' Kumatz,
    "Utz mi x at ulik,
At, u K'ux Kah,

      E da vida.
"O que se plantaria?
      Então algo ia brilhar —
Um protetor,
      Um nutridor.
  Que assim seja.
      Você deve decidir sobre isso.
Existe água represada
      Que deve ser descarregada,   200
Para criar isso,
      A Terra,
E tê-la lisa
      E igual,
Quando ela for plantada,
      Quando ficar clara —
Céu
      E Terra.
Mas não haverá nenhuma adoração
      Ou glorificação   210
Daquilo que construímos,
      Daquilo que modelamos,
Até que tenhamos criado também uma forma humana,
      Uma figura humana", assim eles disseram.
Assim a Terra foi criada por eles.
      Só a palavra deles causou a sua criação.
Para criar a Terra, "Ulev" ("Terra"), eles disseram.
      Imediatamente ela foi criada.
Era apenas como uma nuvem,
      Como uma névoa então,   220
A criação então,
      O furacão.
Então à montanha foi dito que saísse da água.
      Imediatamente houve grandes montanhas.
Só o poder deles,
      Só a magia deles
Causou a criação então,
      A invenção
De montanhas
      E vales.   230
Num instante foram também criados bosques de cedro sobre elas
      E florestas de pinheiros sobre elas.
Assim Quq Kumatz se alegrou.
      "Que bom que você veio,
Ó, u Kux Kah,

    At, Hu r Aqan,
At pu, Ch'ipi Ka Kulaha,
    Raxa Ka Kulaha.
X ch utzinik qa tzak,
    Qa bit," x e ch'a q'ut.   240
Nabe q'ut x vinaqir
    Ulev,
Huyub,
    Tak'ah,
X ch'oboch'ox u be ha,
    X biniheyik k'olehe r aqan xol tak huyub,
Xa ch'obol chik x e q'ohe vi ha,
    Ta x k'utuniheyik nimaq huyub.
Kehe q'ut u vinaqirik ulev
    Ri ta x vinaqirik k umal ri   250
U K'ux Kah,
    U K'ux Ulev,
K e' uch'axik.
    Ri q'ut e nabe x ki noohih.
X k'olo vi ri kah,
    X k'olo nay puch ulev ch u pam ha,
Kehe q'ut u noohixik ri ta x ki noohih,
    Ta x ki bizoh
R utzinik,
    U banatahik k umal.   260

    V

Ta x ki noohih chik
    U chikopil huyub,
Chahal r e k'icheelah,
    R onohel u vinaqil huyub:
Ri kieh,
    Tz'ikin,
Koh,
    Balam,
Kumatz,
    Zochoh,   270
Q'an Ti,
    Chahal q'aam.
Ka ch'a ri, Alom,
    Q'aholom:
"Xa pa chi lolinik,
    Ma xa 'on chi tz'ininik

              Ó, Hu r Aqan.
E você, Chipi Ka Kulaha
        E Raxa Ka Kulaha.
Nossa criação está bem feita,
        E nossa obra", eles disseram.   240
E como eles haviam criado
        A Terra,
As montanhas
        E vales,
Os caminhos das águas ficaram desembaraçados
        E elas se puseram a descer as colinas.
Então os rios se dividiram mais
        Conforme iam as grandes montanhas aparecendo.
E assim foi a criação da Terra,
        Que é obra deles,   250
U Kux Kah,
        U Kuk Ulev,
Como são chamados.
        E eles foram os primeiros a pensar nisso.
O Céu estava pronto
        E a Terra estava pronta sob a água,
E assim foi inventado o que eles imaginaram,
        Enquanto eles refletiam
Sobre sua perfeição,
        Tudo foi feito por eles.   260

        V

Então eles pensaram mais ainda
        Nos animais selvagens,
Protetores da floresta,
        Em toda a população da floresta:
Veado,
        Pássaros,
Panteras,
        Jaguares,
Serpentes,
        Cascavéis,   270
Jararacas,
        Protetores de plantas.
A Mãe disse isto,
        E o Pai:
"Deveria apenas estar quieto,
        Ou não deveria estar quieto

U xe chee,
    Q'aam?
Kate, utz chi q'ohe
    Chahal r e," x e ch'a q'ut. 280
Ta x ki noohih,
    X ki tzihoh puch,
Hu zuq ux,
    Vinaqir
Keh,
    Tz'ikin.
Ta x ki zipah q'ut r ochoch keh,
    Tz'ikin.
"At, keh, pa be ya,
    Pa zivan 290
K at var vi.
    Varal k at q'ohe vi
Pa k'im,
    Pa zaq'ul.
Pa k'icheelah
    K i poq'o vi, iv ib.
Kah kah i binibal,
    I chakabal ch uxik,"
X e' uch'axik.
    Ta x ki ch'ik q'ut 300
K ochoch ch'uti tz'ikin,
    Nima tz'ikin.
"Ix, ix tz'ikin, ch u vi chee,
    Ch u vi q'aam
K ix ochochin vi,
    K ix hayin vi.
Chiri k ix poq' vi,
    K ix k'iyaritah vi
Chu u q'ab chee,
    Ch u q'ab q'aam," 310
X e' uch'axik keh,
    Tz'ikin.
Ta x ki bano
    Ki banoh,
R onohel x u qamo: u varabal,
    U yakalibal.
Kehe q'ut k ochoch vi
    Chikop ri, ulev.
X u yao, Alom,
    Q'aholom. 320

Sob as árvores
    E os arbustos?
Na verdade, se existissem
    Protetores seria bom", disseram,   280
E quando eles pensaram
    E falaram,
Repentinamente aquilo aconteceu
    E foram criados
Veados
    E Pássaros.
Então concederam refúgios para o veado
    E para os pássaros.
"Você, Veado, nas margens
    E nos desfiladeiros   290
Irá dormir então.
    Lá você estará então,
No pasto,
    Nos frutos.
Na floresta
    Vocês se multiplicarão então.
De quatro vocês andarão,
    Seu modo de andar assim será",
Foi-lhes comunicado,
    E então eles esboçaram   300
As casas dos passarinhos
    E dos grandes pássaros.
"Vocês, ó Pássaros, nas árvores,
    Nos arbustos
Façam suas moradias então,
    Façam suas casas então.
Multipliquem-se ali então,
    Cresçam então
Sobre os galhos das árvores,
    Nos galhos dos arbustos",   310
Foi comunicado ao veado
    E aos pássaros.
Quando eles fizeram
    Sua criação,
Deram a eles tudo: seus ninhos
    E tocas.
E assim as casas
    Dos animais estavam na Terra.
Eles deram isso, a Mãe
    E o Pai.   320

X utzininak
    Ka ch'ik
R onohel ri keh,
    Tz'ikin.

VI

Ta x e' uch'ax chi q'ut ri keh,
    Tz'ikin
R umal Tzakol,
    Bitol,
Alom,
    Q'aholom,   330
"K ix ch'av ok.
    K ix zik'in ok.
M ix yonolikinik.
    M ix zik'inik.
K ix ch'avahetah
    Chi huhunal,
Chi hu tak ch'obil,
    Chi hu tak molahil,"
X e' uch'axik ri keh,
    Tz'ikin,   340
Koh,
    Balam,
Kumatz,
    (Zochoh.)
"Chi i biih na q'ut
    Ri qa bi.
K oh i q'aharizah, oh i chuch,
    Oh i qahav.
K i ch'a va na q'ut:
    Hu r Aqan,   350
Ch'ipi Ka Kulaha,
    Raxa Ka Kulaha,
U K'ux Kah,
    U K'ux Ulev,
Tzakol,
    Bitol,
Alom,
    Q'aholom.
Ch ix ch'a 'ok
    K oh i zik'ih.   360

E também
    As atribuições
De todos os veados
    E dos pássaros.

VI

Então também aos veados
    E aos pássaros
Disseram Tzakol
    E Bitol,
A Mãe
    E o Pai: 330
"Falem, então,
    Clamem, então.
Não gorjeiem,
    Não gritem.
Tentem se entender
    Entre si,
Dentro de cada espécie,
    Em cada grupo",
Ao veado foi dito,
    E aos pássaros,   340
Panteras,
    Jaguares,
Serpentes
    ....[6]
"Agora digam então
    Nossos nomes.
Adorem-nos, sua Mãe
    E seu Pai.
Agora então digam isto:
    Hu r Aqan,   350
Chipi Ka Kulaha,
    Raxa Ka Kulaha,
U Kux Kah,
    U Kux Ulev,
Tzakol,
    Bitol,
Mãe
    E Pai.
Falem então,
    E nos chamem.   360

---

[6] Segundo Edmonson, estaria faltando uma linha aqui, provavelmente *zochoh* (cobra).

K oh i q'ihila,"
    X e' uch'axik.
Ma q'u x utzinik x e ch'avik kehe ta ri vinaq;
    Xa k e vachelahik;
Xa k e q'aralahik;
    Xa k e vohonik.
Ma vi x vachinik u vach ki ch'aabal
    Halahoh x k oq'ibeh chi ki huhunal.
Ta x ki ta ri Tzakol,
    Bitol,   370
"Ma vi mi x utzinik
    Mi x e ch'avik,"
X e ch'a chik
    Chi k ibil k ib,
"Ma vi x utzin u biixik
    Qa bi
R umal oh k Ah Tzak,
    Oh pu k Ah Bit.
Ma vi 'utz," x e ch'a chik
    Chik k ibil k ib ri,   380
Alom,
    Q'aholom.
X e' uch'ax q'ut,
    "Xa k ix halatahik
R umal ma vi mi x utzinik
    Ma vi mi x ix ch'avik.
Mi q'u x qa hal,
    Qa tzih.
Iv echa,
    I q'uxun,   390
I varabal,
    I yakalibal
R iv ech vi
    Mi x e' uxik
Zivan,
    K'icheelah,
R umal ma vi x utzin qa q'ihiloxik;
    Ma vi, ix zik'iy q e.
Q'a q'o,
    Q'o vi lo   400
Q'ihilonel,
    Nimanel chi qa ban chik,
Xa chi qam i patan
    Xa, i tiyohil chi kach'ik.

Adorem-nos",
  Foi-lhes dito.
Mas eles não puderam falar como homens.
  Apenas aparentaram fazê-lo.
Eles só emitiram um ruído;
  E apenas grasnaram.
A expressão da fala deles não se desenvolveu.
  Ao contrário, deram gritos, cada um separadamente.
Quando Tzakol ouviu isso,
  E Bitol,   370
"Não se conseguiu ainda
  Fazê-los falar",
Eles repetiram
  Entre si.
"Eles não puderam pronunciar
  Nossos nomes,
Embora sejamos seu Tzakol
  E seu Bitol.
Não é bom", eles repetiram
  Entre si,   380
Eles, a Mãe
  E o Pai.
E eles disseram entre si,
  "Agora vocês se modifiquem,
Porque não se obteve sucesso,
  Já que não falaram.
Iremos portanto alterar
  Nossa palavra.
Sua comida,
  Seu alimento,   390
Seu lugar de dormir,
  Suas tocas,
O que lhes pertence
  Estará
Nos desfiladeiros
  E na floresta,
Porque nossa veneração não foi obtida;
  Vocês ainda não nos invocaram.
De fato existe,
  Ou tinha de existir,   400
Um louvador,
  Um adorador a quem ainda faremos,
O qual irá precisamente tomar seus lugares,
  E sua carne será então comida.

Ta ch ux ok.
    Are q'ut chi patanih,"
X e' uch'axik.
    Ta x e pixabaxik
Ch'uti chikop,
    Nima chikop q'o ch u vach ulev.   410
Ta x r ah q'u ki tih chik ki q'ih.
    X r ah ki tihitobeh chik,
X r ah pu ki nuk chik q'ihilabal.
    X ma x ki ta vi ki ch'aabal chi k ibil k ib.
X ma navachir vi q'ut
    X ma x banatah vi puch.
Kehe q'ut x e ch'akatah vi ki tiyohil.
    X ki patanih.
X e tiyik.
    X e kamizaxik,   420
Ri chikop q'o varal ch u vach ulev.
    Kehe q'ut u tihitobexik chik
Vinaq tzak,
    Vinaq bit
K umal Tzakol,
    Bitol,
Alom,
    Q'aholom.
"Xa q'u tiha chik.
    Mi x yopih   430
R avaxik,
    U zaqirik.
Qa bana tzuqul q e,
    Kool q e.
Hu pa cha ta k oh zik'ix ok
    Ta k oh nabax puch ch u vach ulev?
Mi x qa tiho chi r ech ri nabe qa tzak,
    Qa bit
Ma vi mi x utzinik qa q'ihiloxik
    Qa q'alahixik puch k umal.   440
Kehe q'ut qa tiha vi
    U banik
Ah nim,
    Ah xob,
Tzuqul,
    Kool," x e ch'a.
Ta, u tzakik q'ut,
    U banik puch

Que assim seja,
    E para isso vocês possam ser úteis",
Foi-lhes dito.
    Assim lhes foi ordenado —
Aos pequenos animais
    E aos grandes animais que estão sobre a Terra.   410
E então foi-lhes necessário lançar a sorte de novo.
    Foi preciso fazer outra tentativa,
E tentar de novo ser venerados.
    Pois eles não puderam falar entre si.
Por isso não se pôde compreendê-los,
    Pois não estavam feitos para isso.
E assim sua carne foi humilhada.
    Eles foram usados.
Eles foram comidos.
    Eles foram mortos,   420
Os animais que estavam aqui sobre a face da Terra.
    E assim outra tentativa
Para modelar o homem,
    Para dar-lhe forma,
Fizeram Tzakol
    E Bitol.
A Mãe
    E o Pai.
"Vamos então tentar de novo.
    Já está se aproximando   430
O plantio,
    A claridade.
Vamos fazer o nosso sustentador,
    O nosso nutridor.
Como faremos então para sermos invocados
    E lembrados sobre a Terra?
Já tentamos, com a primeira das nossas obras,
    Das nossas modelações.
Não conseguimos ser adorados
    E glorificados por eles.   440
E então iremos agora tentar
    Fazer
Um adorador,
    Um venerador,
Um sustentador,
    Um nutridor", eles disseram.
    Pois então modelaram
        E trabalharam

Ulev,
    Xoq'ol.   450
U tiyohil x ki bano.
    Ma q'ut utz x k ilo.
Xa chi yohomanik,
    Xa tzubulik,
Xa nebelik,
    Xa lubanik,
Xa vulanik,
    Xa pu chiyumarik.
Ma vi chi k'olol u holom.
    Xa hun beenak vi, u vach.   460
Xa q'uul u vach,
    Ma vi chi muqun chi r ih.
Chi ch'av nabek
    Ma ha bi, u naoh.
Xa hu zuq chiyumar pa ha.
    "Ma vi q'ov," x e ch'a chi q'u ri,
Ah Tzak,
    Ah Bit.
"Ka vach labek.
    Ta ch ux ok xa labe   470
Ma vi chi binik
    Ma pu chi poq'otahik.
Ta ch ux ok.
    Xa 'u naoh chiri," x e ch'a.
Ta x ki yoh q'ut.
    X ki yoq' chik
Ri ki tzak,
    Ki bit.
X e ch'a chi q'ut,
    "Hu pa cha ki q'o chi qa bano   480
Ch utzin ta vi,
    Chi navachir ta vi,
Q'ihiloy q ech,
    Zik'iy q ech?", x e ch'a.
Ta x ki naohik chik
    Xa ka biih chi k e
Xpiacoc,
    Xmucane,
Hun Ah Pu Vuch',
    Hun Ah Pu 'Utiv.   490
"Ki tiha chik u q'ihixik
    U bitaxik," x e' uch'na ki k ib

A terra
    E a lama. 450
O corpo eles fizeram,
    Mas este não lhes pareceu bom.
Este apenas avançou desunido.
    Ele estava todo empapado.
Ele estava todo encharcado.
    Era só umidade.
Estava caindo aos pedaços.
    Ele estava se dissolvendo.
Sua cabeça não balançava.
    Seu rosto estava todo de um só lado. 460
Seus olhos estavam opacos
    E não podiam ser penetrados.
Quando ele falou,
    Não foi compreendido.
Repentinamente ele se dissolveu na água.
    "Ele não era forte", disseram então
Tzakol
    E Bitol.
"Ele parece úmido.
    Se continuasse molhado 470
Não iria ser capaz de andar
    E não chegaria a multiplicar-se.
Assim haveria de ser.
    Sua mente está escura a esse respeito", eles disseram.
E assim eles o destruíram.
    Eles espalharam de novo
O que eles haviam construído,
    O que tinham modelado.
E eles disseram de novo,
    "O que será que faremos 480
Que poderá agora ter êxito,
    Que poderá agora ser inteligente,
Venerando-nos
    E invocando-nos?", eles disseram.
Então pensaram mais
    E logo invocaram
Xpiacoc
    E Xmucane,
Hun Ah Pu Vuch,
    Hun Ah Pu Utiv. 490
"Eles podem tentar fazer outra vez sua adivinhação,
    Sua criação", eles disseram entre si —

Ah Tzak,
>   Ah Bit.
Ta x ki biih q'ut chi r e Xpiacoc,
>   Xmucane.
Kate q'ut u biixik chi k ech ri
>   E nik' vachinel,
R atit q'ih,
>   R atit zaq.　　　　　　　　　　　　　　　　　　　　　　　500
K e' uch'axik k umal ri Tzakol,
>   Bitol.
Are ki bi ri Xpiacoc,
>   Xmucane.

>   VII

X e ch'a q'u
>   Ri Hu r Aqan
R uq Tepev,
>   Q'uq' Kumatz.
Ta x ki biih chi r ech Ah Q'ih,
>   Ah Bit, e nik' vachinel,　　　　　　　　　　　　　　　　510
"X u qulu
>   Xa pu ch u riqo
Ch e ta chik chi qa vinaq bitoh,
>   Chi qa vinaq tzakoh ta chik
Tzuqul,
>   Kool.
K oh zik'ix tah
>   K oh nabax tah puch.
Ka toq' ta q'ut
>   Pa tzih,　　　　　　　　　　　　　　　　　　　　　　　520
Iyom,
>   Mamom,
Q Atit,
>   Qa Mam,
Xpiacoc,
>   Xmucane.
Cha a tah ta
>   Ch avax ok
Ta zaqir ok
>   Qa zik'ixik,　　　　　　　　　　　　　　　　　　　　　530
Qa toq'exik,
>   Qa nabaxik
R umal vinaq tzak,

Tzakol
E Bitol.
E assim eles falaram a Xpiacoc
E Xmucane.
E de fato isso lhes foi proposto,
Aos sagazes videntes,
À R Atit Qih (Avó do Dia),
À R Atit Zak (Avó da Luz). 500
Eles foram chamados por Tzakol
E Bitol.
Esses são os nomes de Xpiacoc
E Xmucane.

VII

E lá falou também
Hu r Aqan
Com Tepev
E Quq Kumatz.
Então eles falaram a Ah Qih (Sacerdote do Sol)
E Ah Bit (Sacerdote Modelador), sagazes adivinhos, 510
"Deve ser buscado,
E será enfim encontrado,
Um modo de conseguirmos de novo modelar o homem,
Um modo de conseguirmos formar o homem de novo então,
Como um sustentador
E nutridor.
Seremos invocados,
E seremos lembrados.
Então poderá haver recompensa
Em palavras, 520
Iyom,
Mamom,
Q Atit (Nossa Avó),
Qa Mam (Nosso Avô),
Xpiacoc
E Xmucane.
Se isso for arado por vocês
E a seguir plantado,
Seremos então
Invocados, 530
Seremos amparados,
Seremos lembrados
Pelas pessoas formadas,

65

    Vinaq bit,
Vinaq poy,
    Vinaq anom.
Ch a ta.
    Ch ux ok.
Ch i k'utun
    I bi,   *540*
Hun Ah Pu Vuch',
    Hun Ah Pu 'Utiv,
Ka mul Alom,
    Ka mul Q'aholom,
Nim Aq,
    Nima Tziz,
Ah Q'uval,
    Ah Yamanik,
Ah Ch'ut,
    Ah Tz'alam,   *550*
Ah Raxa Laq,
    Ah Raxa Zel,
Ah Q'ol,
    Ah Toltecat,
R Atit Q'ih,
    R Atit Zaq.
K ix uch'axik r umal qa tzak
    Qa bit.
Chi mala chi 'ixim;
    Chi tz'ite xa chi banatahik,   *560*
Xa pu ch el
    Apan ok
Chi q ahah,
    Chi qa k'otah puch
U chi,
    U vach ch e,"
X e' uch'axik
    E' Ah Q'ih.
Kate puch u qahik,
    U q'ihiloxik   *570*
Ri x malik ch 'ixim,
    Chi tz'ite
Q'ih,
    Bit.
X e ch'a q'u ri hun atit,
    Hun mama chi k ech.

      Pelas pessoas modeladas,
Pelas pessoas enfeitadas,
      Pelas pessoas pintadas.
Façam então.
    Que assim seja.
Manifestem
    Seus nomes,   540
Hun Ah Pu Vuch,
    Hun Ah Pu Utiv,
Avó,
    Avô,
Nim Aq (Grande Porco),
    Nima Tziz (Grande Quati)
Ah Quval (Lapidador de Gemas),
    Ah Yamanik (Joalheiro),
Ah Chut (Entalhador),
    Ah Tzalam (Escultor),   550
 Ah Raxa Laq,
    Ah Raxa Tzel,
Ah Qol (Mestre do Incenso),
    Ah Toltecat (Artífice),
R Atit Qih,
    R Atit Zaq.
Serão invocados por quem nós construirmos,
    Por quem nós moldarmos.
Lancem a sorte com o milho;
    Os feijões tzite[7] lancem,   560
E enfim se
    Saberá
Como elaboraremos
    E como esculpiremos
Sua boca
    E sua face",
Eles declararam
    Aos Sacerdotes do Sol.
E então de fato houve o lançamento,
    A adivinhação,   570
Eles jogavam a sorte com milho
    E com tzite —
Qih (Sol)
    E Bitol.
E então lhes falou uma Avó
    E um Avô.

---

[7] Feijões mágicos, que permitem fazer adivinhações; são de cor vermelha.

Are ri mama:
    Are, ah tz'ite.
Xpiacoc u bi.
    Are q'u ri, atit,   580
Ah q'ih,
    Ah bit,
Chi r aqan
    Xmucane, u bi.
X e ch'a q'ut
    Ta x ki tikiba q'ih,
"Xa ch u qulu,
    Xa pu chu u riqo,
Ch a biih.
    Ka ta qa xikin   590
Ka ch'avik
    Ka tzihon tah.
Xa ch u qulu ri chee ch ahavaxik
    Chi k'otox puch
K umal Ah Tzak,
    Ah Bit.
Ve, are tzuqul,
    Kool
Ta chavax ok,
    Ta zaqir ok.   600
At 'ixim,
    At tz'ite,
At q'ih,
    At bit,
K at chokonik,
    K at taqen tah,"
X ch'a chi r e 'ixim,
    Tz'ite,
Q'ih,
    Bit.   610
"K at q'ix la, ulok,
    At u K'ux Kah, ma q'ahizah
U chi,
    U vach
Tepev,
    Q'uq' Kumatz,"
X e ch'a.
    Ta x ki biih q'ut u zuqulikil,
"Utz are ch uxik ri poy
    Aham chee.   620

Era o Avô:
    Ele era o homem do tzite.
Xpiacoc era seu nome.
    Havia a Avó, 580
Ah Qih,
    Bitol,
A seus pés,
    Xmucane era o nome dela.
E eles disseram
    Quando começaram a profetizar:
*"Olhem apenas em volta
    E então a encontrem,*
Vocês dizem.
    Nossos ouvidos ouvem 590
Sua fala
    Sobre o que deve ser dito.
*Encontrem a madeira a ser trabalhada,
    A ser entalhada
Por Tzakol
    E Bitol.
De fato, este será um nutridor
    E sustentador
Quando for plantado então,
    Quando desabrochar então.* 600
Ó Milho,
    Ó Tzite,
Ó Qih,
    Ó Bitol,
Aproximem-se agora
    E sejam um par."
Eles disseram ao milho
    E a Tzite —
Ah Qih
    E Bitol. 610
"Avermelha além
    Ó você, u Kux Kah, mas não degrade
A boca
    E a face
De Tepev
    E Ququ Kumatz",
Eles disseram.
    E então falaram a verdade:
"Está ficando bem, este boneco
    Entalhado na madeira. 620

Chi ch'avik.
    Chi tzihon ba la ch u vach ulev.
Ta ch ux ok," x e ch'a q'ut.
    Ta x ki biih
Hu zuq x banik poy,
    Aham chee.
X e vinaq vachinik
    X e vinaq tzihonik puch.
Are vinaqil
    U vach ulev.   630
X e' uxik,
    X e poq'ik.
X e mealanik,
    X e q'aholanik
Ri poy,
    Aham chee.
Ma q'u ha bi ki k'ux,
    Ma pu ha bi ki naoh.
Ma vi natal k Ah Tzak,
    K Ah Bit.   640
Xa loq' x e binik,
    X e chakanik.
Ma vi x ki natah chik ri 'u K'ux Kah,
    Kehe q'ut x e pah chiri.
Xa, u tihitobexik
    Xa pu, u vababexik chi vinaq.
K e ch'av nabek,
    Xa chaqih ki vach.
Ma na zonol k aqan,
    Ki q'ab;   650
Ma ha bi ki kiq'el,
    Ki komahil;
Ma ha bi ki tikoval,
    Ki q'ab ch'iyal.
Chaqih q'ootz;
    K'oh ki vach.
Ka pichipoh k aqan,
    Ki q'ab.
Ka yeyob ki tiyohil
    Kehe q'ut ma vi x e nav chiri   660
Ch u vach Tzakol,
    Bitol,
Alay k ech,
    K'uxilay k ech.

Ele fala.
    Algo na Terra fala,
Então que assim seja", eles disseram,
    E enquanto falavam
O boneco então foi feito,
    Entalhado na madeira.
Eles eram como pessoas
    E falavam como pessoas.
Existiam seres
    Sobre a face da Terra.   630
Eles viveram;
    Eles se multiplicaram.
Geraram filhas;
    Geraram filhos,
Os bonecos
    Entalhados na madeira.
Mas eles não tinham coração
    E não tinham mente.
Eles não se lembraram de seu Tzakol
    E seu Bitol.   640
Em vão eles andavam
    E se arrastavam de quatro de cá para lá.
De novo eles não se lembraram dele, que é u Kux Kah,
    E assim eles tombaram lá.
Era apenas uma primeira tentativa,
    Era apenas um ser para demonstração.
Eles falaram muito bem,
    Mas suas faces estavam ressequidas.
Suas pernas não estavam preenchidas,
    Nem seus braços.   650
Eles não tinham sangue
    E soro.
Não tinham suor
    E gordura.
Secas eram suas bochechas
    E máscaras suas faces.
Moviam com brusquidão suas pernas
    E seus braços.
Alguém destruiu o corpo deles
    Porque não se recordaram de nada   660
Diante de Tzakol
    E Bitol,
Seus Condutores,
    Seus Incentivadores.

71

E nabe tzatz chi vinaq
    X e' uxik varal ch u vach ulev.

VIII

Kate q'ut ki k'izik chik,
    Ki mayixik,
Ki qutuzik puch,
    X e kamizax chik   670
Poy
    Aham chee.
Ta x nohix ki butik r umal u K'ux Kah.
    Nima butik x banik, x pe pa ki vi ri,
E poy,
    E' aham chee.
Tz'ite, u, tiyohil ri 'achiy
    Ta x ahaxik
R umal Tzakol,
    Bitol,   680
Ixoq zibak q'ut u tiyohil ixoq
    X r ah okik
R umal Tzakol,
    Bitol.
Ma vi x e navik,
    Ma pu x e ch'avik
Ch u vach k Ah Tzak,
    K Ah Bit,
Banol k e,
    Vinaqirizay k ech.   690
Kehe q'ut ki kamizaxik.
    X e butik.
X pe nima q'ol
    Chila chi kah.
X e (pe) Q'otoq'o(l) Vach u bi
    X q'otin ulok u baq' ki vach.
X e pe Kama Lotz'
    X kupin ula ki holom.
X pe Kotz' Balam
    X tiyo ki tiyohil.   700
X pe Tukum Balam
    X tukuvik.
X kichovik ki baqil,
    K ibochil.

Foram eles a primeira população numerosa
    Que houve aqui na Terra.

VIII

E assim foram de fato destruídos de novo.
    Foram destruídos
E foram dissolvidos
    E mortos de novo,   670
Os bonecos
    Entalhados na madeira.
Então para matá-los um desastre foi planejado por u Kux Kah.
    Um grande desastre foi produzido, e caiu sobre as cabeças
Daqueles que eram bonecos
    Entalhados na madeira.
De Tzite era o corpo do homem
    Quando este foi entalhado
Por Tzakol
    E Bitol.   680
Em grandes ervas do brejo foi o corpo da mulher
    Esculpido
Por Tzakol
    E Bitol.
Eles não pensaram,
    E não falaram
Diante do seu Tzakol,
    Seu Bitol,
O Fazedor deles,
    O Criador deles,   690
E assim foram mortos;
    Foram inteiramente destruídos.
Então caiu uma forte chuva de resina[8]
    Do céu.
Aí vieram os Qotoqo Vach (Extirpadores de Olhos), como são chamados,
    E arrancaram os olhos deles de suas órbitas.
Aí vieram os Kama Lotz (Morcegos Assassinos)
    E arrebataram suas cabeças.
Aí veio o Kotz Balam (Jaguar Espreitador)
    E comeu sua carne.   700
Aí veio o Tukum Balam (Jaguar Desperto)
    E os abriu,
E quebrou seus ossos
    E rasgou sua cartilagem.

[8] O termo *Qol* também já foi interpretado como lava.

X q'ahixik,
    X muchulixik
Ki baqil,
    Q'ahizabal ki vach
R umal ma vi ki navik ch u vach ki chuch,
    Ch u vach puch ki qahav ri,   710
U K'ux Kah,
    Hu r Aqan u bi.
K umal x q'equmarik u vach ulev.
    X tikarik q'eqal hab,
Q'ihil hab,
    'Aqabal hab.
X ok ula ch'uti chikop,
    Nima chikop.
X qut ki vach r umal chee,
    Abah.   720
X ch'avik r onohel ki q'ebal,
    Ki xot,
Ki laq,
    Ki booh,
Ki tz'i,
    Ki kaa —
Ha ruh pa la
    R onohel
X qutu ki vach.
    "Q'ax x i ban chi q e.   730
X oh i tiyo,
    Ix chi q'ut x k ix qa ti chik,"
X ch'a ri ki tz'i,
    K ak' chi k ech.
Are q'u ri kaa:
    "X oh qoq'onik iv umal,
Hu tak q'ih —
    Hu tak q'ih —
X q'eq zaqirik,
    Amaq'el —   740
Holi!
    Holi!
Huk'i!
    Huk'i!
Qa vach
    Iv umal.
Are ta nabe qa patan ch i vach
    Ix ta na vinaq,

Triturados,
    Quebrados em pedacinhos
Estavam seus ossos.
    A trituração de suas faces ocorreu
Porque não pensaram diante de sua Mãe
    E diante de seu Pai, 710
U Kux Kah,
    Hu r Aqan chamado.
Por causa deles a face da Terra ficou escura
    E então começou uma chuva negra,
Noite
    E dia.
Aí vieram os pequenos animais,
    E os grandes animais.
Suas faces foram maltratadas pelas árvores
    E pedras. 720
E aí falaram alto todos seus jarros,
    Suas grelhas,
Seus pratos,
    Seus potes,
Seus cachorros,
    Seus pilões —
Assim, muitas coisas —
    Tudo
Feriu suas faces.
    "Muitos sofrimentos vocês nos causaram. 730
Vocês nos comeram,
    E agora nós comeremos vocês também",
Disseram-lhes seus cachorros
    E seus perus.
E então as moendas:
    "Éramos batidas por vocês
Todo dia —
    Todo dia —
Noite e dia,
    Sem parar — 740
Triturando!
    Triturando!
Craque!
    Craque!
Sobre nossas faces
    Vocês faziam.
Se foi esse o serviço que lhes prestamos antigamente,
    Quando vocês eram pessoas,

Vakamik q'ut x ch i tih
    Qa chuq'ab.   *750*
X chi qa keeh,
    X chi qa hoq' puch i tiyohil,"
X ch'a ri ki kaa chi k e.
    Are q'u ri ki tz'i
X ch'a chik
    Ta x ch'avik,
"Naki pa r umal ma vi chi ya qa va?
    X k oh muqunik, xa pu k oh i kuxih ulok.
K oh tzak puch ulok,
    Yakal ubik,   *760*
Qa cheel iv umal
    Ta k ix vaik.
Xere k oh iv uch'ah vi;
    Ma vi k oh ch'avik.
Ma ta q'u mi x oh qamik ch iv e
    Hu pa cha ma vi mi x ix navik.
X ix nav ta q'ut
    Ch iv ih ta q'ut x oh zach vi.
Vakamik q'ut x chi i tih
    Qa baq   *770*
Q'o pa qa chi.
    X k ix qa tiyo,"
X e ch'a ri tz'i chi k e,
    Ta x qut ki vach.
Are chi q'u ri ki xot,
    Ki booh x ch'av chik chi k e,
"Q'ax va
    X i ban chi q e.
Xaq qa chi —
    Xaq qa vach.   *780*
Amaq'el oh tzakal ch u vi q'aq'.
    K oh i k'ato.
Ma vi q'ax x qa nao, x ch i tih q'ut.
    X k ix qa poroh,"
X ch'a ri ki booh r onohel,
    X qutu ki vach.
Are ri (k) abah,
    Ri k ix k'ub
Chi taninik,
    Chi pe pa q'aq'.   *790*
T'akal chi ki holom,

Então podem agora experimentar
>   Nossa força. 750
Trituraremos
>   E rasparemos sua carne",
Suas moendas lhes disseram.
>   E então seus cachorros
Disseram o seguinte
>   Quando falaram:
"Por que não nos deram nossa comida?
>   Apenas ficávamos olhando, e vocês nos comiam.⁹
Se deitávamos aqui,
>   Ou nos levantávamos ali, 760
Vocês nos batiam
>   Enquanto comiam.
Vocês só nos repreendiam então;
>   Não podíamos falar,
E não recebíamos nada de vocês,
>   A não ser que não soubessem disso,
E então quando vocês se deram conta mais tarde,
>   Então estávamos perdidos.
Assim agora vocês podem provar
>   Os ossos 770
Que estão em nossas bocas:
>   Iremos comer vocês",
Seus cachorros lhes disseram,
>   E suas faces foram destruídas.
E então suas grelhas
>   E seus potes lhes falaram a seguir:
"Sofrimento foi o que
>   Vocês nos infligiram.
A fuligem se espalhava em nossas bocas —
>   Escurecidas estavam nossas faces. 780
Estávamos sempre queimando no fogo.
>   Vocês nos queimaram.
Vocês não sentiam pena, assim tentem agora.
>   Vamos queimá-los",
Disseram todos os seus potes,
>   E sua face foi destruída.
E havia pedras,
>   E as pedras do fogão
Espalharam-se
>   E vieram do fogo, 790
Triturando suas cabeças

⁹ Cães eram usados nos sacrifícios e também como alimento.

Q'ax x ban chi k e.
Anilabik,
　　　K e malamatilab chik.
K e r ah aqanik ch u vi haa,
　　　Xa chi vulih haa, k e tzak ulok.
K e r ah aqanik ch u vi chee,
　　　K e chaqix ulok r umal chee.
K e r ah ok pa hul,
　　　Xa chi yuch hul chi ki vach.　　　　　　　　　　　　800
Kehe q'ut u kayohik vinaq tzak,
　　　Vinak bit,
E tzixel,
　　　E tzalatzoxel chi vinaq.
X mayixik,
　　　X qutuxik
Ki chi,
　　　Ki vach k onohel.
X ch'a q'ut are r etal
　　　Ri q'oy q'o pa k'icheelah vakamik.　　　　　　　　810
Are x q'ohe vi r etal
　　　R umal xa chee ki tiyohil x kohik
R umal Ah Tzak,
　　　Ah Bit.
Are q'u ri q'oy
　　　Kehe ri vinaq chi vachinik
R etal hu le vinaq tzak,
　　　Vinaq bit,
Xa poy,
　　　Xa puch aham chee.　　　　　　　　　　　　　　820

         E ferindo-os.
Eles tentaram fugir.
         Foram obrigados a dispersar-se inteiramente então.
Tentaram subir nas casas,
         Mas as casas ruíram e eles caíram.
Tentaram subir nas árvores:
         Mas foram lançados de lá por elas.
Tentaram se arrastar para dentro dos buracos,
         Mas os buracos se fecharam em suas faces.   800
E assim foi a destruição das pessoas construídas,
         Das pessoas modeladas.
Elas foram destruídas,
         Elas foram aniquiladas como pessoas.
Eles destruíram,
         Esmagaram
Suas bocas,
         Suas faces inteiramente.
E se conta que o que sobrou deles
         São os macacos que estão hoje na floresta.   810
Aquilo deve ser o que sobrou,
         Porque seus corpos foram feitos só de madeira
Por Tzakol
         E Bitol.
Assim, o fato de os macacos
         Parecerem pessoas
É sinal de que houve uma geração de pessoas construídas,
         De pessoas modeladas,
Só bonecos
         E só entalhados em madeira.   820

SEGUNDO CANTO

IX

Are q'ut xa hu biq' zaq natanoh u vach ulev.
    Ma ha bi q'ih.
Hun q'ut k u nimarizah r ib,
    Vuqub Kaqix u bi.
Q'o nabe kah,
    Ulev,
Xa ka moyomot u vach q'ih,
    Ik'.
Ka ch'a q'u ri,
    "Xa vi xere, u zaq etal vinaq ri x butik   830
Kehe ri naval vinaq,
    U q'oheyik.
In nim,
    K i q'ohe chik ch u vi
Vinaq tzak,
    Vinaq bit.
In u q'ih,
    In puch u zaq.
In nay pu r ik'il ta ch ux ok.
    Nim nu zaqil.   840
In binibal,
    In pu chakabal r umal vinaq.
R umal puvaq u baq' nu vach xa ka tilitotik.
    Chi yamanik raxa q'u'al,
Nay pu v ey rax kavakoh
    Chi 'abah kehe ri, u va kah.
Are q'u ri nu tzam zaq huluhuh
    Chi nah kehe ri 'ik'.
Puvaq q'ut nu q'alibal.
    Ka zaq pak'e' u vach ulev   850
Ta k in el ulok
    Ch u vach nu q'alibal.

SEGUNDO CANTO

IX

Assim então a face da Terra de repente ficou clara.
    Não havia o Sol.
Mas houve alguém que se vangloriou de sua situação,
    Vuqub Kaqix (Sete Papagaio) era seu nome.
Já havia o Céu
    E a Terra,
Mas inteiramente oculta estava a face do Sol
    E a da Lua.
E ele disse isto:
    "Não é nada, exceto o sinal luminoso das pessoas que se afogaram.   830
Tal qual a essência das pessoas mágicas
    É a sua essência.
Sou grande
    E guiarei
As pessoas construídas,
    As pessoas modeladas.
Sou seu Sol,
    E sou sua luz.
E serei também sua Lua quando aparecer uma.
    Forte é a minha luminosidade!   840
Sou o caminho
    E sou a direção para as pessoas.
De prata são meus olhos que reluzem,
    Brilhando como jade verde,
E meus dentes são também de um azul brilhante
    Como pedras, como a face do Céu.
Assim também meu nariz é deslumbrante
    À distância, como a Lua.
E meu trono é prateado.
    Iluminada se torna a superfície da Terra   850
Quando eu apareço
    À frente do meu trono.

Kehe q'ut in q'ih vi,
    In puch ik',
R umal zaqil al,
    Zaqil q'ahol
Ta ch ux ok
    R umal chi nah k opon vi nu vach."
Ch'a ri Vuqub Kaqix.
    Ma q'u qitzih   860
Are ta q'ih ri Vuqub Kaqix.
    Xere k u nimarizah r ib ri,
U xik',
    U puvaq.
Xere q'ut tokol vi, u vach ri chi kube vi,
    Ma na r onohel ta 'u xe kah kopon vi, u vach.
Ma ha q'ut k'i k il ok
    U vach q'ih,
Ik',
    Ch'umil.   870
Ma ha 'ok ka zaqir ok,
    Kehe q'ut k u q'obizah vi r ib ri Vuqub Kaqix
Chi q'ihil,
    Chi 'ik'il.
Xa ma ha chi k'utun ok,
    Chi q'alahob ok
U zaqil q'ih,
    Ik'.
Xa x u rayik nimal,
    Iq'oven.   880
Are ta x banik
    Butik
K umal poy
    Aham chee.
Kehe q'ut x chi qa biih chik
    Ta x kamik Vuqub Kaqix,
Ta x ch'akatahik,
    Ta x banatahik vinaq
R umal Ah Tzak,
    Ah Bit.   890

X

Vae, u xe 'u ch'akatahik
    U yikoxik chi puch
U q'ih Vuqub Kaqix

Assim eu sou o Sol então,
    E sou a Lua da claridade,
Para aqueles nascidos do brilho,
    Aqueles engendrados pelo brilho,
Pois acontece
    Que à distância minha face deveria aparecer",
Disse Vuqub Kaqix,
    Mas não era verdade   860
Que Vuqub Kaqix fosse o Sol.
    Ele apenas se vangloriava de sua situação,
E de suas plumas
    E de sua prata.
Mas sua face só alcançava ali onde ele se sentou,
    E sua face não alcançava tudo sob o Céu.
Pois nada mais havia sido visto
    Da face do Sol
E da Lua
    E das Estrelas.   870
Nada mais havia brilhado então,
    Como Vuqub Kaqix dizia, fazendo alarde
De sóis
    E luas.
Até então nada havia surgido,
    Nada ainda havia se manifestado
Do brilho do Sol
    E da Lua.
Ele apenas desejava grandeza
    E exaltação.   880
Isso foi durante a criação
    E o afogamento
Dos bonecos
    Entalhados na madeira.
E assim contaremos agora
    Como Vuqub Kaqix morreu,
Como ele foi humilhado
    Quando as pessoas foram feitas
Por Tzakol
    E Bitol.   890

X

Esta é a origem da humilhação,
    Da destruição
No dia de Vuqub Kaqix,

  K umal e kaib q'aholab.
Hun Ah Pu, u bi hun.
  X Balan Ke, u bi 'u kaab.
Xa vi, e kabavil.
  R umal 'itzel x k ilo
Ri nimarizay r ib
  X r ah u ban   900
Ch u vach u K'ux Kah.
  X ch'a q'u ri q'aholab,
"Ma vi 'utz ta ch ux ok.
  Ma vi chi k'az e vinaq
Varal
  Ch u vach ulev.
Kehe q'ut chi qa tih vubaxik.
  Ch u vi r echa chi qa vubah vi.
Chiri chi qa koh vi 'u yab
  Ta k'iz ok u q'inomal,   910
U xit,
  U puvaq,
U q'uval,
  U yamanik,
Ri k u k'ak'abeh
  Kehe q'ut ch u bano.
R onohel vinaq ma vi
  Are chi vinaqir vi.
Q'aq'al ri,
  Xa puvaq   920
Ta ch ux ok,"
  X e ch'a ri q'aholab,
Huhun chi 'ub
  Ki telen ki kaab ichal.
Are q'u ri Vuqub Kaqix
  E kaib u q'ahol.
Are nabeyal ri Cipacna.
  U kaabal chi q'ut ri Kaab r Aqan.
Chimalmat q'ut u bi ki chuch,
  R ixoqil ri Vuqub Kaqix.   930
Are q'u ri Cipacna
  Are chi r e chaah ri nimaq huyub:
Ri Chi Q'aq',
  Hun Ah Pu,
Pek Ul Ya,
  X Q'anul,
Makamob,

        Realizada pelos dois filhos.
Hun Ah Pu (Caçador) era o nome de um deles.
X Balam Ke (Jaguar Veado) era o nome do outro.
Mas eles eram deuses.
        Assim viram a maldade
Que era a soberba
        Que ele queria mostrar   900
Diante de Kux Kah,
        E os dois filhos disseram:
"Não é bom que possa estar acontecendo isso.
        As pessoas não poderão viver
Aqui
        Na Terra.
Assim vamos tentar atirar nele.
        Depois do seu jantar poderemos atirar nele.
Assim, conseguiremos deixá-lo doente
        E então acabaremos com a opulência dele,   910
Suas joias,
        Sua prata,
Seu jade,
        Seu tesouro,
Que é o que o deixa orgulhoso;
        Assim deve ser feito,
A fim de que as pessoas
        Não ajam assim.
Tal glória
        É mero metal.   920
Assim seja,"
        Foi o que os rapazes disseram,
Cada um com uma sarabatana,
        Que levavam ao ombro, os dois juntos.
Porém esse Vuqub Kaqix
        Tinha dois filhos.
O primeiro era um tal de Cipacna (Jacaré),
        Enquanto o segundo era um certo Kaab r Aqan (Dois Perna),
E Chimalmat (Carregadora de Escudo) era o nome da mãe deles,
        A esposa de Vuqub Kaqix.   930
E esse Cipacna,
        Esse era aquele que ia brincar com as grandes montanhas:
Ri Chi Qaq (Boca de Fogo),
        Hun Ah Pu,
Pek Ul Ya (Rio das Cataratas da Caverna),
        X Qanul (Mulher Amarela),
Makamob (Inundações),

  Huliz Nab,
Ch uch'axik
  U bi huyub   940
X q'oolik ta chi zaqirik.
  Xa hun 'aqab chi vinaqirik r umal ri Cipacna.
Are ri chi q'u ri Kaab r Aqan chi zilab huyub
  R umal chi nebovik,
Ch'uti huyub,
  Nima huyub —
R umal xa vi kehe nimarizabal k ib
  X ki bano 'u q'ahol Vuqub Kaqix.
"Ix va, in q'ih!"
  X ch'a Vuqub Kaqix.   950
"In va, in banol ulev!"
  X ch'a ri Cipacna.
"In chi q'ut k i yov kah,
  Ch in ulih r onohel ulev," x ch'a ri Kaab r Aqan.
Xa vi 'u q'ahol Vuqub Kaqix,
  Xa vi chiri x ki qam vi ki nimal chi r ih ki qahav.
Are q'ut 'itzel x k il vi q'aholab
  Ma ha chi banatah ok
Qa nabe chuch,
  Qa nabe qahav,   960
Kehe q'ut x noohix vi ki kamik
  Ki zachik k umal q'aholab.

  XI

Vae q'ute' u 'ubaxik Vuqub Kaqix
  K umal kaib q'aholab.
X chi qa biih ki ch'akatahik chi ki huhunal
  Ri nimarizay r ib.
Are ri Vuqub Kaqix hun nima chee,
  Ri tapal.
Are q'u r echa ri Vuqub Kaqix.
  Are ch u lo ri, u vach tapal.   970
Ch aqan ch u vi chee hu tak q'ih.
  X iloma q'ut r echabal
R umal ri Hun Ah Pu,
  X Balan Ke.
Ki q'aq'alen chi q'ut ch u xe chee ri Vuqub Kaqix
  E matzamoh ulo ri kaib q'aholab pa xaq chee
Ta x opon q'ut Vuqub Kaqix

        Huliz Nab (Cheio de Buracos),
Para contar
        O nome das montanhas   940
Que estavam lá para serem clareadas
        E serem criadas numa só noite por Cipacna.
Então esse Kaab r Aqan também sacudiu as montanhas,
        Movendo-se em volta —
Das montanhas pequenas
        E das montanhas grandes —,
Foi apenas para exibir-se
        Que os filhos do Vuqub Kaqix fizeram isso.
"Olhem para mim, eu sou o Sol!",
        Disse Vuqub Kaqix.   950
"Olhem para mim, eu sou o construtor da Terra!",
        Disse Cipacna.
"E eu sou quem agita o Céu
        E separa toda a Terra", disse Kaab r Aqan.
Exatamente assim eram os filhos de Vuqub Kaqix.
        Exatamente assim conquistaram sua grandeza imitando o pai.
E essa maldade os filhos viram —
        Que nada seria feito então
Pela nossa primeira Mãe,
        Pelo nosso primeiro Pai,   960
E assim a morte deles foi planejada,
A sua destruição pelos dois filhos.

        XI

E assim então foram sopradas as sarabatanas em Vuqub Kaqix,
        Assopradas pelos dois filhos.
Iremos agora contar a humilhação daqueles
        Que estavam se glorificando.
Vuqub Kaqix tinha uma grande árvore,
        Uma nance,[1]
Isso era a comida de Vuqub Kaqix.
        O que ele comia era a fruta dela.   970
Por isso ele subia na árvore todos os dias,
        E essa fruta foi vista
Por Hun Ah Pu
        E X Balam Ke,
Então eles aguardaram Vuqub Kaqix escondidos sob a árvore.
        Os dois filhos estavam bem escondidos lá na folhagem,
E quando Vuqub Kaqix chegou

---

[1] *Byrsonima corinifolio vel crassifolia*: árvore silvestre com fruto comestível.

  Tak'al
Ch u vi r echa
  Ri tapal.   980
Kate q'ut ta x ubaxik k umal.
  Ri Hun Hun Ah Pu takal u baq vub
Ch u kaq' a te
  Ch u raquh u chi.
Ta x pe ch u vi chee
  T'aqal ch u vach ulev
Chi malamat q'ut.
  Ri Hun Hun Ah Pu 'anim x beek
Qitzih vi x be, u chapa.
  Kate q'ut ta x qupix ula   990
U q'ab ri Hun Hun Ah Pu
  R umal ri Vuqub Kaqix
Hu zuq x tzak ulok
  X meho 'ulok tzam u teleb.
Ta x u tzoqopih chi q'ut Hun Hun Ah Pu
  Ri Vuqub Kaqix,
Xa vi 'utz x ki bano.
  Ma nabe ki ch'akatahik tah r umal Vuqub Kaqix.
U qam chi q'ut u q'ab ri Hun Hun Ah Pu
  R umal ri Vuqub Kaqix.   1.000
Ta x be chi r ochoch,
  Xa chi q'ut u lot'em u kakate x oponik.
"Naki pa x qamov chila?" x ch'a q'u ri Chimalmat,
  R ixoqil Vuqub Kaqix.
"Naki pa ri!
  Ri, e kaib q'ax tok!
Mi x i ki vubah
  Mi x zilibatah nu kakate
R umal xa ka chuy v ehe.
  V e, ka q'axov chik!   1.010
Mi nabe mi x nu qam ulok ch u vi q'aq' q'ut chi xeke vi
  Chi tzayaba ch u vi q'aq'.
Ta k ul ki qama chik.
  Qitzih chi, e q'ax tok!"
X ch'a ri Vuqub Kaqix
  Ta x u xekeban u q'ab ri Hun Hun Ah Pu.

✦ ✦ ✦

    E parou
Sobre a comida —
    A fruta —   980
Então ele foi prontamente ferido por eles.
    Hun Hun Ah Pu[2] apontou a sarabatana
De um jeito que pudesse atingir sua boca,
    De um jeito que pudesse quebrar seu queixo.
Como ele havia subido na árvore,
    Ele caiu estendido no chão
E começou a se arrastar.
    Então Hun Hun Ah Pu veio correndo ao seu encontro.
De fato, ele veio ao seu encontro para agarrá-lo,
    Mas quando tudo terminou   990
O braço de Hun Hun Ah Pu
    É que foi agarrado.
De repente Vuqub Kaqix o puxou bem
    E dobrou para trás a articulação do ombro dele.
Então Hun Hun Ah Pu foi libertado
    Por Vuqub Kaqix.
Mas eles agiram bem.
    Eles não foram batidos por Vuqub Kaqix,
E assim o braço de Hun Hun Ah Pu foi arrancado
    Por Vuqub Kaqix.   1.000
Quando ele foi para a casa dele,
    Segurava apenas seu maxilar ao chegar lá.
"O que você trouxe agora?", perguntou Chimalmat então,
    A esposa de Vuqub Kaqix.
"Veja isto!
    Aqueles dois são uns demônios!
Eles atiraram em mim
    E deslocaram meu maxilar,
De maneira que meu maxilar está quebrado.
    Meus dentes ainda estão doendo!   1.010
Primeiro eu pendurarei isto sobre o fogo e o deixarei
    Pairar e balouçar sobre o fogo.
Até que eles venham pegá-lo de volta.
    Certamente eles são uns demônios!",
Disse Vuqub Kaqix
    Enquanto pendurava o braço de Hun Hun Ah Pu.

* * *

---

[2] O uso de numeral junto ao nome de Caçador (Hun Hun Ah Pu = Um Caçador) pode também ser omitido (Hun Ah Pu = Caçador). Os numerais são usados e excluídos livremente nos nomes do calendário.

Ki naohinik chik ri Hun Hun Ah Pu,
    X Balan Ke, ta x ki biih q'ut
Chi r ech hun mama.
    Qitzih zaq chik r izumal vi chi mama.   1.020
Hun q'ut atit.
    Qitzih kemel atik chik.
Xa k e lukukila chik
    Chi rihitaq vinaq.
Zaqi Nim Aq u bi mama.
    Zaqi Nima Tziz q'ut u bi 'atit.
X e ch'a q'u ri ri q'aholab
    Chi k e ri,
Atit,
    Mama: 1.030
"K ix q ach' bilah tah
    Chi be ta qama qa q'ab r uq Vuqub Kaqix.
Xa k oh tere,
    Ch iv ih.
K'i ri qa mam
    Ri q ach' bilan.
Kaminak ki chuch,
    Ki qahav.
Kehe q'ut k e tere qotil a vi
    Chi q ih.   1.040
Ta la k e qa zipah vi
    R umal xa 'elezan u chikopil eyah
Ka qa bano,
    K ix ch'a.
Kehe q'u ri, oh ak'alab
    Chi r ilo ri Vuqub Kaqix.
Xa vi, oh,
    K oh yavik i naoh",
X e ch'a ri,
    E kaib q'aholab.   1.050
"Utz ba la," x e ch'a q'ut.
    Kate q'ut ta x e beek
Tzamal q'u bi Vuqub Kaqix
    Ch u vach u q'alibal.
Ta x e' iq'ovik ri, atit
    Mama,
K e' etz'eyah q'u ri
    E kaib q'aholab chi k ih.
Ta x e' iq'ov
    Ch u xe r ochoch ahav.   1.060
K u raquh q'ut u chi

Eles estavam pensando muito sobre isso, Hun Hun Ah Pu
    E X Balam Ke, e então eles falaram
Ao avô —
    Inteiramente brancos eram os cabelos e a barba do avô —   1.020
E à avó —
    Verdadeiramente modesta era a avó também —
Os dois estavam de fato bem encurvados,
    Eram pessoas bem velhas.
Zaqi Nim Aqe era o nome do avô;
    Zaqi Nima Tziz era o nome da avó.
E o que os filhos disseram
    Àqueles que eram
A avó
    E o avô foi: 1.030
"Vamos acompanhar vocês
    E pegaremos nosso braço com Vuqub Kaqix.
Iremos logo
    Atrás de vocês.
Bem, esses são nossos netos
    Que estão nos acompanhando.
A mãe deles morreu,
    E o seu pai,
E assim eles nos seguem por todos os lugares,
    Atrás de nós.   1.040
Poderíamos doar os dois,
    Porque curar infecção do maxilar
É tudo o que fazemos,
    Vocês podem dizer,
E como crianças apenas
    Vuqub Kaqix nos verá.
Quanto a nós,
    Nós lhe daremos instruções",
Eles disseram,
    Aqueles dois filhos.   1.050
"Está bem", eles responderam então,
    E assim eles foram lá de fato.
E finalmente lá estava Vuqub Kaqix
    Diante de seu trono,
Quando a avó passou por lá,
    E o avô,
E brincando junto deles
    Iam os dois filhos atrás.
Então eles passaram
    Sob a casa do senhor,   1.060
E gemia

    Ri Vuqub Kaqix r umal r e.
Ta x k il q'ut Vuqub Kaqix ri mama,
    Atit k ach' bilan k ib,
"A pa k ix pe vi, qa mam?"
    X ch'a q'u ri, ahav.
"Xa, oh tzuqubey q ib, lal ahav," x e ch'a q'ut.
    "Naki pa, i tzuqubal?
Ma, iv alquval ri
    Iv ach' bilan?"   *1.070*
"Ma ha bi,
    Lal ahav.
E qa mam,
    R iy.
Xere na, are ka qa toq'obah
    Ki vach,
Ri yaaxel hu pir,
    Ch'akab ka qa ya chi k ech, lal ahav,"
X e ch'a q'ut ri, atit,
    Mama.   *1.080*
K utzin q'u ri, ahav,
    U q'oxom r e,
Xaku nimak va ch'ih chik,
    Ka ch'avik.
"In ta ba kanih ch i vach
    Chi toq'obah ta nu vach
Naki pa qiy chi bano?
    Naki 'on qiy chi kunah?"
X ch'a q'ut
    Ahav.   *1.090*
"Xa, u chikopil eyah chi q elezah.
    Xa q'u, u baq' u vach chi qa kunah.
Xa baq chi qa viqo, lal ahav," x e ch'a q'ut.
    "Utz ba la, chi kunah ta ba v e.
Qitzih ka q'oxovik hu tak q'ih
    Ma vi ch oq'itahik.
Ma ha bi nu varam r umal
    R uq u baq' nu vach.
Xa x i ki 'ubah
    E kaib q'ax tok.   *1.100*
Ta x tikarik
    Ma vi k in echahik r umal.
Kehe ta q'ut chi toq'obah vi nu vach
    Xa kach' u yub
V ehe chik
    Ri v e."

Vuqub Kaqix de dor de dente.
E quando Vuqub Kaqix viu o avô
    E a avó acompanhando-o,
"Para onde estão indo, nossos avós?",
    Foi o que o senhor disse então.
"Só cuidando de nós mesmos, ó senhor", eles disseram.
    "Quem é que cuida de vocês?
Não são aqueles lá seus filhos,
    Que estão acompanhando vocês?"   1.070
"De modo algum,
    Ó senhor.
Eles são nossos netos
    E descendentes,
E somos nós que nos preocupamos
    Com eles,
Dando-lhes seu quinhão,
    Um bocado nós lhes damos, ó senhor",
Foi o que a avó disse,
    E o avô.   1.080
E o senhor sentia muita
    Dor de dente,
Mas teve de continuar sofrendo
    E falou:
"Quisera poder lhes pedir
    Que sentissem pena de mim.
Que tipo de veneno podem preparar?
    Que tipo de veneno sabem medicar?",
Ele disse então,
    O senhor.   1.090
"Nós só retiramos bichos do maxilar,
    E só curamos olhos.
Nós só endireitamos ossos, ó senhor", eles lhe disseram.
    "Que bom! Tomara que curem meus dentes.
Realmente doem sem parar.
    É insuportável.
Não posso dormir por causa disso,
    Isso e meu olho.
Eles atiraram em mim,
    Aqueles dois demônios.   1.100
Desde que isso começou
    Não consigo mais comer.
Assim, tenham piedade de mim.
    Que agonia é sentir
O meu queixo doer e latejar,
    E os meus dentes também".

"Utz ba la, lal ahav,
    Chikop ba ka q'uxuvik.
Xa ch ok u k'exel,
    Ch el ri, e la."   1.110
"Ma ba 'utz lo ch el ri v e,
    R umal xere, in ahav vi.
Nu kavubal ri v e,
    R uq u baq' nu vach."
"X chi qa koh chik na q'ut
    U k'exel hok'om baq."0
X ch ok chik are q'ut hok'om baq
    X ri xa zaqi 'ixim.
"Utz ba la, ch iv elezah, chi too ulok," x ch'a q'ut.
    Ta x el q'u ri r e Vuqub Kaqix   1.120
Xa zaqi 'ixim u k'exel r e x okik.
    Xa chi q'u zaq huluhuh chi 'ula 'ixim p u chi.
Hu zuq u x qah u vach
    Ma vi, ahav chik x vachinik.
X k'iz elik ri r e —
    Q'uval rax kavakoh p u chi.
Ta x kunax chi q'ut u baq' u vach Vuqub Kaqix.
    Ta x ch'olik u baq' u vach x k'iz elik ri puvaq.
Ma na q'ax tah x u nao.
    Xa vi xere ka muqunik.   1.130
Ta x k'iz q'ut elik ri,
    U nimarizabal r ib.
Xa vi ki naoh ri Hun Ah Pu,
    X Balan Ke,
Ta x kam q'ut ri Vuqub Kaqix,
    Ta x u qam q'ut u q'ab ri Hun Ah Pu.
X kam nay puch Chimalmat,
    R ixoqil Vuqub Kaqix.
Kehe q'ut u zachik u q'inomal Vuqub Kaqix ri,
    Xa, ah kun x qamovik: 1.140
Ri q'uval,
    Yamanik,
X u punabeh varal
    Ch u vach ulev.
Naval atit,
    Naval mama x banovik.
Ta x ki qam q'ut ki q'ab,
    X tikitax u kok,
Utz chik
    X uxik.   1.150
Xa r umal u kamik Vuqub Kaqix x k ah

94

"Está bem, ó senhor.
    Deve ter um bicho que o está comendo.
Então uma substituição deveria ser feita,
    E seus dentes precisariam ser extraídos."   1.110
"Não seria bom extrair meus dentes;
    É só por causa deles que sou senhor.
Meu adorno são meus dentes
    E meus olhos."
"Nós os colocaremos de volta então,
    Uma substituição de osso moído."
Eles queriam pôr lá um osso moído
    Que era apenas milho branco.
"Está bem, então os extraiam se quiserem", ele disse,
    E então os dentes de Vuqub Kaqix foram extraídos,   1.120
Mas os falsos dentes colocados no seu lugar eram apenas milho branco,
    Assim o branco brilhante era o milho na sua boca.
Logo seu rosto ficou abatido,
    E ele não parecia mais um senhor.
O que havia em seus dentes finalmente apareceu —
    O azul brilhante embutido na sua boca.
E então os olhos de Vuqub Kaqix foram tratados.
    Quando seus olhos foram tratados, acabou sua prata.
Ele não parecia sentir nenhuma dor,
    Apenas continuava a olhar   1.130
Enquanto eles terminavam,
    E o orgulho dele sumia.
Era exatamente o plano de Hun Ah Pu
    E X Balam Ke.
E então Vuqub Kaqix morreu,
    E então Hun Ah Pu pegou seu braço.
Chimalmat também morreu,
    A esposa de Vuqub Kaqix,
E assim foi perdida a riqueza de Vuqub Kaqix,
    E só o curandeiro a reuniu: 1.140
As pedras
    E joias
Que eram para glorificá-lo aqui
    Na Terra.
O poder da avó,
    O poder do avô deu resultado.
Então eles pegaram o braço.
    Que foi colocado e enxertado na sua articulação
E bom de novo
    Ele ficou.   1.150
A morte de Vuqub Kaqix eles a desejaram,

Kehe x ki bano.
Itzel x k ilo
  Nimarizabal ib.
Kate q'ut x e be chik
  E kaib q'aholab.
Xa, u tzih ri, u K'ux Kah
  Ta x ki bano.

XII

Vae chi q'ute' u banoh chik Cipacna,
  U nabe q'ahol Vuqub Kaqix. 1.160
"In banol huyub,"
  Ka ch'a ri Cipacna.
Are q'u ri Cipacna
  K atinik ch u chi ha,
Ta x e' iq'ovik
  O much' q'aholab,
E hur vi chee
  R aqan ki kabal.
O much' ch u binik,
  Ta x ki k'at q'ut 1.170
Hun nima chee,
  U vapalil ki kabal.
Kate q'ut x be ri Cipacna,
  X opon q'u chila k uq ri, o much' q'aholab.
"Naki pa k i bano,
  Ix q'aholab?"
"Xa chee —
  Ma vi ka qa hako."
"Chi teleba,
  X chi in teleh. 1.180
A pa k opon vi?
  Naki pa, u chak chi 'i k'ux?"
"Xa, u vapalil
  Qa kabal."
"Utz ba la,"
  Ka ch'a q'ut.
Ta x u huruh q'ut,
  X u teleba q'ut aqan ok
Ch u chi ki kabal
  O much' q'aholab. 1.190
"Xa ta vi k at q'ohe q uq,
  At q'ahol.

           Assim eles a concluíram.
Eles haviam visto a maldade dele.
           Ele estava se glorificando.
E assim eles prosseguiram de novo,
           Os dois filhos,
Mas era a palavra do Kux Kah
           Que eles realizaram.

           XII

E assim são estes então os feitos de Cipacna,
           O primeiro filho de Vuqub Kaqix.   1.160
"Sou o fazedor de montanhas",
           Disse Cipacna.
E assim Cipacna
           Tomava banho na beira do rio
Quando por lá passaram
           Quatrocentos filhos
Arrastando uma árvore,
           Um esteio para a casa deles.
Quatrocentos filhos estavam caminhando juntos,
           E eles tinham cortado   1.170
Uma grande árvore
           Para ser a viga da casa deles.
E se aproximou deles Cipacna
           E chegou onde estavam os quatrocentos filhos.
"O que vocês estão fazendo,
           Jovens?"
"É só uma árvore —
           Não podemos levantá-la."
"Ponham no meu ombro.
           Eu a carregarei.   1.180
Para onde vão levá-la?
           Que uso ela terá?"
"É só a viga
           Da nossa casa."
"Está bem",
           Ele disse então.
E quando a ergueu,
           Ele a pôs no seu ombro e levou-a
À porta da casa
           Dos quatrocentos filhos.   1.190
"Por que você não fica conosco,
           Filho?

Q'o pa, a chuch,
    A qahav?"
"Ma ha bi,"
    X ch'a q'ut.
"Ka qa chaq'imah ta na ba
    La chuveq ch u vabaxik chik
Hun qa chee,
    R aqan qa kabal."   1.200
"Utz,"
    X ch'a chi q'ut.
Kate q'ut x qam ki naoh ri,
    O much' q'aholab.
"Are ri, ala! Hu pa cha chi qa ban chi r e?
    Chi qa kamizah tah
R umal ma vi 'utz ri k u bano,
    Xa, u tukel mi x u yak ri chee.
Qa k'oto hun nima hul chiri
    Ta q'ut chi qa tzaq vi qah ok pa hul.   1.210
H a qama;
    Qaha, ulev pa hul, k oh ch'a ta chi r e chi.
Are ta q'ut pachal qah ok pa hul,
    Ta qa tarih qah ok ri nima chee chiri.
Ta q'ut chi kam vi pa hul,"
    X e ch'a q'ut o much' q'aholab.
Ta x ki k'ot q'ut hun nima hul naht x qahik,
    Ta x ki taq q'ut ri Cipacna,
"Oh kanih ch av ech,
    Chi be ta, a k'oto chik ulev.   1.220
Ma vi ka qa riqo," x uch'axik.
    "Utz ba la," x ch'a q'ut,
Kate q'ut x qah pa hul.
    "Ka zik'in ulok
Ta k'ototah ok ri, ulev,
    Naht ta chi qahik av umal,"
X uch'axik.
    "Ve," x ch'a q'ut.
Ta x u tikiba, u k'otik hul.
    Xa q'u, u hul x u k'oto, u kolobal r ib.   1.230
X r etamah ri, u kamizaxik,
    Ta x u k'ot q'ut hun vi chi hul ch u tzalanem.
U ka hul x u k'oto
    X kolotah vi.
"Q'a ha nik 'an pa la?"
    X uch'ax q'u qah ok k umal o much' q'aholab.
"K in an u k'oto.

Onde estão sua mãe
    E seu pai?"
"Não tenho ninguém",
    Ele disse então.
"Vamos talvez lhe pedir então
    Que traga mais alguns troncos amanhã,
Outra das nossas vigas,
    Um madeiro para nossa casa".   1.200
"Está bem",
    Ele disse de novo.
E então eles confabularam,
    Os quatrocentos filhos.
"Aí está esse moço: o que podíamos fazer com ele?
    Vamos matá-lo,
Porque não é bom o que ele faz:
    Ele ergue a viga sozinho.
Vamos cavar um grande buraco aqui,
    E então o faremos descer no buraco.   1.210
Vá lá;
    Retire o barro do buraco, diremos a ele.
E quando ele se inclinar sobre o buraco,
    Poderemos então jogar ali um madeiro
E assim ele morrerá no buraco",
    Os quatrocentos filhos disseram.
E assim eles cavaram um grande buraco que era muito fundo
    E então eles chamaram Cipacna.
"Nós lhe pedimos,
    Entre e cave um pouco mais a terra.   1.220
Não podemos fazer isso", foi-lhe dito.
    E ele disse: "Está bem",
E então desceu no buraco.
    "Avise a gente aqui em cima
Quando o barro estiver todo escavado
    E você bem fundo",
Foi-lhe dito.
    "Sim", ele disse,
E começou a cavar o buraco.
    Só que o buraco que ele cavou era para ele se salvar.   1.230
Ele viu que seria morto,
    Assim ele cavou um abrigo na parede do buraco.
O segundo buraco que ele cavou
    Era para ele se esconder.
"Bem, até onde você avançou?",
    Os quatrocentos filhos gritaram para baixo então.
"Estou cavando rápido,

    Ve, x k ix nu zik'ih aqan ok.
Ta ch utzin ok u k'ototahik,"
    X ch'a 'ulok Cipacna chiri pa hul.   1.240
Ma q'u' are k u k'ot u xe hul ri,
    U mokikil.
Xa, u hul k u k'oto
    Kolobal r ib.
Kate q'ut ta x zik'in ulok ri Cipacna
    Kolon ch u k'a chiri pa hul ta x zik'in ulok.
"K ix pet ok,
    Ch ul
I qama, ulev,
    R achaq hul.   1.250
Mi x k'ototahik.
    Qitzih nah mi x qah v umal.
Ma pa k i ta nu zik'ibal lo?
    Are q'u ri, i zik'ibal
Xa, ubi
    Ka xohanik,
Kehe ri hun elebal,
    Kaib elebal ix q'o vi,
Ka nu tao,"
    X ch'a 'ula ri Cipacna pa 'u hul.   1.260
Chiri q'ut matzal chi vi 'ulok
    Ka zik'iyah chi 'ula pa hul.
Are q'ut ka hurux ulok ri ki nima chee r umal q'aholab
    Kate puch x ki tarih qah ok ri chee pa hul.
"Ma q'o.
    Ma ch'avik.
Chi qa na ta ch u raquh u chi
    Ta kam ok,"
X e ch'a chi k ibil k ib.
    Xa k e hazalahik   1.270
Xa pu chi matzalah ki vach chi ki huhunal
    Ta x ki tarih qah ok ri chee.
Are q'u x ch'a q'ut
    Ta x u raquh u chi
Xa hu pah chik x zik'inik
    Ta x qah apan ok ri chee.
"Ok'a, mi x utzinik.
    K'i 'utz.
Mi x qa bano
    Chi r e mi x kamik.   1.280
A ta la be
    Chi taqen

        Assim vou chamá-los
Quando o buraco estiver concluído",
        Disse Cipacna lá do fundo do buraco.   1.240
Mas ele não estava cavando o fundo do buraco,
        Que era para ser a sepultura dele,
Em vez disso ele estava cavando sua própria toca,
        Como um abrigo para ele próprio.
E assim Cipacna finalmente chamou os de cima,
        Ele já estava seguro lá no buraco quando chamou os de cima.
"Venham então.
        Venham.
Retirem a terra,
        O barro do buraco.   1.250
Ele está todo cavado.
        Eu o fiz fundo.
Não podem ouvir talvez meu chamado?
        Eis no entanto a voz de vocês
Aqui embaixo,
        Ela ecoa
 Como se vocês estivessem um patamar
        Ou dois acima,
Ela soa assim",
        Cipacna gritou de dentro do buraco.   1.260
Mas ele ficou escondido lá embaixo,
        Gritando para cima do fundo do buraco.
E assim a grande viga foi arrastada pelos garotos
        E eles então a lançaram no buraco.
"Ele não está lá.
        Ele não fala nada.
Vamos ficar ouvindo-o gemer
        Até morrer",
Eles disseram entre si,
        Mas sussurraram baixinho,   1.270
E eles se esconderam separadamente
        Depois de lançar para baixo o madeiro.
E então ele falou,
        Então ele gemeu.
Ele chamou em voz alta mais uma vez,
        Quando a trave veio abaixo.
"Ahah! Está feito!
        Muito bem.
Acabamos com ele!
        Ele morreu!   1.280
O que ia acontecer se
        Ele continuasse fazendo

(Mi) ch u bano.
    Ch u chakuh.
Ta ch u x ok.
    U nabe la
X u koh ula r ib q uq
    Chi qa xol puch,
La, oh,
    O much' chi q'aholab!"   1.290
X e ch'a q'ut
    K e kikot chik.
"Xa vi 'u banik qa kiy oxib
    Ch eq'ovik oxib puch
Chi q uqah laqabebal
    Qa kabal,
La, oh,
    O much' chi q'aholab!" x e ch'a
"Chuveq q'ut chi q ilo,
    Kabih puch chi q ilo.   1.300
Ma pa chi pe zanik
    Pa 'ulev.
Ta chuvin ok,
    Ta q'ey ok.
Kate q'ut k u 'ul chi qa k'ux
    Ta q uqah ri qa kiy," x e ch'a q'ut.
K u ta q'u 'ulok ri Cipacna chiri pa hul
    Ta x ki biih q'aholab ri ka,
Ch u kaab q'ih puch
    Ta x t'ubukih zanik   1.310
K e binovik
    K e buchuvik
Ta x e q'ulun
    Xe chee.
Hu mah ki kayeloon iz
    Ki kayeloon puch r ix k'aq Cipacna.
Ta x k il q'u ri
    Q'aholab,
"Mi pa x utzin ri q'ax tok?
    Ch iv ila na zanik!   1.320
Mi x e q'ulun ulok
    X e t'ubukih ulok
Hu mah iz ki kayen
    Q'o r ix k'aq ri ch ila na.
Mi x qa bano."
    Q'a x e ch'a chi k ibil k ib.
Are q'u ri Cipacna xa vi k'azilik

O que costumava fazer,
    O que estava labutando?
Pois ele se tornaria
    De fato o primeiro,
E se imporia a nós,
    E estaria entre nós!
Sim, nós,
    Os quatrocentos filhos!",   1.290
Eles disseram então,
    E novamente eles se alegraram.
"Para fazer nosso vinho são três dias,
    E três dias passados
Nós o beberemos ao bom êxito da nossa casa,
    Nossa casa,
Sim, nós,
    Os quatrocentos filhos!", eles disseram.
"Assim, amanhã iremos ver,
    E no dia seguinte iremos ver também   1.300
Se as formigas já não vêm
    Do chão.
Quando ele tiver apodrecido,
    Quando ele estiver decomposto,
Então isso confortará nossos corações
    E bebermos nosso vinho", eles disseram.
E Cipacna, lá no buraco, ouviu
    Quando os garotos disseram "no dia seguinte".
E no segundo dia
    As formigas então se reuniram.   1.310
Elas correram de cá para lá,
    Elas se aglomeraram aqui e ali, —
E então elas seguiram juntas
    Sob a trave.
Rapidamente elas tomaram em suas bocas o cabelo
    E tomaram em suas bocas as unhas de Cipacna,
E quando eles viram isso,
    Os garotos disseram:
"Não é que o demônio morreu?
    Olhem só para as formigas!   1.320
Elas já se reuniram lá.
    Elas se aglomeraram lá.
Elas pegaram bem depressa o cabelo dele.
    Aquelas são suas unhas, como podem ver!
Nós conseguimos!",
    Eles disseram uns aos outros então.
Mas Cipacna ainda estava vivo.

    X u q'at ulok r izumal u vi
Xa pu k u q'ux ulok r ix k'aq
    Chi r e k u ya 'ula chi k ech ri zanik.   1.330
Kehe q'u ri x kamik
    X ki nao 'o much' q'aholab
Kate q'ut x tikar ki ki chi r oxih
    Ta x e q'abar puch k onohel q'aholab
E q'u q'abarinaq chik k onohel o much' q'aholab
    Ma ha bi ka ki na chik.
Kate puch x ulix ri kabal
    Pa ki vi r umal ri Cipacna.
X e k'iz
    Ch'ayatahik k onohel.   1.340
Ma ha bi chik hun,
    Kaib x kolotah chi k ech ri, o much' chi q'aholab.
X e kamizaxik r umal Cipacna,
    U q'ahol ri Vuqub Kaqix.
Kehe q'ut ki kamik
    O much' q'aholab ri.
X ch'a chi q'ut are ri x e ok chi ch'umilal.
    "Ri Motz" u bi k umal.
Ve q'ut xa zaqibal tzih lo.
    Are chi q'ut chi qa biih   1.350
U ch'akatahik chi Cipacna
    R umal ri 'e kaib q'aholab,
Hun Ah Pu,
    X Balan Ke.

XIII

Are chik u ch'akatahik,
    U kamik Cipacna
Ta x ch'ak chik k umal ri
    E kaib q'aholab
Hun Ah Pu,
    X Balan Ke.   1.360
Are chi q'u yoq' ki k'ux q'aholab ri,
    O much' chi q'aholab x e kamik r umal Cipacna.
Xa kar,
    Xa tap
Ch u tzukuh chi tak a.
    Xere chi r echaah hu tak q'ih,
Pa q'ih chi vakatik ta ch u tzukuh r echa,
    Ch aqab q'ut chi r ekaah huyub.

Ele havia apenas cortado o cabelo dele.
E havia apenas aparado com os dentes suas unhas,
  A fim de dá-las às formigas, 1.330
Para que a notícia da sua morte
  Chegasse até os quatrocentos filhos.
E assim eles começaram a beber seu vinho no terceiro dia,
  E então todos beberam muito
E todos os quatrocentos meninos ficaram bêbados,
  Até que não tiveram mais consciência de nada.
E então sua casa foi derrubada
  Sobre suas cabeças, foi derrubada por Cipacna.
Eles foram mortos
  E todos destruídos. 1.340
Não houve um só que fosse poupado,
  Ou dois, dos quatrocentos filhos.
Eles foram mortos por Cipacna,
  O filho de Vuqub Kaqix.
E visto que eles morreram,
  Esses quatrocentos filhos,
Conta-se que viraram estrelas.
  "Plêiades" é o nome delas,
Mas pode ser só um gracejo.
  E assim vamos agora contar 1.350
A destruição de Cipacna
  Pelos dois filhos,
Hun Ah Pu
  E X Balam Ke.

  XIII

Esta então foi a destruição,
  A morte de Cipacna
Quando ele foi atacado de novo
  Pelos dois jovens,
Hun Ah Pu
  E X Balam Ke. 1.360
Haviam sofrido eles mais um duro golpe:
  Os quatrocentos meninos que morreram por causa de Cipacna.
Apenas peixes,
  Apenas caranguejos
Ele ia procurar nas águas,
  Apenas para sua refeição de cada dia,
Perambulando de dia atrás de alimento,
  E à noite removendo montanhas.

Kate q'ut u hal vachixik
    Hun nima tap   1.370
K umal Hun Ah Pu,
    X Balan Ke.
Are q'ut x ki koh ri, u vach ek',
    Ri mak ek' q'o pa tak k'icheelah.
Are, u xul tap x uxik pahak',
    Chi q'ut u kok q'ab x ki koho.
Zel abah q'u ri, u va r achaq tap,
    Ri hovohik.
Kate q'ut ta x ki koh u kok ch u xe pek,
    Ch u xe nima huyub.   1.380
Meavan u bi huyub
    X ch'akatah vi.
Kate q'ut ta x e pe ri q'aholab
    X ki q'u ri Cipacna chi ya.
"A pa k at be vi,
    At q'ahol?" x ch'ax q'u ri Cipacna.
"Ma ha bi k in be vi.
    Xa v echa ka nu tzukuh,
Ix q'aholab," x ch'a q'u ri Cipacna.
    "Naki pa, av echa?"   1.390
"Xa kar,
    Xa tap.
X ma q'o chi vi
    Ka nu riqo.
Kabihir ch in kanah r echaaxik.
    Ma vi ka nu ch'ih chik vaih,"
X ch'a Cipacna chi k ech Hun Ah Pu,
    X Balan Ke.
"Hun are la tap q'o ula xe zivan.
    Qitzih nima tap!   1.400
Ka q'ih ta la
    Ch av echaah lo.
Xa k oh tiyo.
    Mi x r ah qa chapo,
Ka qa xibih q ib r umal.
    Ma chi be 'on, ka chapa."
X e ch'a ri Hun Ah Pu,
    X Balan Ke.
"K i toq'oba nu vach.
    K i be ta, i vaba,   1.410

E então foi feito lá
    Um grande caranguejo,   1.370
Obra de Hun Ah Pu
    E X Balam Ke.
E eles puseram nele uma folha vermelha para fazer sua face,
    Uma que foi colhida num bosque.
E as pinças do caranguejo eram de bambu,
    E também puseram as conchas de suas pernas,
E uma pedra cortada para ser as costas do caranguejo,
    Ela ressoava.
E assim então eles puseram sua concha no fundo da caverna
    Ao pé da grande montanha,   1.380
Meavan era o nome da montanha,
    Queriam destruí-lo.
E assim quando os filhos vieram juntos
    Eles encontraram Cipacna na água.
"Para onde estão indo,
    Filho?",[3] Cipacna foi indagado.
"Não estou indo para lugar nenhum;
    Estou apenas procurando meu alimento,
Meninos", disse Cipacna então.
    "Qual é seu alimento?"   1.390
"Apenas peixes,
    Apenas caranguejos.
Mas não há mais nada
    Que eu possa achar.
Faz dois dias que parei de comer.
    Não aguento mais de fome",
Disse Cipacna a Hun Ah Pu
    E X Balam Ke.
"Bem, tem um caranguejo lá embaixo no barranco,
    Um caranguejo bem grande!   1.400
Se você tiver sorte,
    Poderá decerto comê-lo.
Ele acabou de nos morder.
    Tentamos pagá-lo,
Mas ficamos com medo dele.
    Se ele não foi embora, você o pegará",
Disseram Hun Ah Pu
    E X Balam Ke.
"Tenham pena de mim.
    Vão na frente e me mostrem,   1.410

---

[3] Tanto os quatrocentos rapazes (ou garotos) quanto os gêmeos Caçador e Jaguar Veado são chamados de "filhos" no texto, e tratam Cipacna assim.

Ix q'aholab,"
    X ch'a ri Cipacna.
"Ma ba chi q ah xa ta k at beek.
    Ma zachibal tah, xa r aqan ha k at beek.
At q'ut ta qal apon ok xe nima huyub.
    Hovol ula ch u xe zivan, xa k at el apan ok,"
X e ch'a Hun Ah Pu,
    X Balan Ke.
"La k'i ba
    Toq'ob nu vach.   1.420
Ma ba x u q'ulu, ix q'aholab.
    K ix be na q'u nu vaba.
Q'o k'i xo vi ri tz'ikin.
    Ch i be tah i vubah.
V etaam q'o vi,"
    X ch'a chi q'ut Cipacna.
X e' elahik,
    X ok na chi ki vach q'aholab.
"La ma k'i q'u x chachap lo
    Ta xa kehe x k oh tzalih av umal   1.430
Ma xa ma vi x qa tiho
    Xa hu zuq chi tiyonik ri,
Oh hupulik
    K oh ok ubik.
Kate q'ut k u xibih r ib ri, oh pak'alik
    K oh ok ubik
Xa q'u zkakin chik
    Ma vi chi qa riqo
Kate q'u' utz at pak'alik
    K at ok ubik,"   1.440
X uch'ax q'ut.
    "Utz ba la," x ch'a q'u ri Cipacna.
Ta x be q'ut
    Ach' bilan chi q'ut ri Cipacna.
X beek
    X e' opon ch u xe zivan
Tzalam q'u la ri tap.
    Kaq vakavoh ula r ih xe zivan
Ri q'ute ki kumatzih.
    "Utz ba la," chi kikot q'u ri Cipacna.   1.450
Ka r ah tah
    X k ok ta p u chi
R umal qitzih k utzin chi vaih
    X r ah k u tih ri.
Xa x r ah hupunik

Meninos",
    Disse Cipacna.
"Não, não queremos, vá só você;
    Não é difícil de encontrar; basta seguir o rio.
Você vai descobri-lo ao pé da montanha.
    Ele está sussurrando lá no fundo do barranco; apenas vá direto até ele",
Disseram Hun Ah Pu
    E X Balam Ke.
"Mesmo assim,
    Tenham pena de mim.   1.420
Ele não vai ser encontrado, meninos.
    Vocês venham comigo e eu lhes mostrarei algo —
Grande quantidade de pássaros.
    Venham comigo e vocês poderão atirar neles com a sarabatana.
Sei onde eles estão",
    Disse então Cipacna.
Eles prometeram, deram sua palavra,
    Assim ele foi na frente dos meninos.
"Realmente, você não ia poder pegá-lo,
    Se não o mostrássemos a você.   1.430
Embora não o tivéssemos comido,
    Porque ele realmente começou mordendo,
Assim o perdemos.
    Nós descemos.
E então ele ficou com medo que estivéssemos
    Descendo de costas.
E um pouco depois já
    Não pudemos pegá-lo.
Assim, será bom você ficar de costas
    Quando estiver descendo",   1.440
Foi-lhe dito então.
    "Está bem", disse Cipacna.
E assim eles foram
    E acompanharam Cipacna.
Eles foram juntos
    E chegaram ao fundo do desfiladeiro,
E lá no seu canto estava o caranguejo.
    De um vermelho brilhante era sua carapaça no fundo do desfiladeiro,
Eles já a haviam enfeitiçado.
    "Está bem", Cipacna também se alegrou.   1.450
Ele só queria
    Que ele viesse para a sua boca,
Porque estava realmente esfomeado.
    Ele queria comê-lo.
Ele apenas tentou descer estirado.

    X r ah okik pak'al
Q'u ri tap x aqanik
    Kate q'ut x el ch 'ulok.
"Ma vi x a riqo?" x uch'ax q'ut.
    "Ma ha bi.   1.460*
Xa pak'alik
    K aqanik.
Xa nabe zkakin chik
    Ma vi x nu riqo.
Kate 'utz lo
    K i pak'eyik k in ok ubik," x ch'a chi q'ut.
Kate q'ut pak'al chik
    Ta x ok ubik.
X k'iz q'u' ok ubik
    Xa, u vi, u ch'ek chik x k'utun ulok   *1.470*
K k'iz biiq'itahik.
    X lilob q'u
Kah ok nima huyub chi' u k'ux
    Ma vi x zol kopih chik
Abah q'ut x uxik ri Cipacna.
    Kehe, u ch'akatahik chik Cipacna
K umal q'aholab, Hun Ah Pu,
    X Balan Ke.
Ri banol huyub x ch'a
    U tzihoxik oher, u nabe q'ahol Vuqub Kaqix.   *1.480*
Ch u xe huyub
    Meavan u bi
X ch'akatah vi.
    Xa naval x ch'akatah vi
U kaab nimarizay r ib.
    Hun chi q'ut
X chi qa biih
    U biixik

    XIV

R ox chi q'ut nimarizay r ib
    U kaab u q'ahol Vuqub Kaqix   *1.490*
Kaab r Aqan u bi
    "In yohol huyub", x ch'a
Xa vi q'u xere Hun Ah Pu
    X Balan Ke
X ch'akov r e Kaab r Aqan
    X ch'a ri Hu r Aqan

        Ele tentou ir assim,
E o caranguejo estava andando sozinho,
        Assim ele voltou para fora de novo.
"Você não o pegou?", foi-lhe perguntado então.
        "De jeito nenhum,   1.460
Ele está rastejando.
        Ele estava caminhando.
Só por um triz
        Não o peguei logo no início.
Assim será bom talvez
        Descer de costas", ele disse então.
E assim ele rastejou de novo
        Quando ele desceu.
E quando ele desceu lá
        Só os seus joelhos ficaram visíveis.   1.470
Era para desfazer tudo finalmente,
        E tudo veio abaixo.
A grande montanha caiu sobre seu peito.
        Ele não pôde mais se mover,
E Cipacna tornou-se pedra.
        Assim então foi a destruição de Cipacna
Pelos filhos, Hun Ah Pu
        E X Balam Ke,
"O Fazedor de Montanhas", no dizer
        Do fanfarrão, o primeiro filho de Vuqub Kaqix.   1.480
Sob a montanha
        Chamada Meaven
Eles o destruíram então.
        Só a magia o destruiu.
O segundo a se glorificar.
        E então havia o outro.
Iremos contar
        Sua história.

        XIV

E ele era o terceiro a se glorificar,
        O segundo filho de Vuqub Kaqix.   1.490
Kaab r Aqan era seu nome.
        "Eu sou o destruidor de montanhas", ele disse.
Mas então Hun Ah Pu
        E X Balam Ke
Destruíram de fato Kaab r Aqan,
        Pois aquele conhecido como Hu r Aqan,

Ch'ipi Ka Kulaha
    Raxa Ka Kulaha ta x ch'avik
Chi k ech ri Hun Ah Pu,
    X Balan Ke.   1.500
"U kaab u q'ahol Vuqub Kaqix
    Hun chik chi ch'akatahik.
Xa vi nu tzih
    R umal ma vi 'utz
Ki banoh ch u vach ulev
    Ka k iq'ovizah q'ih
Chi nimal,
    Chi 'alal.
Ma q'u kehe ch uxik.
    Chi bochih q'ut ubik   1.510
Chila
    R elebal q'ih,"
X ch'a q'ut ri Hu r Aqan
    Chi k e ri, e kaib q'aholab.
"Utz ba la,
    Lal Ahav,
K e v i na q'ut
    Ma vi 'utz vi ka q ilo
Ma pa lal q'oolik
    Lal pu yakalik   1.520
Lal u K'ux Kah?"
    X e ch'a q'ut ri q'aholab
Ta x ki k'uluba
    U tzih Hu r Aqan.
Are puch ka t'ahin ri Kaab r Aqan
    Yohol huyub.
Xa zkakin ch u tinih r aqan ch u vach ulev
    Hu zuq chi bulih
Nima huyub
    Ch'uti huyub r umal.   1.530
Ta x k'ulutah
    K umal ri q'aholab,
"A pa k at be vi,
    At q'ahol?"
X e ch'a chi r ech
    Ri Kaab r Aqan.
"Ma ha bi
    K in be vi.
Xa, in uliy huyub,
    In puch yohol r ech   1.540
Chi be q'ih

Chipi Ka Kulaha
    E Raxa Ka Kulaha disseram quando falaram
A Hun Ah Pu
    E X Balam Ke: 1.500
"O segundo filho de Vuqub Kaqix
    É outro que deveria ser destruído.
Essa é a minha palavra,
    Pois não é bom
O que eles fizeram na Terra.
    Eles excederam o Sol
Em tamanho,
    Em importância,
E não é assim que deveria ser.
    Domine-o então   1.510
Lá
    No oriente",
Então disse Hu r Aqan
    Para os dois filhos.
"Muito bem,
    Ó senhor,
Eu já os vi,
    Mas não foi bom o que eu vi.
Você não existe?
    E você não está glorificado,   1.520
Ó Kux Kah?",
    Então disseram os filhos,
Quando pensaram em acatar
    As palavras de Hu r Aqan.
E lá estava Kaab r Aqan ocupado,
    O destruidor de montanhas.
Batia só um pouquinho no chão,
    Mas a cada golpe caíam
Grandes montanhas
    E pequenas montanhas.   1.530
Então aconteceu seu encontro
    Com os filhos.
"Onde você está indo,
    Ó filho?",
Eles disseram então
    A Kaab r Aqan.
"Eu não tenho na verdade um lugar
    Para onde ir.
Estou apenas derrubando montanhas,
    Pois sou o destruidor delas,   1.540
No caminho do Sol,

>   *Chi be zaq,"*
> *X ch'a q'ut*
> >   *Ta x ch'avik.*
> *X ch'a chi q'ut*
> >   *Ri Kaab r Aqan*
> *Chi k e ri Hun Ah Pu,*
> >   *X Balan Ke,*
> *"Hu pa ch'a x petik?*
> >   *Ma vi v etaam i vach;*   1.550
> *Naki pa 'i bi?" x ch'a Kaab r Aqan.*
> >   *"Ma ha bi qa bi.*
> *Xa, oh ubom;*
> >   *Xa pu, oh tzarabom pa tak huyub.*
> *Xa, oh meba.*
> >   *Ma ha bi naki la q ech, at q'ahol.*
> *Xa ch'uti huyub,*
> >   *Xa nima huyub k oh beek, at q'ahol.*
> *Are q'u ri hun nima huyub x q ilo*
> >   *Xa q okil*   1.560
> *Ka k'iyik*
> >   *Qitzih naht k aqanik*
> *Xa ka k'upupik*
> >   *K iq'ovik ch u vi huyub onohel*
> *Ma q'u ha bi hun*
> >   *Kaib tz'ikin*
> *Mi x qa k'am ch u vach, at q'ahol.*
> >   *Ve q'ut qitzih k av ulih r onohel huyub, at q'ahol?"*
> *X e ch'a ri Hun Ah Pu,*
> >   *X Balan Ke chi r e Kaab r Aqan.*   1.570
> *"Ma qitzih x iv ilo ri huyub k i biih?*
> >   *A pa q'o vi?*
> *X ch iv il na*
> >   *X ch in ulih kah ok.*
> *A pa x iv il vi?"*
> >   *"Chila ba q'o vi chi r elebal q'ih,"*
> *X e ch'a q'ut Hun Ah Pu,*
> >   *X Balan Ke.*
> *"Utz,*
> >   *Chi qama qa be,"*   1.580
> *X e ch'ax q'u ri*
> >   *E kaib chi q'aholab.*
> *"Ma ha bi, xa ka chape niq'ah*
> >   *Chi qa xol k at q'ohe vi*
> *Hun ch a mox,*
> >   *Hun ch av ikik'q'ab chi q e*

        No caminho da luz",
Ele disse
        Quando falou.
E então disse
        Kaab r Aqan
A Hun Ah Pu
        E X Balam Ke:
"De onde estão vindo?
        Não conheço suas faces.   1.550
Qual é seu nome?", disse Kaab r Aqan.
        "Nós não temos nomes.
Somos apenas caçadores,
        Só estamos pondo armadilhas nas montanhas.
Nós somos apenas pobres.
        Não temos absolutamente nada, ó filho.
Apenas pelas pequenas montanhas,
        Apenas pelas grandes montanhas nós viajamos, ó filho.
Há uma grande montanha, que vimos
        Agora vindo para cá.   1.560
Ela estava crescendo;
        Ela estava se elevando muito alto;
Ela estava exatamente se lançando para cima,
        Ela ultrapassa todas as montanhas,
E não houve um só pássaro,
        Ou dois que
Pudéssemos pegar diante dela, ó filho.
        Mas é verdade mesmo que você derruba todas as montanhas, ó filho?",
Disseram Hun Ah Pu
        E X Balam Ke a Kaab r Aqan.   1.570
"Vocês não podem realmente ter visto essa montanha;
        Onde está ela então?
Se vocês a viram realmente,
        Eu posso derrubá-la então.
Onde vocês a viram há pouco?"
        "Está exatamente lá onde nasce o Sol",
Disseram então Hun Ah Pu
        E X Balam Ke.
"Bem,
        Tomem a estrada",   1.580
Foi-lhes dito então,
        Aos dois filhos.
"De jeito nenhum, a menos que você vá no meio
        E fique entre nós então,
Um de nós à sua esquerda
        E o outro à sua direita,

R umal q'o qa vub
    Ve q'o tz'ikin chi qa vubah,"
X e ch'a q'ut
    K e kikot   1.590
Chi ki tihitobela
    Ki vubanik.
Are q'u ri, ta k e vubanik
    Ma na, ulev tah u baq ki vub
Xa chi k uxilabih ri tz'ikin ta chi ki vubah
    Ch u mayihah q'u ri Kaab r Aqan.
Ta x ki baq' q'u ki q'aq' ri q'aholab
    X ki bol q'ut ki tz'ikin ch u vach q'aq'
Hun q'ut tz'ikin x ki q'uul zahkab chi r ih
    Zaqi, ulev x ki koho.   1.600
"Are q'ut chi qa ya chi r e ta hiq'on ok
    Ta ch u tziqa puch r uxilab qa tz'ikin ta ch'akah ok
Are q'u ri, ulev x chok
    Chi r ih tz'ikin q umal.
P ulev chi qa tzak vi,
    Kehe q'ut p ulev chi muq vi.
Ve nima,
    Etamanel
Hun tzak,
    Hun bit   1.610
Ta chavax ok
    Ta zaqir ok," x e ch'a ri q'aholab,
"R umal xa x chi rayih vi
    U k'uxilal ri
Chi tiik
    Chi chak'uxik
Kehe x ch u rayih
    U q'ux ri Kaab r Aqan."
X e ch'a chi k ibil k ib Hun Ah Pu,
    X Balan Ke.   1.620
Ta x ki bol ri tz'ikin
    X chak'ah q'ut q'an u bolik
Chi yipovik
    Chi q'ab chiyanik
K ih ri tz'ikin
    Ch iq'ovinik zimizoh r uxilab.
Are q'u ri Kaab r Aqan
    K u rayih chik r echaaxik
Xa ka vahin
    U vaal p u chi   1.630

Porque temos nossas sarabatanas.
    Se houver pássaros, nós atiraremos",
Eles disseram então,
    Alegrando-se   1.590
Porque podiam treinar
    Sua pontaria.
E assim foi que quando estavam atirando,
    As bolinhas lançadas não eram de barro.
Eles apenas assopravam nos pássaros quando atiravam,
    E Kaab r Aqan se admirava disso.
Então os filhos acenderam um fogo
    E assaram seus pássaros no fogo.
E as costas de um dos pássaros cobriram com barro branco.
    Era branca a terra que eles puseram nele.   1.600
"Bem, eis o que iremos dar-lhe quando ele estiver com muito apetite
    E o cheiro do nosso pássaro o alcançar e iludir.
Assim a terra endurecerá
    Nas costas do pássaro graças a nós.
Vamos cozinhá-lo na terra,
    Assim como ele será enterrado na terra.
De fato, o grande
    E sábio
Construído,
    E modelado,   1.610
Possa então ser semeado,
    Possa então desabrochar", disseram os filhos,
"Porque ele agora anseia
    Pela lembrança
Do que está semeado
    E pensado,
Tanto quanto anseia
    O estômago de Kaab r Aqan",
Eles falaram um para o outro, Hun Ah Pu
    E X Balam Ke.   1.620
Então eles assaram os pássaros,
    E o assado ficou dourado.
Elas estavam prontas;
    Elas estavam úmidas de gordura —
As costas dos pássaros,
    E o odor era delicioso.
Assim foi que Kaab r Aqan
    Sentiu ainda mais vontade de comer.
Ele estava só babando;
    Sua boca salivava;   1.630

Xa ka biq'ilahik
    Ka kurulah puch
U chub
    U q'axal
R umal u zimizohil tz'ikin.
    Ta x u tz'onoh q'ut
"Naki pa ri, iv echa?
    Qitzih quz r uxilab ka nu nao.
Chi ya ta zkakin v ech," x ch'a q'ut.
    Ta x ya q'ut hun tz'ikin chi r e Kaab r Aqan   1.640
U ch'akatahik q'u ri,
    Kate q'ut x u k'iz ri tz'ikin.
Ta x be q'ut
    X e' opon q'u
Chila r elebal q'ih
    Q'o vi ri nima huyub.
Are q'u ri Kaab r Aqan
    Xa tubul chik r aqan, u q'ab
Ma vi chi q'ovin chik
    R umal ri 'ulev x q'ul   1.650
Chi r ih tz'ikin
    X u tiyo.
Ma q'u ha bi chik
    Naki la x u ban chik chi r e huyub
Ma vi x utzinik
    X v ulih tah.
Ta xim q'ut k umal q'aholab
    Chi r ih xim vi u q'ab
X r ilih u q'ab k umal q'aholab
    Xim q'ut u qul r aqan u kaab ichal.   1.660
Kate q'ut x ki tarih kah ok p ulev
    X ki muqu.
Kehe q'ut u ch'akatahik Kaab r Aqan
    Ri xavi xere Hun Ah Pu, X Balan Ke.
Ma vi 'ahilan ki banoh
    Varal ch u vach ulev.
Are chi q'ut x chi qa biih chik
    K alaxik Hun Ah Pu, X Balan Ke.
Are nabe mi x qa biih
    Ri ki ch'akatahik Vuqub Kaqix   1.670
R uq Cipacna
    R uq Kaab r Aqan
Varal
    Ch u vach ulev.

Ele ficou só tragando
   E engolindo
Sua saliva,
   Sua baba
Por causa do odor dos pássaros.
   Então finalmente ele pediu:
"O que é que vocês estão comendo?
   O cheiro é de fato delicioso.
Me deem um pouco", ele disse então.
   Assim então eles deram um pássaro a Kaab r Aqan,   1.640
E isso foi sua destruição.
   Pois ele então devorou o pássaro.
Então eles continuaram
   E chegaram
Lá no oriente
   Onde está a grande montanha,
E lá chegou Kaab r Aqan,
   Cujas pernas e braços estavam já sem forças,
Ele não podia mais se aguentar.
   Por causa da terra que engoliu,   1.650
Untada nas costas do pássaro
   Que havia ingerido,
E assim não havia mais
   Nada que ele pudesse fazer à montanha.
Não conseguiu
   Derrubá-la.
E assim ele foi amarrado pelos filhos
   E suas mãos foram atadas atrás dele.
Suas mãos foram cuidadas pelos filhos,
   E seus tornozelos foram atados.   1.660
E eles o derrubaram no chão
   E o enterraram.
E assim foi destruído Kaab r Aqan
   Justamente por Hun Ah Pu e X Balam Ke.
Incontáveis são seus feitos
   Aqui na Terra.
E assim agora contaremos
   O nascimento de Hun Ah Pu e X Balam Ke,
Mas antes disso narramos
   A destruição de Vuqub Kaqix   1.670
E Cipacna
   E Kaab r Aqan
Aqui
   Na Terra.

TERCEIRO CANTO

XV

Are chi q'ut x chi qa biih chik
    U bi ki qahav ri Hun Ah Pu, X Balan Ke.
X qa kamuh ch u vi
    Xa pu x qa kamuh
U biixik
    U tzihoxik puch   1.680
(K alaxik)
    Ki q'aholaxik
Ri Hun Ah Pu,
    X Balan Ke.
Xa niq'ah x chi qa biih
    X ch'aqap u biixik ki qahav.

XVI

Vae q'ute 'u tzihoxik
    Ri ki bi ri Hun Hun Ah Pu, k e' uch'axik.
Are q'ut ki qahav ri Xpiacoc,
    Xmucane   1.690
Chi q'equmal
    Chi 'aqabal
X e' alaxik ri Hun Hun Ah Pu,
    Vuqub Hun Ah Pu
K umal Xpiacoc,
    Xmucane.
Are q'u ri Hun Hun Ah Pu, e kaib x e r alquvalah,
    E pu kaib u q'ahol.
Hun Baatz' u ni nabe 'al,
    Hun Ch'oven chi q'ut u bi 'u kaab al.   1.700
Are q'ut u bi ki chuch va:
    Cipacyalo ch uch'axik.
R ixoqil Hun Hun Ah Pu.

TERCEIRO CANTO

XV

E diremos agora
    O nome do pai de Hun Ah Pu e X Balam Ke.
Vamos brindar ao seu nome,
    E também
À narração
    E à descrição   1.680
Da criação,
    Da geração
De Hun Ah Pu
    E X Balam Ke.
Apenas a parte do meio será contada —
    A história dos seus pais está incompleta.

XVI

Assim, esta é a história
    Daqueles conhecidos co mo Hun Hun Ah Pu (Um Caçadores), como são chamados.
E assim seus pais eram Xpiacoc
    E Xmucane.   1.690
Nas trevas,
    Na noite
Nasceram Hun Hun Ah Pu
    E Vuqub Hun Ah Pu (Sete Caçador)
De Xpiacoc
    E Xmucane.
E assim então Hun Hun Ah Pu teve duas crianças,
    E os dois eram seus filhos.
Hun Baatz (Um Macaco) era o nome do mais velho,
    E Hun Choven (Um Guariba) era o nome do mais novo.   1.700
E assim o nome da mãe deles era:
    Cipacyalo (Jacaré Arara), como era chamada,
A esposa de Hun Hun Ah Pu,

Are q'u ri Vuqub Hun Ah Pu ma ha bi r ixoqil.
Xa, u laqel,
    Xa pu, u kaab.
Xa q'ahol
    U q'oheyik.
E nimaq ah naoh,
    Nim puch k etamabal.   1.710
E nik' vachinel
    Varal ch u vach ulev.
Xa, utz ki q'oheyik,
    Ki yakeyik puch
X ki k'utu navikil
    Chi ki vach
Ri Hun Baatz',
    Hun Ch'oven,
U q'ahol
    Hun Hun Ah Pu.   1.720
E' ah zuv,
    E' ah bix.
E' pu' ah tz'ib.
    E nay puch ah k'ot
E' ah xit
    E' ah puvaq
X e' uxik ri Hun Baatz',
    Hun Ch'oven.
Are q'u ri Hun Hun Ah Pu,
    Vuqub Hun Ah Pu   1.730
Xa zaq,
    Xa chaah
Chi ki bano
    Hu ta q'ih.
Xa, e kakab chi ki k'ulelaah k ib
    E kahib chi k onohel
Ta k e kuch mayihik
    Pa hom
Ch ul q'u ri Vok'
    Ilol k e   1.740
U zamahel Hu r Aqan chi
    Ch'ipi Ka Kulaha
Raxa Ka Kulaha,
    Are q'u ri Vok'
Ma vi nah varal ch u vach ulev,
    Ma vi nah chi Xibalba chi r e

    Mas Vuqub Hun Ah Pu não tinha esposa.
Ele era apenas solteiro,
    E era apenas o segundo;
Como a de um menino
    Era a sua natureza.
Eles eram grandes sábios,
    E grande era seu conhecimento;   1.710
Eles eram grandes videntes
    Aqui na Terra.
Boa apenas era a natureza deles,
    E a sua educação.
Eles mostraram sua mágica
    Diante dos dois:
Hun Baatz
    E Hun Choven,
Os filhos
    De Hun Hun Ah Pu.   1.720
Eles se tornaram flautistas;
    Eles se tornaram cantores
E escritores;
    Também se tornaram escultores;
Eles se tornaram joalheiros
    E prateiros,
Hun Baatz
    E Hun Choven.
E assim Hun Hun Ah Pu
    E Vuqub Hun Ah Pu   1.730
Só lançavam dados,
    Só jogavam bola,
O que eles faziam
    Todos os dias.
Primeiro, lutavam um com o outro,
    Os quatro depois juntos,
Quando se reuniam para se divertir
    No campo de jogo de bola.
Então o Falcão veio
    Para os observar,   1.740
O mensageiro de Hu r Aqan,
    Chipi Ka Kulaha
E Raxa Ka Kulaha,
    E esse Falcão —
Não estava nem longe da Terra,
    Nem longe de Xibalba.[1]

---

[1] Inframundo, reino da morte e também fonte imprescindível da vida.

Libah chi
    Ch opon chik
Chi kah
    R uq Hu r Aqan.   1.750
X e yaluh varal
    Ch u vach ulev
X kaminak
    Ka q'ut ki chuch
Ri Hun Baatz'
    Hun Ch'oven.
Are q'ut u beel Xibalba
    X e chaah vi
Ta x ki ta q'ut Hun Kame,
    Vuqub Kame, r ahaval Xibalba.   1.760
"Naki pa ri ka ban
    Ch u vach ulev?
Xa k e nikinotik;
    Xa pu k e huminik.
K e be ta tak ok
    Varal tah
K e' ul chaah vi
    K e qa ch'ak ta q'ut.
Xa ma ha bi qa nimaxik k umal
    Ma ha bi ki nim   1.770
Ma pu ha bi ki xob
    X uxik.
Xax k e hikik ulok pa qa vi,"
    X e ch'a q'ut k onohel Xibalba
Ta x ki k'am
    Ki naoh k onohel
Ri ki bi Hun Kame,
    Vuqub Kame
E nimaq q'atol tzih
    Are q'u ri, ahavab r onohel.   1.780
Yaol u patan
    R ahavarem puch
Huhun chi' ahavab r umal Hun Kame,
    Vuqub Kame.
Are q'u ri Xik'iri Pat
    Kuchuma Kiq' u bi 'ahav
Are q'ut ki patan
    Ri kiq'ch u yabih vinaq.
Are chi q'u ri 'Ahal Puh,
    Ahal Q'ana chik ki'ahavab.   1.790

Num instante
    Ele podia voltar
Para o Céu
    Com Hu r Aqan.   1.750
Eles ficaram lá
    Sobre a Terra
E então morreu
    A mãe
De Hun Baatz
    E Hun Choven.
Assim, era no caminho para Xibalba que
    Eles estavam jogando de cá para lá;
Quando isso foi ouvido por Hun Kame (Um Morte)
    E Vuqub Kame (Sete Morte), os senhores de Xibalba.   1.760
"O que está acontecendo
    Em cima da Terra?
Eles estão apenas batendo os pés de cá para lá com força;
    E estão apenas se lançando aqui e ali.
Eles estão viajando —
    Então vamos deixá-los chegar aqui.
Eles podem vir jogar,
    E então vamos derrotá-los.
Pois não recebemos nenhuma deferência,
    Nenhuma veneração da parte deles,   1.770
E nenhuma adoração para conosco
    Se manifestou.
De fato, eles estão atirando coisas sobre nossas cabeças",
    Disseram todas as pessoas de Xibalba então.
Então eles
    Discutiram o assunto,
Eles que são chamados Hun Kame
    E Vuqub Kame,
Os grandes juízes
    E senhores de tudo.   1.780
Seus postos foram dados,
    E as posições de cada um dos senhores,
Por Hun Kame
    E Vuqub Kame.
E lá estão Kikiri Pat (Corda de Enforcar)
    E Kuchuma Kiq (Chefe de Sangue), os nomes dos senhores,
E seu trabalho é no sangue,
    A fim tornar as pessoas doentes.
E então tem Ahal Puh (Fazedor de Pus)
    E Ahal Qana (Fazedor de Bílis) também, os nomes dos senhores,   1.790

Are q'ut k ahavarem
    Ri chi zipohik vinaq
Chi pe puh chi r ih r aqan
    Chi pe q'ana chi r ih u vach.
Ch u q'anel ch uch'axik.
    Kate q'ut r ahavarem
Ahal Puh,
    Ahal Q'ana vi.
Are chi q'u ri, ahav Chamiya Baq,
    Chamiya Holom,   1.800
R ah chamiy Xibalba
    Xa baq ki chamiy
Are q'ut k ah chamiyal
    Ri chi baqir vinaq
Qitzih chi baq
    Chi holom chik
Ta chi kamik ziyah baq
    Xupan chi qamovik.
Are, u patan vi Chamiya Baq,
    Chamiya Holom ki bi.   1.810
Are chi q'u ri, ahav Ahal Mez,
    Ahal Tokob ki bi.
Are ki patan
    Ri xa chi k ul vachih vinaq
Uve tza mez,
    Ve pe pu
Chi r ih haa,
    Ch u va haa.
Chi k ul vachix vi
    Xa chi ki toko.   1.820
Ta chi be hupul ok ch u vach ulev,
    Ta chi kamik.
Are q'ut k ahavarem Ahal Mez,
    Ahal Tokob, k e' uch'axik.
Are chi q'u ri, Ahav Xik,'
    Patan ki bi.
Are k ahavarem ri vinaq chi kam pa be
    Xa rax kamik ch uch'axik.
Chi pe kiq' p u chi
    Ta chi kamik ch u xavah kiq'.   1.830
Xa huhun chi patan
    Ki telel a 'on
Xa chi ki kozih u qulel
    U k'ux vinaq

E seu poder
   É inchar as pessoas,
O pus vem por dentro de seus pés,
   A bílis vem atrás de suas faces,
Para causar icterícia, como é chamada,
   E esse é o poder
De Ahal Puh
   E de Ahal Qana também.
E então tem o senhor Chamiya Baq (Bastão de Osso)
   E Chamiya Holom (Bastão de Crânio), 1.800
Os portadores de bastão de Xibalba,
   Cujos bastões são apenas ossos.
Assim eles são portadores de bastão,
   Os que convertem pessoa em osso,
De fato em ossos
   E caveiras também.
Então se morre de distensão dos ossos
   Ou se fica cheio de soro por dentro.
Esse é o trabalho de Chamiya Holom
   E de Chamiya Holom, como são chamados. 1.810
E então tem o senhor Ahal Mez (Fazedor de Sujeira)
   E Ahal Tokob (Fazedor de Ferida), são seus nomes.
Seu trabalho
   É apenas se aproximar para olhar as pessoas,
Se há sujeira estranha
   E se tem miséria
Atrás de sua casa
   Ou diante dela,
Então quando acontece serem observados por alguém,
   Eles podem simplesmente apunhalá-lo: 1.820
Se a pessoa vem andando é derrubada no chão.
   Então morre.
E esse é o poder de Ahal Mez
   E Ahal Tokob, como são chamados.
E então tem o Ahav Kik (Senhor Falcão)
   E Patan (Laço), como são chamados.
Seu domínio é o povo que morre na estrada,
   Exatamente "morte súbita", como é chamada.
O sangue brota em suas bocas,
   Até que morrem vomitando sangue. 1.830
Mas cada qual faz seu trabalho,
   Carregando nos ombros alguma coisa,
E eles quebram a pessoa no pescoço
   Ou no peito.

Ta chi kam pa be
    Ta chi ki k'ulumah apan ok
Ve chi binik
    Chi k ul.
Are q'ut k ahavarem Xik',
    Patan ri.   1.840
Are q'ut x ki kuch
    Ki naoh
Ri ta x e' tzayixik
    Ta x e q'otobax puch
Hun Hun Ah Pu,
    Vuqub Hun Ah Pu.
Are x ki rayih Xibalba
    Ri k etz'abal
Hun Hun Ah Pu,
    Vuqub Hun Ah Pu   1.850
Ri ki tz'um,
    Ki bate,
Ki pach q'ab,
    Ki yach vach,
Vach zot puch,
    Ki kavubal
Hun Hun Ah Pu,
    Vuqub Hun Ah Pu.
Are chi q'ut x chi qa biih chik
    Ki biik chi Xibalba.   1.860
X e kanah q'u kan ok ri Hun Baatz',
    Ch'oven,
U q'ahol
    Hun Hun Ah Pu.
X kaminak ok ki chuch
    Q'a ch u vi chik ki ch'akatahik chik
Hun Baatz',
    Hun Ch'oven
K umal Hun Ah Pu,
    X Balan Ke.   1.870

    XVII

Kate q'ut petik zamahel r umal Hun Kame,
    Vuqub Kame.
"K ix beek ix r ah pop achih
    H e' i taqa
Ri Hun Hun Ah Pu,

Então ela morre na estrada.
    Então eles fazem isso acontecer de novo,
Ou eles vão embora
    E se afastam.
E esse é o poder de Kik
    E Patan.   1840
E assim eles se reuniram
    Para discutir
O quanto estavam enciumados
    E o quanto estavam incomodados
Com Hun Hun Ah Pu
    E Vuqub Hun Ah Pu.
É que eles cobiçavam em Xibalba
    Os apetrechos de jogo
De Hun Hun Ah Pu
    E Vuqub Hun Ah Pu —   1.850
Suas peles,
    Seus anéis,
Suas luvas,
    Seus ornatos de cabeça,
E as máscaras,
    Os adornos
De Hun Hun Ah Pu
    E Vuqub Hun Ah Pu.
E assim vamos continuar narrando
    Sua viagem a Xibalba, que está embaixo.   1.860
Ficaram para atrás Hun Baatz
    E Hun Choven,
Os filhos
    De Hun Hun Ah Pu.
Sua mãe já havia morrido,
    E eles deviam além disso ser vencidos depois —
Hun Baatz
    E Hun Choven,
Por Hun Ah Pu
    E X Balam Ke.   1.870

    XVII

E assim então vieram os mensageiros de Hun Kame
    E Vuqub Kame.
"Vão, ó guerreiros conselheiros,
    Vão e chamem
Hun Hun Ah Pu

    Vuqub Hun Ah Pu.
K ix ch'a ta k ix opan k uq,
    K e pet ok, k e ch'a 'ahavab ch iv ech,
Varal tah k e' ul chaaha vi q uq
    Chi qa k'azatah ta qa vach k uq   1.880
Qitzih ka qa mayihah k'i chi
    Kehe ta q'ut k e pe vi, k e ch'a 'ahavab.
Chi ki k'am q'u' ulok ri ki choqonizam
    Ki bate
Ki pach q'ab chi pe
    Nay puch ri ki kiq'
K e ch'a 'ahavab,
    K ix ch'a ta k ix opon ok,"
X e' uch'axik ri zamahel.
    Are q'ut ki zamahel, ri tukur: 1.890
Ch'abi Tukur,
    Hu r Aqan Tukur,
Kaqix Tukur,
    Holom Tukur
K e' uch'axik
    U zamahel Xibalba.
Are ri Ch'abi Tukur kehe ri ch'ab
    Xa kopokik.
Are q'u ri Hu r Aqan Tukur xa hun r aqan.
    Q'o 'u xik'.   1.900
Are q'u ri Kaqix Tukur kaq r ih
    Q'o 'u xik'.
Are chi nay puch ri Holom Tukur
    Xa, u tukel u holom.
Ma ha bi r aqan;
    Xa, u xik'q'oolik.
E kahib ri zamahel,
    R ah pop achihab k eqalem.
Ta x e pe q'ut chila
    Chi Xibalba   1.910
Libah chi x e' ulik
    E q'u tak'al
Ch u vi hom
    K e chaah q'ut
Hun Hun Ah Pu,
    Vuqub Hun Ah Pu
Pa hom ri Nim,
    Xob,
Kar,

            E Vuqub Hun Ah Pu.
Diga-lhes, quando os alcançarem,
            Que os senhores disseram a vocês que *eles devem vir,*
Aqui então eles devem vir para jogar conosco,
            Para que possamos nos divertir com eles.   1.880
Realmente, estamos assombrados com eles,
            E é por isso que eles deveriam vir, os senhores disseram.
Eles deveriam também trazer aqui seus objetos:
            Seus anéis,
Suas luvas têm de ser trazidas
            E também sua bola,
Os senhores disseram,
            Diga-lhes quando vocês chegarem lá",
Os mensageiros ouviram.
            E os mensageiros eram as Corujas: 1.890
Chabi Tukur (Faca Coruja),
            Hu r Aqan Tukur (Um Perna Coruja),
Kaqix Tukur (Arara Coruja),
            Holom Tukur (Cabeça Coruja),
Assim eram chamados
            Os mensageiros de Xibalba.
Pois havia Chabi Tukur como uma faca
            Bem afiada.
E havia Hu r Aqan Tukur com uma perna apenas.
            E tinha asas.   1.900
E havia Kaqix Tukur com pele vermelha.
            E tinha asas.
E havia também Holom Tukur.
            Ele não tinha nada, só a cabeça.
Não tinha pernas,
            Mas tinha efetivamente asas.
Os quatro eram mensageiros,
            Sua posição era de guerreiros conselheiros.
Assim eles saíram de lá então,
            De Xibalba,   1.910
E imediatamente chegaram
            E pousaram
No campo de jogo de bola
            Onde jogavam
Hun Hun Ah Pu
            E Vuqub Hun Ah Pu,
No campo de jogo de bola de Honra,
            Adoração,
Arrebatamento,

    Chah, ch uch'axik.   1.920
E q'u tak'atoh ri Tukur
    Ch u vi hom
Ta x ki tz'ak q'ut ki tzih
    Xa vi xere u cholik u tzih
Hun Kame,
    Vuqub Kame,
Ahal Puh,
    Ahal Q'ana,
Chamiya Baq,
    Chamiya Holom,   1.930
Xik'iri Pat,
    Kuchuma Kiq',
Ahal Mez,
    Ahal Tokob,
Xix',
    Patan,
Ki bi k onohel ahavab
    X tz'ak ki tzih umal Tukur.
Ma ki tzih
    Ka ch'a 'ahav   1.940
Hun Kame,
    Vuqub Kame
"Qitzih ba la,"
    K e ch'a,
"Oh na q'u' ach' bilay iv e
    Chi k'am ulok ri r onohel k etz'abal
K e ch'a 'ahavab."
    "Utz ba la
K oh iv oyobeh na
    Oh na qa pixabah kan na qa chuch," x e ch'a q'ut   1.950
X e be q'ut chi k ochoch
    X e ch'a q'ut chi r e ki chuch
(X kaminaq ok ki qahav)
    "H o na, ix qa chuch,"
Xa 'et k ulik.
    Mi x ul
U zamahel ahav
    Qamol q e
K e pet ok, ka ch'a q'ut
    K e ch'a taqol q e   1.960
X chi kanah q'u kan va qa kiq'," x e ch'a q'ut
    Kate x be ki xima kan ok p u vi haa.
"K oh ul na
    Chi qa chokonizah chik."

      Fortificação, como é chamado.   1.920
E assim as Corujas se moveram para baixo,
      No campo do jogo de bola.
E então disseram suas palavras mentirosas,
      Embora contassem as palavras
De Hun Kame
      E Vuqub Kame,
Ahal Pu,
      Ahal Qana,
Chamiya Baq,
      Chamiya Holom,   1.930
Kikiri Pat,
      Kuchuma Kiq,
Ahal Mez,
      Ahal Tokob,
Kik
      E Patan.
Os nomes de todos os senhores
      Cujas palavras foram alteradas pelas Corujas.
Não era realmente
      O que foi dito pelos senhores   1.940
Hun Kame
      E Vuqub Kame,
"É verdade, entretanto",
      Elas disseram,
"E vamos ser seus companheiros.
      Tragam com vocês todos os seus objetos de jogo,
Os senhores dizem."
      "Está bem,
Só fiquem esperando por nós agora,
      Que vamos nos despedir de nossa mãe", eles então disseram,   1.950
E eles foram para sua casa
      E falaram com a sua mãe,
O pai deles já havia morrido.
      "Estamos indo, ó nossa mãe,
Mas voltaremos logo mais.
      Aqui veio
O mensageiro do senhor
      Para nos levar.
Que eles venham, ele diz então.
      Eles disseram para nos levar.   1.960
Esta nossa bola ficará aqui", eles disseram então,
      Assim foram amarrá-la com cuidado no alto da casa.
"Quando voltarmos,
      Vamos jogar com ela de novo".

"*Xa k ix zuvan ok*
    Xa pu k ix bixan ok
K ix tz'iban ok
    K ix k'oton ok
Chi meq'oh q ochoch
    Chi meq'oh puch u k'ux iv atit,"   1.970
X e' uch'ax q'ut Hun Baatz',
    Hun Ch'oven ta x e pixabaxik.
Q'uz q'uz q'ut ch oq' ki chuch,
    X(m)ucane.
"H o na, ma ha bi k oh kamik.
    M ix bizonik," x e ch'a ta x e beek
Hun Hun Ah Pu,
    Vuqub Hun Ah Pu.

XVIII

Kate puch ta x e beek Hun Hun Ah Pu,
    Vuqub Hun Ah Pu.   1.980
X qam ki be k umal ri zamahel
    Ta x e qah q'ut p u beal Xibalba.
Xuluxuh u chi kumuk
    X e' qah q'ut.
Ta x e' el chi q'u apon ok
    Ch u chi hal ha Zivanub,
Nu Zivan
    Qul q'u Zivan u bi.
X e' iq'ov vi
    X e' iq'ov chi q'ut   1.990
Ch u pan hal hal ha Zimah.
    Ma vi 'ahilan zimah.
X e' iq'o vi
    Ma vi x e tokotahik.
Ta x e' opon chi q'ut chi 'a,
    Chi Kiq'i 'A.
X e' iq'ov chiri
    Ma vi x k uq'ah.
X e' opon chi 'a,
    U tukel puh chi 'a,   2.000
Ma vi x e ch'akatahik
    Xa vi x e' iq'ov chik.
Ta x e' opon chi q'ut pa kahib xalakat be,
    Q'a chiri q'ut x e ch'akatah vi pa kahib xalakat be:
Hun kaqa be,

"Vocês apenas fiquem tocando flauta,
    E apenas cantem.
Continuem pintando,
    Continuem esculpindo.
Mantenham a casa aquecida,
    E mantenham aquecido o coração da sua avó",   1.970
Eles disseram a Hun Baatz
    E Hun Choven, quando se despediram.
Tristemente então chorou sua mãe,
    Xmucane.
"Devemos ir, mas não iremos morrer.
    "Não fique triste", eles disseram quando saíram,
Hun Hun Ah Pu
    E Vuqub Hun Ah Pu.

    XVIII

E assim eles saíram, Hun Hun Ah Pu
    E Vuqub Hun Ah Pu.   1.980
Eles tomaram o caminho dos mensageiros,
    E assim eles desceram pelo caminho até Xibalba.
A beirada do rochedo era muito íngreme,
    Mas eles desceram por ela.
E então eles foram mais além,
    Pelas bordas de diferentes desfiladeiros,
Garganta Trêmula
    E Garganta Estreita eram seus nomes.
Eles atravessaram lá,
    E então eles atravessaram   1.990
O bem estranho Rio Escorpião.
    Os escorpiões eram numerosos.
Eles seguiram adiante
    E não foram picados.
Então eles chegaram a um rio,
    O Rio de Sangue.
Eles o cruzaram
    Sem beber.
Eles chegaram a um rio,
    E só havia pus no rio,   2.000
Mas eles eram destemidos
    E apenas o atravessaram também.
Por fim eles chegaram a uma encruzilhada,
    E lá eles foram enganados pelas quatro estradas:
Uma estrada era vermelha

    Hun q'ut q'eqa be,
Zaqi be hun,
    Hun q'ut q'ana be.
Kahib be.
    Are q'ut x ch'av ri q'eqa be,   2.010
"In k in i qamo.
    In u be 'ahav," x ch'av ri be.
Chiri q'ut x e ch'akatah vi.
    Are x ki taqeh ri be Xibalba.
Ta x e'opon q'ut pa ki popobal r ahaval Xibalba,
    X e ch'akatah chi q'ut chiri.
Are nabe kubulel ri xa poy,
    Xa 'aham chee, ka vutalik k umal Xibalba.
Are q'ut nabe x ki q'ihila,
    "Q'ala, Hun Kame," x e ch'a chi r e ri poy.   2.020
"Q'ala, Vuqub Kame," x e ch'a chik chi r e ri 'aham chee,
    Ma q'u x e ch'akovik.
Kate q'ut x e humuhub r ahaval Xibalba chi tze.
    Xa k e humin chik chi tze k onohel ahavab,
R umal x e ch'akomahik,
    Chi ki k'ux x ki ch'ak
Ri Hun Hun Ah Pu,
    Vuqub Hun Ah Pu.
X e' tzeen na
    Kate q'u x e ch'av chik   2.030
Hun Kame,
    Vuqub Kame,
"Utz ba la,
    Mi x ix ulik.
Chuveq chi qaza 'u vach i bate,
    I pach q'ab," x e' uch'ax q'ut.
"K ix kuul ok ch u vi qa tem," x e' uch'axik.
    U tukel q'u k'atanalah abah ki tem x yaik.
X e k'at chi q'ut ch u vi tem.
    Qitzih vi x e pizikalih chik ch u vi tem.   2.040
Ma vi x e yakamarik;
    Qitzih vi x e valehik.
X k'at ki kulibal,
    Kate q'ut x e tzeen chik Xibalba.
X e pichicharik chi tze.
    X vinaqiriheyik u kumatz tze chi ki k'ux.
Chi ki kiy k ib,
    Chi ki ba k ib chi tze
K onohel
    R ahaval Xibalba.   2.050

         E a outra estrada era preta,
Uma estrada era branca
         E a outra estrada era amarela,
Quatro estradas.
         E então a estrada preta falou: 2.010
"Eu sou a estrada que vocês deviam tomar;
         Eu sou a estrada do senhor", disse a estrada.
E lá eles seriam derrotados,
         Pois tomaram a estrada para Xibalba.
E então eles chegaram ao conselho dos senhores de Xibalba,
         E lá foram vencidos,
Pois a primeira das figuras sentadas era só um boneco,
         Apenas entalhado em madeira, ornado por aqueles de Xibalba.
E assim ele foi o primeiro a quem eles saudaram:
         "Salve, Hun Kame", eles disseram ao boneco.   2.020
"Salve, Vuqub Kame", eles repetiram para a madeira entalhada.
         E eles não ganharam,
Pois então os senhores de Xibalba começaram a gargalhar.
         Todos soltaram apenas gargalhadas ruidosas,
Porque haviam vencido sem contestação;
         Em seus corações eles haviam derrotado
Hun Hun Ah Pu
         E Vuqub Hun Ah Pu.
Eles continuaram a rir,
         Até que finalmente falaram de novo,   2.030
Hun Kame
         E Vuqub Kame:
"Muito bem,
         Vocês vieram.
Amanhã peguem a face de seus anéis
         E de suas luvas", foi-lhes dito então.
"Sentem-se então no nosso banco", foi-lhes dito.
         Mas o banco que lhes ofereceram era só uma pedra quente que chiava,
E eles se queimaram no banco.
         Eles de fato giraram sobre o banco.   2.040
Porém não se levantaram;
         Mas sim se ergueram rápido;
Eles queimaram seus traseiros.
         E assim aqueles de Xibalba riram de novo.
Quase estouraram de tanto rir.
         A serpente do riso começou a se multiplicar em seus corações.
Eles se balançaram para trás.
         Eles rolaram de rir,
Todos os
         Senhores de Xibalba.   2.050

"Xa h ix chi ha
　Ve chi be ya 'ok
I chah,
　I zik'
Chi varabal,"
　X e' uch'ax q'ut.
Kate q'ut x e' oponik pa Q'equmal Haa.
　U tukel q'equm u pam chi haa.
Ta x ki qam q'ut ki naoh Xibalba.
　"Xa k e qa puzu chuveq. 　　　　　　　　　　　2.060
Xa labe hu zuq
　Hu zuq k e kamik
R umal ri q etz'abal,
　Ri qa chaahibal,"
K e ch'a q'u ri Xibalba
　Chi k ibil k ib.
Are q'u ri ki chaah
　Xa k'olok'ik ch'a.
Zaqi Tok u bi ri chaah,
　U chaah Xibalba. 　　　　　　　　　　　　　　2.070
Xa huk'ul ki chaah
　Xa hu zuq chi yohoyox baq
Chi q'o 'u vi
　Ri ki chaah Xibalba.
X e' ok q'u ri Hun Hun Ah Pu,
　Vuqub Hun Ah Pu ch u pam ri Q'equma Haa.
Ta x be k u ya 'ok ki chah
　Xa hun chi chah tzihom chik
X el r uq Hun Kame,
　Vuqub Kame 　　　　　　　　　　　　　　　　2.080
R uq huhun ki zik'
　Xa vi tzihom chik
X el k uq ahavab
　Ta x be q'u ya 'ok
K uq ri Hun Hun Ah Pu,
　Vuqub Hun Ah Pu.
E ch'okoch'oh chi 'ulok
　Pa q'equm
Ta x opon ri ya'ol ki chah
　R uq ki zik'. 　　　　　　　　　　　　　　　　2.090
Ka huluhut ri chah
　X ok apon ok.
Ri ki chah e ki tziha,
　Ri huhun ki zik'.
"He ch ul ki ya chi zaqirik

"Agora entrem na casa,
    E alguém virá e lhes dará então
Sua tocha,
    Seus charutos,
No seu quarto",
    Foi-lhes dito então.
E assim eles foram à Qequmal Haa (Casa da Escuridão).
    Dentro da casa era só escuridão.
Enquanto aqueles de Xibalba discutiam entre si.
    "Vamos justamente sacrificá-los amanhã.   2.060
Quanto mais rápido se fizer isso,
    Mais rápido eles morrerão.
Por causa das nossas coisas de jogo,
    Das nossas coisas de jogo de bola",
Assim disseram as pessoas de Xibalba
    Entre si.
Pois a sua bola
    Era apenas uma lâmina redonda.
Faca Branca era o nome da bola,
    A bola de Xibalba.   2.070
Essa bola tinha sido bem polida,
    Mas estava cheia de ossos picados,
Que era a superfície
    Da bola deles em Xibalba.
Assim, Hun Hun Ah Pu então foi,
    E Vuqub Hun Ah Pu também, para dentro da Qequma Haa.
Então alguém veio e deu-lhes sua tocha,
    Só um tição aceso na verdade,
Da parte de Hun Kame
    E Vuqub Kame,   2.080
E os charutos para cada um,
    Já acesos,
Vieram dos senhores,
    Quando entraram para dá-los
A Hun Hun Ah Pu
    E Vuqub Hun Ah Pu.
Eles se sentaram agachados lá
    Na escuridão
Quando seus portadores de tochas chegaram
    Com seus charutos.   2.090
A tocha ficou repentinamente radiante
    Quando entrou lá,
De modo que eles queimaram suas tochas
    E cada um de seus charutos.
"*Na verdade, eles devem vir para devolvê-los pela manhã.*

    Ma vi chi k'izik
Xa vi xere 'u vach ch ul ki moloba
    K e ch'a 'ahavab ch iv e,"
X e'uch'axik.
    X e ch'akatah q'ut.   2.100
X ki k'iz ri chah,
    X ki k'iz q'u ri zik' x be ya'o chi k e.
Tzatz q'u ri, u tihobal Xibalba,
    K'iya molah chi tihobal.
Are, u nabe ri Q'equma Haa;
    U tukel q'equm u pam.
U kaab chi q'ut Xuxulim Haa, u bi.
    Tzatz chi tev u pam.
Zaq xuruxuh,
    Zaq karakoh.   2.110
Chi xurulah tev
    Ch ok ulok ch u pam.
R ox chi q'ut Balami Haa, u bi,
    U tukel balam q'o ch u pam.
K e kichovik,
    K e buchuvik chi matat,
K e ch'iqitit,
    K e' e tz'apim balam pa haa.
Zotz'i Haa, u bi, u kah u tihobal.
    U tukel zotz' u pam chi haa.   2.120
K e tz'itz'otik,
    K e tz'itilahik.
K e ropop pa haa
    E tz'apim zotz'.
Ma ha bi
    K e' el vi.
R oo ch i q'ut Chayim Haa, u bi,
    U tukel cha q'o ch u pam.
Zaq leloh
    R e chi cha   2.130
Chi tzininik
    Chi yohohik chiri pa haa.
K'i nabek u tihobal Xibalba,
    Ma q'u x e' ok
Ri Hun Hun Ah Pu,
    Vuqub Hun Ah Pu ch u pam.
Xa, u biixik apon ok
    U bi tihobal haa.
Ta x e' ok apon ok Hun Hun Ah Pu,
    Vuqub Hun Ah Pu   2.140

> *Estes não devem ser consumidos,*
> *Mas assim como estão deveriam ser trazidos e restituídos,*
>> Os senhores dizem a vocês",

Foi-lhes dito,
> E eles faziam de tudo para vencer.   2.100

Eles consumiram as tochas,
> E consumiram os charutos que lhes haviam sido dados.

Pois muitas são as provas de Xibalba,
> Todos os tipos de provas.

A primeira delas é a Qequma Haa,
> Inteiramente escura por dentro.

E a segunda é chamada Xuxulim Haa (Casa do Calafrio),
> Extremamente fria por dentro,

Realmente insuportável,
> Realmente intolerável,   2.110

Com um frio espantoso
> Saindo de dentro dela.

E a terceira é chamada Balami Haa (Casa do Jaguar).
> Só há jaguares dentro.

Eles estão todos entrelaçados;
> Estão todos apertados uns contra os outros.

Eles estão furiosos.
> Jaguares prisioneiros se agitam pela casa.

Zotzi Haa (Casa do Morcego) é o nome da quarta provação.
> Há apenas morcegos dentro da casa.   2.120

Que guincham sem parar;
> Lançam gritos extremos.

Eles esvoaçam pela casa,
> Os morcegos cativos.

Nada
> Pode sair.

E a quinta é chamada Chayim Haa (Casa da Faca).
> Só tem facas dentro,

Apenas fileiras que não acabam mais
> De lâminas de facas,   2.130

Que retinem por toda parte,
> Que se chocam umas contra as outras lá.

Muitas são de fato as provações de Xibalba,
> Mas eles não entraram,

Hun Hun Ah Pu
> E Vuqub Hun Ah Pu.

Apenas acima foram chamadas pelo nome
> As casas de provações.

Então eles foram, Hun Hun Ah Pu
> E Vuqub Hun Ah Pu,   2.140

Ch u vach Hun Kame,
    Vuqub Kame.
"A pa q'o vi ri nu zik'?
    A 'on q'o vi ri nu chah,
X be ya 'ok ch iv ech
    X q'eq?" x uch'ax q'ut.
"X qa k'izo,
    At ahav."
"Utz ba la,
    Vakamik ba la   2.150
X k'iz i q'ih;
    K ix kamik.
X ki zachik,
    X ki qa q'up puch.
Varal x ch iv evah vi 'i vach;
    K ix puzik,"
X ch'a Hun Kame,
    Vuqub Kame.
Ta x e puz q'ut,
    X e muq q'ut.   2.160
Chi Puqubal Chaah u bi
    X e muq vi.
X q'at u holom ri Hun Hun Ah Pu.
    Xa, u nimal x muqik r uq ri, u ch'ak'.
"Chi ya ri, u holom, xol chee
    Ri tikil pa be,"
X ch'a q'ut Hun Kame,
    Vuqub Kame.
Ta x be q'u ya 'ok u holom xol chee,
    Ta x vachin q'u ri chee.   2.170
Ma ha bi, u vach.
    Ma ha ch ok o ri, u holom ri Hun Hun Ah Pu ch u xol chee.
Are q'u ri tzima k oh ch'a chi r e vakamik
    U holom Hun Hun Ah Pu ch uch'axik.
Ta x u mayihah q'ut Hun Kame,
    Vuqub Kame
U vach ri chee.
    Hu mah k'olok'aq u vach
Ma q'u q'alah
    Q'o chi vi ri, u holom Hun Hun Ah Pu.   2.180
Xa hunam chik u vach
    R uq u vach tzima.
K u r ilo r onohel Xibalba
    Ta ch ul ki kayih.
Nim u q'oheyik ri chee

Perante Hun Kame
    E Vuqub Kame.
"Onde está o meu tabaco?
    Onde estão as minhas tochas?
Eles não apareceram e os deram a vocês,
    Na noite passada?", foi-lhes perguntado.
"Nós os consumimos,
    Ó Senhor."
"Muito bem,
    Agora então   2.150
Seus dias findaram;
    Vocês morrerão.
Vocês serão destruídos
    E nós os despedaçaremos.
Aqui suas faces ficarão ocultas então;
    Vocês serão sacrificados",
Disseram Hun Kame
    E Vuqub Kame.
E então eles foram sacrificados
    E foram enterrados   2.160
No Pátio Empoeirado, como é chamado,
    Eles foram enterrados então.
A cabeça de Hun Hun Ah Pu foi cortada.
    Só seu corpo foi enterrado com seu irmão mais jovem.
"Ponha essa cabeça dele na árvore
    Que cresce na estrada",
Disseram então Hun Kame
    E Vuqub Kame.
E assim sua cabeça foi levada e deixada na árvore,
    E então a árvore frutificou.   2.170
Ela nunca havia dado frutos,
    Antes de receber a cabeça de Hun Hun Ah Pu.
E assim o que chamamos cabaceira hoje
    É a cabeça de Hun Hun Ah Pu, conta-se.
E assim Hun Kame
    E Vuqub Kame se admiraram
Do fruto da árvore.
    O fruto redondo estava em toda parte,
E não dava para saber
    Onde a cabeça de Hun Hun Ah Pu ficara,   2.180
Era exatamente
    Igual a uma cabaça.
E os moradores de Xibalba a viram
    Quando vieram olhar,
E a natureza da árvore realmente

    X ux chi ki k'ux
R umal hu zu x u banik
    Ta x ok holom Hun Hun Ah Pu ch u xol.
X e ch'a q'u ri Xibalba
    Chi k ibil k ib,   2.190
"Ma q'o ma ch'upuvik ri, u vach
    Ma q'o nay pu ma 'ok apan ok ch u xe chee,"
X e ch'a x ki q'atah k ib
    X ki q'il k ib Xibalba k onohel.
Ma q'u q'alah chiri, u holom Hun Hun Ah Pu.
    Xa hunamatal chik r uq u vach chee.
Ri tzima, u bi x uxik
    Nim q'ut u tzihoxik.
X u ta hun q'apoh.
    Va q'ut e x chi qa biih r oponik.   2.200

XIX

Vae chi q'ute' u tzihoxik hun q'apoh,
    U meal hun ahav Kuchuma Kiq' u bi.

XX

Are q'ut ta x u ta hun q'apoh,
    U meal hun ahav.
Kuchuma Kiq' u bi
    U qahav,
X Kiq' q'ut u bi
    Ri q'apoh.
Ta x u ta q'ut u tzihoxik ri, u vach chee
    Ta chi tzihox chik r umal u qahav   2.210
Ch u mayihah q'ut
    Ta chi tzihoxik
"Ma k i naoh
    V ila ri chee
Ka biixik?
    Qitzih quz u vach ka ch'a,
Ka nu to,"
    X ch'a q'ut.
Kate x beek xa, u tukel
    X apon q'ut   2.220
Ch u xe chee tikil
    Chi Puqubal Chaah tikil vi.
"Hiyaa! Naki pe, u vach vae chee?
    Ma ki pa quz chi vachin va chee?

    Afetou muito seus corações,
Por causa do que havia subitamente acontecido
    Quando a cabeça de Hun Hun Ah Pu foi deixada ali.
E os moradores de Xibalba disseram
    Uns aos outros: 2.190
"Ninguém deve colher seu fruto,
    E ninguém deveria sequer ir lá à noite para se pôr sob a árvore",
Eles disseram, proibindo-se a si mesmos.
    E toda Xibalba conteve-se a si mesma.
E não se distinguia mais qual era a cabeça de Hun Hun Ah Pu.
    Ela já era idêntica ao fruto da árvore.
Seu nome tornou-se Cabaceira,
    E foi muito comentado.
Uma mocinha ouviu isso,
    E aqui narraremos as suas andanças.   2.200

    XIX

E assim aqui estão as histórias de uma mocinha,
    Filha de um senhor chamado Kuchuma Kiq.

    XX

E assim então uma mocinha ouviu isso,
    A filha de um senhor.
Kuchuma Kiq
    Era o nome de seu pai,
E X Kiq (Moça de Sangue)
    Era o nome dela.
Ao ouvir a história do fruto
    Quando ela foi contada de novo por seu pai,   2.210
A mocinha se admirou então
    Daquilo que foi narrado.
"Será que não posso conhecer
    E ver essa árvore
Da qual eles estão falando?
    Seu fruto parece ser realmente delicioso,
Eu ouvi",
    Ela disse então.
Assim ela foi sozinha
    E chegou lá   2.220
Sob a árvore,
    Plantada no Pátio Empoeirado.
"Ah! O que é o fruto desta árvore?
    Não é delicioso o que esta árvore dá?

Ma ki kam tah;
   Ma ki zach tah.
La ki ta x ch in ch'up hun ok?"
   X ch'a q'u ri q'apoh.
Ta x ch'av q'ut ri baq
   Q'o 'ula xol chee, 2.330
"Naki pa ka rayih chi r e ri xa baq
   Ri k'olok'oxinak ch u q'ab tak chee?"
X ch'a ri, u holom Hun Ah Pu
   Ta x ch'avik chi r e ri q'apoh.
"Ma ka rayih,"
   X uch'axik.
"Ka nu rayih,"
   X ch'a q'ut ri q'apoh.
"Utz ba la, ch a lik'iba ulok ri 'av ikiq' q'ab,
   V il na," x ch'a ri baq. 2.240
"Ve,"
   X ch'a q'u q'apoh.
X u lik'iba akan ok
   U v-ikiq' q'ab ch u vach baq.
Kate q'ut chi pitz ka ban u chub baq
   Ta x petik tak'al q'ut p u q'ab q'apoh.
Ta x r il q'ut u p u q'ab;
   Hu zuq x u nik'oh
Ma q'u ha bi, u chub baq p u q'ab.
   "Xa r etal mi x nu ya ch av e — 2.250
Ri nu chub,
   Nu k'axah.
Are ri nu holom ma ha bi ka chokon chi vi,
   Xa baq, ma ha bi chi, u chak.
Xa vi kehe, u holom v e ki nim ahav;
   Xa, u tiyohil utz vi, u vach.
Are q'ut ta chi kamik
   Ch u xibih chi r ib vinaq r umal u baqil.
Kehe q'ut xa 'u q'ahol kehe ri 'u chub,
   U k'axah u q'oheyik. 2.260
Ve 'u q'ahol ahav,
   Ve puch u q'ahol naol, ah uch'an,
X ma chi zach vi chi beek;
   Chi tz'aqatahik.
Ma vi chupel
   Ma pu mayixel
U vach ahav,
   Achih,
Naol,

Eles não devem se estragar;
    Não devem ser desperdiçados.
E se eu pudesse cortar um só?",
    Disse a mocinha então.
E então falou a caveira
    Que estava lá na árvore: 2.230
"Por que você deseja estas meras caveiras
    Que se tornaram redondas nos galhos das árvores?",
Foi o que a caveira de Hun Ah Pu disse
    Quando ele falou à mocinha.
"Você não as quer",
    Foi-lhe dito.
"Eu as quero muito",
    Disse a mocinha então.
"Está bem, você deve erguer sua mão direita.
    Você vê agora?", disse a caveira.   2.240
"Sim",
    Disse a mocinha então.
E estendeu
    A mão direita diante da caveira.
E assim a caveira lançou sobre ela sua saliva,
    Que caiu então na palma da mão da mocinha.
Assim então ela olhou para o que estava na sua mão;
    Ela examinou imediatamente aquilo,
Mas o cuspo da caveira não estava na sua mão.
    "É apenas um sinal que dei a você,   2.250
Meu cuspo,
    Minha saliva.
Esta minha cabeça não funciona mais.
    É apenas uma caveira, não tem mais carne nela,
Mas é exatamente como a cabeça dos grandes senhores;
    Apenas a carne e a face a deixam boa então.
E assim quando morre alguém,
    As pessoas ficam com medo dos ossos.
Assim um filho é como seu cuspo;
    A saliva de alguém é como a sua natureza.   2.260
Se é o filho de um senhor,
    Ou se é o filho de um sábio ou de um orador,
Não está perdido então, mas permanece;
    Permanece inteiro.
Tampouco há extinção
    Ou destruição
Da face de um senhor
    Ou guerreiro,
De um sábio

         Ah uch'an.   2.270
Xa xi chi kanahik u mial,
         U q'ahol.
Ta ch ux ok
         Kehe mi x nu ban ch av e.
K at q aqan q'ut chila ch u vach ulev,
         Ma vi ka kamik.
K at ok pa tzih.
         Ta ch ux ok,"
X ch'a ri, u holom Hun Hun Ah Pu,
         Vuqub Hun Ah Pu.   2.280
Xa vi ki naoh ta x ki bano.
         Are, u tzih Hu r Aqan,
Ch'ipi Ka Kulaha,
         Raxa Ka Kulaha chi k ech.
Kehe q'u' u tzalihik chik q'apoh
         Chi r ochoch.
K'iya pixab
         X biix chi r ech.
Hu zuq q'ux x vinaqir r al ch u pam r umal ri xa chub,
         Are q'ut ki vinaqirik   2.290
Hun Ah Pu,
         X Balan Ke.
Ta x opon q'ut chi r ochoch ri q'apoh
         X tz'aqat q'ut vaqaqib ik'
Ta x navachil r umal u qahav.
         Ri Kuchuma Kiq' u bi, u qahav.

XXI

Kate puch u natahik q'apoh r umal u qahav,
         Ta x il ri r al q'o chik.
Ta x ki kuch q'ut
         Ki naoh k onohel ahavab,   2.300
Hun Kame,
         Vuqub Kame r uq ri Kuchuma Kiq'.
"Are ri nu meal q'o chi r al,
         Ix ahavab, xa 'u hoxobal,"
X ch'a q'u ri Kuchuma Kiq'
         Ta x oponik k uq ahavab.
"Utz ba la, ch a k'oto 'u chi ri.
         Ta ma k u biih
Chi puz q'ut;
         Chi naht chi be puzu vi."   2.310
"Utz ba la, alaq ahavab,"

        Ou orador.   2.270
Lá continuarão suas filhas
        E filhos.
Assim também
        O que fiz a você.
Suba para cima da Terra então.
Você não morrerá.
Você vai entrar na palavra.
        Assim seja",
Disse a caveira de Hun Hun Ah Pu
        E Vuqub Hun Ah Pu.   2.280
Era deles apenas a ideia quando fizeram aquilo.
        Foi a palavra de Hu r Aqan,
Chipi Ka Kulaha
        E Raxa Ka Kulaha para eles.
E assim a mocinha voltou de novo
        Para sua casa.
Muitos avisos
        Ela tinha recebido.
E imediatamente ela engravidou só do cuspo,
        E assim foram gerados   2.290
Hun Ah Pu
        E X Balam Ke.
Quando a mocinha voltou para casa
        E seis meses se passaram,
Então isso foi percebido por seu pai.
        Aquele que era conhecido pelo nome de Kuchuma Kiq era seu pai.

XXI

E assim então a mocinha foi observada pelo pai;
        Então ele viu que ela estava grávida.
E então eles se reuniram
        Para discutir, todos os senhores,   2.300
Hun Kame
        E Vuqub Kame com Kuchuma Kiq.
"Vejam, minha filha está grávida,
        Ó Senhores; foi apenas sua fornicação",
Disse Kuchuma Kiq então
        Quando se encontrou com os senhores.
"Está bem, pergunte a ela sobre isso,
        Então se ela não contar nada,
Deve então ser sacrificada;
        Ela deve ir para bem longe e ser sacrificada então."   2.310
"Muito bem, meus Senhores",

X ch'a q'ut.
Kate q'ut x u tz'onoh chi r ech u meal,
    "A pa' ah choq'e ri 'av al q'o ch a pam, at nu meal?" x ch'a q'ut.
"Ma ha bi v al, lal nu qahav,
    Ma ha bi 'achih v etaam u vach," x ch'a q'ut.
"Utz ba la, qitzih vi chi 'at hoxol.
    Ch ek chi puzu, ix r ah pop achih,
Chi qama 'ulok ri, x k'ux, ch u pam zel
    Chi ki tzololeh ahavab vakamik,"   2.320
X e' uch'ax ri Tukur.
    E kahib.
Ta x e beek ki tik'em ri zel;
    Ta x e beek ki ch'elem ri q'apoh,
K u qam ri zaqi tok
    Puzubal r e.
"Ma vi ch utzinik k in i kamizah, ix zamahel,
    R umal ma vi nu hoxobal.
Ri q'o chi nu pam
    Xa vi x vinaqirik.   2.330
Xere x be nu mayihah ri, u holom Hun Hun Ah Pu
    Q'o chi Puqubal Chaah.
Kehe ta q'ut ma vi k i puz
    Ix zamahel,"
X ch'a ri q'apoh
    Ta x ch'avik.
"Naki pa x chi qa koh
    U k'exel ri, i k'ux?
Mi x biix ulok
    R umal a qahav,   2.340
Chi qam ulok ri, u k'ux
    X chi ki tzololeh ahavab,
X chi ki tz'aqix tah,
    X chi ki hunam vachih u tz'aqik.
Ch anim chi qama 'ulok pa zel
    Chi k'oloba qah ok u k'ux ch u pan zel.
Ma pa mi x oh uch'ax ulok?
    Naki la q'ut x chi qa ya pa zel?
Ka q ah ta nabek ma ta k at kamik,"
    X e ch'a q'u ri zamahel.   2.350
"Utz ba la, ma vi k ech ri k'ux ta ch ux ok
    R uq ma vi varal iv ochoch ch uxik.
Ma q'u xa chi ch'ih vinaq chi kamik
    Kate qitzih iv ech ri qitzih hoxol.
Kate nay pu r ech Hun Kame,
    Vuqub Kame

Ele disse então.
E assim ele perguntou à sua filha:
"De quem são essas crianças no seu útero, minha filha?", ele disse então.
"Não tenho crianças, ó meu pai.
Não conheci a face de um homem", ela disse então.
"Está bem, é verdade então que você é uma fornicadora.
Levem-na e sacrifiquem-na, vocês, guerreiros conselheiros.
Tragam aqui seu coração numa tigela
Para que os senhores possam examiná-lo logo." 2.320
Às Corujas foi dito,
A quatro delas.
Então elas foram embora carregando a tigela;
Então elas se foram carregando a mocinha
E levando a faca branca
Para sacrificá-la.
"Não posso acreditar que vocês vão me matar, ó mensageiros,
Porque não houve a minha fornicação.
O que está no meu útero
Foi apenas criado. 2.330
Isso só aconteceu porque admirei a cabeça de Hun Hun Ah Pu
Que está no Pátio Empoeirado.
Assim não me sacrifiquem,
Ó mensageiros,"
Disse a mocinha
Quando falou.
"O que vamos usar
Como um substituto para o seu coração?
Foi-nos ordenado
Por seu pai, 2.340
Tragam o coração dela de volta
Para que os senhores possam revolvê-lo,
Para que eles possam ser tranquilizados;
Que eles possam verificar e ter certeza.
Apressem-se e ponham-no aí na tigela;
Embrulhem-no e o coloquem aí na tigela.
Não é isso o que nos foi dito então?
Então o que iremos lhes entregar na tigela?
Pois de fato não desejamos que você morra",
Os mensageiros disseram então. 2.350
"Está bem, o coração não precisa ser para eles então,
E tampouco vocês ficarão morando aqui.
Vocês não devem obrigar as pessoas a morrer apenas,
E para vocês realmente será o verdadeiro fornicador.
E então para Hun Kame
E Vuqub Kame

Xa kiq'
 Xa holomax r ech.
Ta ch ux ok, are chi k'at ch u vach.
 Ma vi 'are ri k'ux chi k'at ch u vach, ta ch ux ok. 2.360
Chi koho ri, u vach chee,"
 Ch'a q'ut ri q'apoh.
Kaq q'ut u vaal ri chee
 X elik x k'ul pa zel.
Kate puch x u von r ib
 K'olok'ik x uxik.
U k'exel u k'ux ta yitz' chi q'ut
 U vaal kaq chee.
Kehe ri kiq' u vaal chee x elik,
 U k'exel u kiq'el. 2.370
Ta x u k'olo chila ri kiq' ch u pan ri
 U vaal kaq chee,
Kehe q'u ri kiq' r ih x uxik,
 Kaq luhuluh chik k'olom chi pa zel.
Ta x kop q'ut ri chee r umal q'apoh
 Ch'uh Kaq Chee ch uch'axik.
Are q'u ri kiq' x u binaah
 R umal kiq' holomax ch uch'axik.
"Chila q'ut k ix loqox vi
 Ch u vach ulev q'o 'iv ech ch uxik," 2.380
X ch'a q'ut
 Chi k e ri Tukur.
"Utz ba la,
 At q'apoh.
Xa qa be ba
 Ka vaba 'akan ok.
Xa qa bin apan ok.
 Oh na ka ya'ix tah
U va, u k'exe vach a k'ux
 Chi ki vach ahavab," 2.390
X e ch'a q'ut
 Ri zamahel.
Ta x opon q'ut chi ki vach ahavab
 K e zele vachin k onohel.
"Ma vi x utzinik?"
 X ch'a q'ut Hun Kame.
"Mi x utzinik,
 Ix ahavab.
Va na q'u, u k'ux.
 Xe q'o pa zel." 2.400
"Utz ba la.

Apenas seiva,
    Apenas cróton para ele.
Deixe isto ser queimado diante dele.
    Não deixe que este coração seja queimado diante dele.   2.360
Colham a fruta do galho",
    Disse a mocinha então.
Pois vermelha era a seiva da árvore
    Que ela recolheu na tigela,
E então a seiva cresceu
    E virou uma bola,
E assim então se tornou uma imitação do coração
    A seiva da árvore vermelha.
Igual a sangue ficou a seiva da árvore,
    Uma imitação de sangue.   2.370
Então ela recolheu de lá
    O que era seiva da árvore vermelha,
E a casca se tornou igual a sangue,
    Bem vermelho ao ser recolhido na tigela.
Quando a árvore foi cortada pela mocinha,
    Árvore Cochonilha-Vermelha ela foi chamada,
E assim ela chamou a seiva de sangue,
    Porque foi dito que era o sangue do cróton.
"Assim, lá vocês serão amados então;
    Sobre a Terra vocês serão algo",   2.380
Ela disse então
    Às Corujas.
"Muito bem,
    Ó mocinha,
Nós devemos voltar
    E aparecer logo;
Vamos retornar já,
    Sentimos que ela deve ser entregue,
Esta imitação bem-feita do seu coração,
    Diante dos senhores",   2.390
Então disseram
    Os mensageiros.
Assim eles chegaram perante os senhores,
    Que estavam todos esperando atentos.
"Terminou tudo bem?",
    Então perguntou Hun Kame.
"Tudo terminou bem,
    Ó senhores,
E eis aqui o coração dela.
    Está no fundo da tigela."   2.400
"Está bem,

   V ila q'ut,"
X ch'a q'ut ri Hun Kame.
  Ta xu ch u yeh q'u' akan ok
Ka turur r ih chi komah,
  Kaq luhuluh r ih chi kiq'.
"Utz chi luu, u vach q'aq',
  Chi ya ch u vi q'aq'," *x ch'a q'ut Hun Kame.*
Kate puch x ki chaqih ch u vi q'aq'
  Q'oq' q'ut x ki na Xibalba.   2.410
X e k'iz yakatah ulok k onohel,
  X e ch'ike ch u vi.
Qitzih chi quz x ki nao
  U quzibel kiq'.
Are q'ut e chikichoh vi kan ok
  Ta x e be ri Tukur e vabay r ech q'apoh.
X u ki ya aqan ok chi hul ch u vi 'ulev.
  X tzalih chi q'u qah ok ri vabanel.
Kehe q'ut x e ch'akatah vi r ahaval Xibalba.
  Ri r umal q'apoh x e moy vachixik k onohel.   2.420

XXII

Are q'ute q'o ri, u chuch Hun Baatz',
  Hun Ch'oven
Ta x ul ri, ixoq
  X Kiq' u bi
Ta x ul q'ut r ixoq X Kiq'
  R uq ri, u chuch
Hun Baatz',
  Hun Ch'oven
X q'ool ok r al ch u pam.
  Xa zkakin chik ma vi k e yak'eyik   2.430
Ri Hun Ah Pu,
  X Balan Ke ki bi.
Ta x ul q'ut ri, ixoq
  Chi r e ri, atit.
X ch'a q'u ri, ixoq
  Chi r e ri, atit,
"Mi x in ulik,
  Lal chichu.
In alib la,
  In puch alquval la, lal chichu,"   2.440
X ch'a ta x ok ulok
  R uq ri, atit.
"A pa k at pe vi, ulok?

>   Então o examinarei,"
> Disse Hun Kame então.
> E quando ele o despejou da tigela,
> A casca estava empapada de líquido,
>   A casca tinha o vermelho rubro da seiva.
> "Avive bem o fogo,
>   E ponha-o no fogo", disse Hun Kame então.
> Assim então eles o secaram sobre o fogo
>   E os senhores de Xibalba então aspiraram a fragrância. 2.410
> Todos quiseram ficar lá,
>   Curvados sobre ele.
> Realmente o aroma era delicioso para eles,
>   O aroma da seiva.
> Assim, enquanto eles estavam ainda agachados lá,
>   As Corujas voltaram para guiar a mocinha,
> Fazendo-a subir pelo buraco até a superfície da Terra.
>   Então os guias se viraram e retornaram para baixo.
> E assim foram os senhores de Xibalba derrotados.
>   Por essa mocinha todos eles foram ofuscados. 2.420

XXII

> E lá estava a mãe de Hun Baatz
>   E Hun Choven,
> Quando a mocinha chegou,
>   Chamada X Kiq,
> E quando X Kiq
>   Veio ver a mãe
> De Hun Baatz
>   E Hun Choven,
> Seus filhos ainda estavam no seu ventre.
>   Foi apenas um pouco antes do nascimento de 2.430
> Hun Ah Pu
>   E X Balam Ke, como são chamados.
> Assim então a moça veio
>   Até a avó,
> E a moça disse
>   À avó:
> "Vim,
>   Ó minha sogra.
> Sou sua nora
>   E sou sua filha, ó sogra," 2.440
> Ela disse quando chegou lá
>   Diante da avó.
> "De onde você veio?

            Q'o chi pa ri v al?
Ma pa x e kamik chi Xibalba
            E q'u kaib kan ok,
K etal,
            Ki tzihel puch,
Hun Baatz',
            Hun Ch'oven ki bi?   2.450
Ve, av ila k at pe vi
            K at el ubik,"
X uch'ax ri q'apoh
            R umal atit.
"Xere la qitzih vi chi, in alib la.
            X q'o na r e, in q'o vi,
R ech Hun Hun Ah Pu
            Va v ukam.
E k'azilik;
            Ma vi 'e kaminak   2.460
Ri Hun Hun Ah Pu,
            Vuqub Hun Ah Pu.
Xa, u q'atobal r ib zaq
            Mi x ki bano, lal v alib
Kehe q'ut iv ila
            Ta ch il ok u vach
Ri v ukam,"
            X uch'axik ri, atit.
Are q'ut k e q'aq'at ri Hun Baatz',
            Hun Ch'oven   2.470
Xa zu,
            Xa bix ka ki bano.
Xa tz'ibanik
            Xa pu k'otonik ki chakih chi hu ta q'ih.
Are q'ut k u bul vi, u k'ux ri, atit
            X ch'a chi q'ut atit,
"X ma ka v ah vi
            At ta v alib.
Xa, a hoxobal
            Ri q'o ch a pam.   2.480
At q'ax tok.
            X e kam vi
V al ka (a) biih,"
            X ch'a chi q'ut ri, atit,
"Qitzih i ba r e,
            Va ka nu biih.
Utz ba la,
            At v alib ka nu tao.

    Tenho filhos?
Não morreram em Xibalba,
    E estes dois não foram deixados,
Seu sinal
    E seus fazedores de marcas,
Hun Baatz
    E Hun Choven chamados?   2.450
Se você acha que já veio então,
    Vá agora embora",
Foi o que disse à mocinha
    A avó.
"Mas é realmente verdade que sou sua nora.
    Fui e ainda sou.
Pois é de Hun Hun Ah Pu
    Esta minha prole.
Eles estão vivos;
    Eles não estão mortos,   2.460
Hun Hun Ah Pu
    E Vuqub Hun Ah Pu.
É apenas um pedaço vivo deles
    Que eles mesmos fizeram, ó minha mãe,
Como verá
    Quando enfim aparecer a face
Dos meus rebentos",
    Foi dito à avó.
Mas o que interessava a Hun Baatz
    E Hun Choven   2.470
Era apenas tocar;
    Apenas cantar era o que eles faziam,
Apenas pintar,
    Apenas esculpir era o seu trabalho de todos os dias.
Assim isso fez o coração da avó agitar-se então
    E a avó repetiu:
"Acontece que eu não a quero
    Como minha nora.
É apenas a sua fornicação
    Que está no seu útero.   2.480
Você é um demônio
    E eles estão mortos,
Meus filhos de quem você fala",
    E a avó continuou:
"Mas para falar francamente,
    Eis o que eu tenho a dizer sobre isso:
Está bem,
    Eu reconheço que você é minha nora.

Uh at ba la,
    H a qama   2.490
K echa vi
    Chi ki veeh.
H a hach'a hun chi nima k'at
    Chi petik
At na q'u v alib ka nu tao,"
    X uch'ax q'ut ri q'apoh.
"Utz ba la,"
    X ch'a q'ut.
Kate puch ta x beek pa 'abix
    Q'o vi k abix   2.500
Ri Hun Baatz'
    Hun Ch'oven.
Hokam
    U beel k umal
X u taqeh q'ut q'apoh
    X opon puch
Chiri
    Pa 'abix.
Xa q'u hu vi ri 'abix.
    X ma q'o chi vi   2.510
U ka vi,
    R ox vi
X u vachelaam vi
    U vach chi hu vi.
Ta x k'iz q'ut
    U k'ux ri q'apoh.
"K'i la, in makol,
    In k'azibol.
A pa ch in k'am vi
    Ri hun k'at echa   2.520
Ka biixik?"
    X ch'a q'ut.
Kate puch u zik'ixik
    Chahal echa r umal.
"T at ul va 'ulok
    T at ul ta k 'alok
X Toh,
    X Q'anil,
X Kavak,
    Ix pu Tzi'a,   2.530
At chahal
    R e k echa
Hun Baatz',

Não fique aí parada então,
    Vá e traga   2.490
A comida deles então,
    Assim eles poderão comer.
Vá colher uma grande rede
    E então volte,
E então eu a reconhecerei como minha nora",
    Foi dito à mocinha então.
"Muito bem",
    Ela disse então.
E assim então ela foi lá
    Onde começava o campo   2.500
De Hun Baatz
    E Hun Choven.
Limpo por eles
    Estava o caminho,
E a mocinha o tomou
    E chegou
Lá
    Na plantação.
E havia apenas um pé de milho;
    Não havia outro pé,   2.510
Um segundo pé
    Nem um terceiro pé.
Era a safra de um pé,
    Com as espigas de um pé.
Assim então ficou mortificado
    O coração da mocinha.
"Que pecadora eu sou!
    Sou uma perdida!
Onde posso ainda obter
    A rede de comida   2.520
Que me foi pedida?",
    Ela disse então.
E então ela invocou
    A guardiã da comida:
"Venha e coma aqui,
    Venha e se sinta bem aqui,
Ó X Toh (Mulher da Chuva),
    Ó X Qanil (Mulher da Maturação),
Ó X Kakav (Mulher do Cacau)
    E Ix pu Tzia (da Massa de Milho),   2.530
Ó Guardiã
    Da comida
De Hun Baatz

Hun Ch'oven," x ch'a ri q'apoh.
Ta x u qam q'ut ri tzamiy,
    U tzamiyal u vi hal x u boq akan ok.
Ma vi x u hach' ri hal.
    Chi kav q'ut ri hal
Echa pa k'at
    X haxinik ri nima k'at.   2.540
Ta x pe q'ut ri q'apoh
    Xa q'u chikop x eqan ri k'at.
Ta x petik
    X be ki ya 'u kok.
X u k'ut ha kehe ri r eqan
    X oponik x r il ri, atit.
Kate puch ta x r il ri 'atit ri 'echa
    Hun chi nima k'at,
"A pa mi x pe vi ri 'echa av umal
    Mi x e 'a k'alaba vi?   2.550
Ve mi x k'iz a k'am ulok ri q abix---
    Chi be na v ila," x ch'a ri, atit.
Ta x be puch.
    X be r ila ri 'abix.
Xa vi xere q'o vi ri hu vi 'abix,
    Xa vi q'u xere q'alah u k'olibal k'at ch u xe.
Anim chi q'ut x pe ri, atit,
    X ul chi q'ut chi r ochoch
X ch'a chi q'ut
    Chi r e q'apoh,   2.560
"Xere vi r etal
    Ri qitzih vi chi, at v alib
Chi v il chi na
    A banoh
Ri, e q'o ri v iy.
    E navinak chik," x uch'ax q'ut q'apoh.

XXIII

Are chik x chi qa tzihoh
    K alaxik
Hun Ah Pu,
    X Balan Ke.   2.570

XXIV

Are q'ut k alaxik.
    Vae x chi qa biih.

E de Hun Choven", disse a mocinha.
E então ela pegou o cabelo do milho,
 O cabelo na ponta da espiga e imediatamente o arrancou.
Ela não tirou a espiga.
 Então houve abundância de espigas.
O alimento
 Encheu a grande rede.   2.540
Assim a mocinha retornou,
 Mas os animais é que carregaram a rede.
Quando ela chegou,
 Eles se foram e deixaram a carga.
Ela transpirava como se a tivesse carregado,
 E veio ver a avó.
Assim quando a avó viu a comida,
 Uma grande rede cheia:
"De onde será que você colheu essas espigas?
 Você as tirou então?   2.550
Se você trouxe toda a nossa colheita de milho aqui...
 Vou verificar", disse a avó,
E ela foi;
 Ela foi e olhou o campo.
Lá ainda havia só um pé de milho,
 E lá ainda estava bem visível a marca da rede sob ele,
Assim a avó se apressou em voltar,
 E então ela voltou para casa
E disse
 À mocinha: 2.560
"Realmente, tem um sinal lá;
 Deve ser verdade que você é minha nora.
Vou olhar tudo
 O que você faz
Junto com esses que são meus netos.
 Eles já são mágicos", à mocinha foi dito.

XXIII

Agora vamos contar então
 O nascimento
De Hun Ah Pu
 E X Balam Ke.   2.570

XXIV

E este é o seu nascimento;
 Isso é o que vamos contar.

Ta x u riq u q'ih,
    K alaxik
Ta x alan puch ri q'apoh
    X Kiq' u bi.
Ma q'u x u vachih atit
    Ta x e 'alaxik.
Libah chi x e yak'eyik.
    E kaib chi k alaxik   2.580
Hun Ah Pu,
    X Balan Ke ki bi.
Pa huyub x e yak'e vi
    Ta x e 'ok q'ut pa ha.
Ma q'u k e varik.
    "H e 'a tzaka 'ulok.
Qitzih ch'ach' ki chi,"
    X ch'a ri, atit.
Kate q'ut ta x e ya pa zanik
    Quz q'u ki varam chiri.   2.590
X e 'el chi q'u chiri
    X e ya chik ch u vi k'ix.
Are ta q'ut x k ah Hun Baatz',
    Hun Ch'oven
X e kam ta chiri pa zanik
    X e kam ta pu ch u vi k'ix,
X k ah r umal ki ch'ak'imal,
    Ki kaq vachibal puch
K umal Hun Baatz',
    Hun Ch'oven.   2.600
Ma vi x e k'ulax pa ha k umal ki ch'ak' nabek;
    Xa ma vi k etaam.
Xa vi q'u pa huyub x e k'iy vi.
    E q'u nimaq.
Ah zu,
    Ah bix
Ri Hun Baatz',
    Hun Ch'oven
X e nimaqir q'ut
    Nima q'ax k'ol.   2.610
Rayil x e 'iq'ov vi,
    X e q'ax q'obizaxik.
E nimaq
    Etamanel chik x e 'uxik.
Xa vi xere, e 'ah zu.
    E 'ah bix.
E pu 'ah tz'ibab,

Quando ela descobriu o dia
    Do seu nascimento,
Então de fato a mocinha deu à luz,
    X Kiq, como é chamada.
Mas a avó não viu
    Quando eles nasceram.
De repente eles apareceram;
    Os dois nasceram, 2.580
Hun Ah Pu
    E X Balam Ke chamados.
Sobre a montanha eles apareceram então,
    E então eles foram à casa da avó.
Mas eles não dormiram.
    "Sem dúvida você deveria se livrar deles;
Pois realmente falam alto demais",
    Disse a avó.
Por isso então elas os deixaram num formigueiro,
    E lá eles dormiram suavemente. 2.590
Então elas saíram de lá de novo
    E os puseram sobre espinhos,
Porque era o que Hun Baatz
    E Hun Choven queriam:
Que eles morressem lá no formigueiro,
    Que eles morressem nos espinhos.
Eles desejavam isso por causa do seu ciúme
    E da sua face vermelha de raiva,
Hun Baatz
    E Hun Choven. 2.600
Seus irmãos menores não foram sequer aceitos por eles na casa inicialmente;
    Eles sequer os conheciam.
E foi apenas nas montanhas que eles cresceram então.
    Pois eles estavam crescidos.
Flautistas
    E cantores
Eram Hun Baatz
    E Hun Choven,
Pois haviam crescido
    Em meio a grande sofrimento. 2.610
Sentiram dores;
    Foram atormentados.
Assim grandes homens
    E sábios eles se tornaram.
De fato apenas eram flautistas;
    Eram cantores.
E pintores

   Ah k'ot x e 'uxik.
R onohel
   X utzin k umal.   2.620
Xax k etaam vi x e 'alaxik.
   Xax e navinak
E pu 'u k'exel
   Ki qahav
Ri x e be chi Xibalba;
   Kaminak vi ki qahav.
E q'u nimaq
   Etamanel,
Ri Hun Baatz',
   Hun Ch'oven.   2630
Chi ki k'ux
   R onohel nabek k etaam
Ta x e vinaqir ri ki ch'ak'.
   Ma q'u x el apon ok
Ki navikil
   R umal ki kaq vachibal
Xa chi k ih
   X qah vi.
U yoq'
   Ki k'ux   2.640
Ma vi banoh.
   X e poyizaxik
K umal ri Hun Ah Pu,
   X Balan Ke.
Xa q'u vubanik
   Chi ki bano hu ta q'ih.
Ma vi k e loq'oxik
   R umal ri k atit.
Hun Baatz'
   Hun Ch'oven   2.650
Ma vi chi ya ki va.
   X baninak vaim.
X e pu vainak ri Hun Baatz',
   Hun Ch'oven ta k e vulik.
Ma q'u k e k'ak'arik
   Oyovarik.
Xa chi ki kuyu
   Xere k etaam
Ri ki q'oheyik.
   Kehe ri zaq ka k ilo.   2.660
K u qam q'ut ki tz'ikin
   Ta k e' ulok hu ta q'ih

      E escultores se tornaram.
Tudo
      Era fácil para eles.   2.620
Eles sabiam quem é que havia nascido.
      De fato eram mágicos,
Eram os substitutos
      De seus pais,
Que tinham ido a Xibalba;
      Pois seus pais estavam mortos.
E assim grandes homens
      E sábios
Eram Hun Baatz
      E Hun Choven.   2.630
Nos seus corações
      Eles souberam de tudo imediatamente,
Quando seus irmãos mais novos nasceram.
      Mas ainda não havia aparecido
A feitiçaria deles.
      Porque sua face vermelha de ódio
Apenas se desfez
      Sobre eles então.
O desprezo
      Em seus corações   2.640
Nada produziu.
      Eles foram enfeitiçados
Por Hun Ah Pu
      E X Balam Ke.
Pois apenas sair para caçar
      Era o que faziam todos os dias.
Eles não eram amados
      Por sua avó.
Hun Baatz
      E Hun Choven   2.650
Não lhes davam comida:
      Tudo era comido.
Tudo era comido por Hun Baatz
      E Hun Choven quando eles chegavam.
Mas eles não ficavam zangados
      Ou ofendidos.
Eles apenas suportavam aquilo.
      Eles realmente sabiam
Qual era a natureza deles.
      Clara como a luz eles a percebiam.   2.660
Assim o pássaro que caçavam era tirado deles todo dia
      Quando voltavam para casa.

Chi ki ti q'ut ri Hun Baatz'
    Hun Ch'oven.
Ma ha bi naki la chi ya
    Chi k ech ki kaab ichal
Ri Hun Ah Pu,
    X Balan Ke.
Xa q'u zu,
    Xa pu bix   2.670
Chi ki bano, Hun Baatz',
    Hun Ch'oven.
Ta x e' ul chi puch ri Hun Ah Pu,
    X Balan Ke
Ma ha bi chik ki tz'ikin k u qam
    X e' ok ulok
X k'ak'ar q'u ri, atit,
    "Naki pa r umal ma ha bi chi tz'ikin
Iv u qam,"
    X e' uch'ax q'ut   2.680
Ri Hun Ah Pu,
    X Balan Ke.
"Are vi,
    Ix q atit,
Xa mi x e tanatob qa tz'ikin ch u vi chee,"
    X e ch'a q'ut,
"Ma q'u ha bi ch aqan ch u vi chee chi k ech,
    Ix q atit.
Chi k ah ta pu ri q atz k e be ta q uq
    Chi be ta ki qazah ulok ri tz'ikin," x e ch'a q'ut.   2.690
"Utz ba la, k oh be 'iv uq zaqirik,"
    X e ch'a q'u ri k atz.
Ta x e ch'akovik.
    X qaminak q'ut ki naoh ki kaab ichal chi r ech ki ch'ak'ik,'
Hun Baatz',
    Hun Ch'oven.
"Xa qa tzol q'omih
    Ki q'oheyik
E 'u pam qa tzih,
    Ta ch ux ok,   2.700
R umal nima q'ax k'ol
    Mi x ki ban chi q e.
X oh kam tah
    X oh zach tah puch
X k ah
    Ri, oh ki ch'ak'.
Kehe ri 'ala x oh pe vi, ulok chi ki k'ux

166

E Hun Baatz
    E Hun Choven o comiam.
E não restava nada para ser dado
    Aos dois,
A Hun Ah Pu
    E X Balam Ke.
Assim apenas tocar flauta
    E apenas cantar   2.670
Foi tudo o que Hun Baatz
    E Hun Choven fizeram.
E então certa vez eles vieram, Hun Ah Pu
    E X Balam Ke,
E não houve mais pássaros trazidos por eles
    Quando eles voltaram,
E a avó ficou zangada:
    "Por que não tem pássaros?
Tragam os pássaros",
    Foi-lhes dito então,   2.680
A Hun Ah Pu
    E X Balam Ke.
"O que aconteceu,
    Avó,
Foi que nossos pássaros ficaram presos na árvore",
    Eles disseram então,
"E não conseguimos de jeito nenhum subir na árvore atrás deles,
    Avó,
Assim queríamos que nossos irmãos mais velhos nos acompanhassem,
    E eles poderão alcançar e descer os pássaros", eles disseram então. 2.690
"Tudo bem, iremos com vocês amanhã de manhã",
    Seus irmãos mais velhos lhes disseram então.
Então eles saíram,
    Pois os dois tinham feito seu plano para destruir
Hun Baatz
    E Hun Choven.
"Apenas mudaremos
    A natureza deles,
 E segundo a nossa palavra,
    Assim seja,   2.700
Por causa do grande sofrimento
    Que nos causaram.
Que morrêssemos,
    Que desaparecêssemos
Era o que eles desejavam,
    Quando somos seus irmãos mais novos.
O que em seus corações puderam desejar que nos sucedesse,

>   *Kehe q'ut k e qa chak vi.*
> *Xere, etal chi qa bano,"*
>   *X e ch'a chi k ibil k ib.* 2.710
> *Ta x e be q'ut chila ch u xe chee*
>   *Q'an Te, u bi, k ach' bilan q'u ri k atz.*
> *Ta x e beek x ki tikiba chi q'ut vubanik.*
>   *Ma vi 'ahilan chi tz'ikin ch u vi chee*
> *K e chititik,*
>   *X e mayihan q'ut ri k atz*
> *Ta x k il ri tz'ikin*
>   *Are q'u ri tz'ikin*
> *Ma ha bi hun ok x qah ulok ch u xe chee.*
>   *"Ri qa tz'ikin e ma vi k e qah ulok,* 2.720
> *Xa h ix qazah ulok,"*
>   *X e ch'a q'ut chi r e k atz.*
> *"Utz ba la," x e ch'a q'ut.*
>   *Kate puch x e 'aqanik ch u vi chee.*
> *X nimar q'ut ri chee*
>   *X zipoh u pam.*
> *Kate q'ut x e r ah qah ulok*
>   *Ma q'u' utz chik ki qahik ulok ch u vi chee*
> *Hun Baatz',*
>   *Hun Ch'oven.* 2.730
> *X e ch'a q'u' ulok ch u vi chee,*
>   *"Hu pa cha k oh u ch'anik*
> *Ix,*
>   *Qa ch'ak'?*
> *Toq'ob qa vach!*
>   *Are ri chee ka xibin chik*
> *Ka q ilo*
>   *Ix qa ch'ak',"*
> *X e ch'a 'ulok ch u vi chee.*
>   *X e ch'a q'u ri* 2.740
> *Hun Ah Pu,*
>   *X Balan Ke,*
> *"Chi kira 'i vex*
>   *Chi xima xe 'i pam*
> *Nahtik u tzam*
>   *Chi hu r e he ch iv ih.*
> *Kate q'ut utz i binik,"*
>   *X e' uch'ax chik k umal ki ch'ak'.*
> *"Ve", x e ch'a q'ut,*
>   *Ta x ki huruba q'ut u tzam ki took.* 2.750
> *Xa pu hu zu ki he chi x uxik;*
>   *Xa q'oy x ki vachibeh chik.*

    Vamos exatamente lhes infligir.
Realmente é um sinal que estamos fazendo",
    Disseram entre si.   2.710
Assim então eles chegaram sob a árvore
    Chamada Árvore Amarela, acompanhados dos seus irmãos mais velhos.
Quando a alcançaram eles começaram a atirar.
    Havia muitos pássaros na árvore.
Eles estavam se exibindo por todos os lados,
    E os irmãos mais velhos ficaram admirados
Quando viram os pássaros.
    Mas nenhum pássaro
Caiu no chão sob a árvore.
    "São os nossos pássaros, mas eles não caem.   2.720
Assim vão lá e subam",
    Eles disseram a seus irmãos mais velhos.
"Está bem", eles disseram então.
    Assim então eles subiram na árvore.
Mas a árvore cresceu
    E seu tronco inchou,
De modo que quando eles quiseram descer,
    Não puderam mais descer da árvore,
Hun Baatz
    E Hun Choven.   2.730
Então eles falaram para baixo:
    "Como vamos ser salvos,
Ó vocês aí,
    Nossos irmãos mais novos?
Tenham pena da gente.
    Esta árvore já está assustadora,
Na nossa opinião,
    Ó nossos irmãos mais novos",
Eles chamaram do alto da árvore,
    E então disseram   2.740
Hun Ah Pu
    E X Balam Ke:
"Desatem suas tangas
    E as amarrem sob suas barrigas
Com uma ponta comprida,
    Como o final de um rabo, atrás de vocês.
Então vocês serão capazes de andar",
    Disseram-lhes então seus irmãos mais novos.
"Está bem", eles disseram então,
    E assim eles tiraram a ponta de suas tangas.   2.750
Instantaneamente elas se tornaram rabos;
    Eles foram então transformados em cuatás.[2]

[2] O cuatá é também conhecido como macaco-aranha.

Kate q'ut x e be ch u vi tak chee ch'uti huyub,
    Nima huyub, x e beek pa tak k'icheelah.
K e vohon chik,
    K e zilah chik ch u q'ab tak chee.
Kehe q'ut ki ch'akatahik Hun Baatz',
    Hun Ch'oven
K umal Hun Ah Pu,
    X Balan Ke.   2.760
Xa r umal ki naval
    Ta x ki bano.
Ta x e 'opon q'ut chi k ochoch
    X e ch'a q'ut x e 'oponik
R uq k atit
    R uq pu ki chuch,
"Ix q atit, naki la mi x ki k'ul vachih ri q atz,
    Xa rax ki vach mi x e beek
Kehe ri, e chikop chik,"
    X e ch'a q'ut.   2.770
"Ve naki la mi x i ban
    Chi k e, iv atz,
Mi x in i k'alaba,
    Mi pu x in i ch'iqiba.
Ma ta kehe x i ban
    Chi k e, iv atz,
Ix v iy,"
    X ch'a ri, atit
Chi k ech Hun Ah Pu,
    X Balan Ke.   2.780
X e ch'a q'ut chi r e k atit,
    "M ix bizonik, ix q atit,
X ch iv il chik ki vach
    Ri q atz x k e 'ulik.
Xere chi q'ut u tihovik va
    Ch iv e, ix q atit.
La k'i m ix tzeenik
    Qa tiha na ki q'ih," x e ch'a q'ut.
Kate puch x ki tikiba zuvanik.
    Hun Ah Pu Q'oy x ki zuvah.   2.790

XXV

Kate puch x e bixanik,
    X e zuvanik,
X e q'ohomanik,
    Ta 'u k'amik

Assim então eles foram embora sobre as árvores das pequenas colinas
    E das grandes montanhas e então entraram na floresta.
Eles gritavam
    E se balançavam nos galhos das árvores.
Assim então foi a derrota de Hun Baatz
    E Hun Choven
Para Hun Ah Pu
    E X Balam Ke.   2.760
 Apenas com a magia deles
    Eles fizeram isso.
E então eles foram para casa
    E disseram logo que chegaram
À avó deles,
    E à mãe deles:
"Ó Avó, alguma coisa transformou nossos irmãos mais velhos.
    De repente eles desapareceram
Como se fossem animais",
    Eles disseram então.   2.770
"Se vocês fizeram algo
    A seus irmãos mais velhos,
Vocês me desgraçaram;
    Vocês me encheram de aflição.
Não é assim que vocês deveriam se comportar
    Com seus irmãos mais velhos,
Meus Netos",
    Disse a avó
Para Hun Ah Pu
    E X Balam Ke.   2.780
E eles disseram para sua avó:
    "Não se aflija, Avó,
Você verá de novo a face
    Dos nossos irmãos mais velhos quando eles voltarem.
Será de fato uma prova
    Para você, Avó:
Só não ria de jeito nenhum,
    E nós iremos pôr à prova a sorte deles", eles disseram então.
E então eles começaram a tocar flauta.
    Eles tocaram "Hun Ah Pu Qoy" ("Caçador de Macaco-Aranha").   2.790

    XXV

E então eles cantaram.
    Eles tocaram flauta,
Eles dançaram
    Quando pegaram

Ri ki zu,
    Ki q'ohom.
Ta x kube puch
    Ri k atit k uq.

XXVI

Ta x e zuvanik,
    X e zik'ix pa zu,   2.800
Pa bix ta
    X u binaah
Ri Hun Ah Pu Q'oy
    U bi zu.
Ta x e 'ok q'u 'ulok ri Hun Baatz',
    Hun Ch'oven
K e xahovik
    Ta x e 'ulik.
Kate puch ta x mukun ri, atit
    Itzel ki vach x r il atit   2.810
Ta x tzeenik.
    Ma vi x u kuy u tze, atit.
Xa q'u hu zu x e beek
    Ma vi x il chi ki vach.
E yak'atik
    X e be pa k'icheelah.
"Naki pa chi bano,
    Ix q atit?
Xa kah mul x chi qa tiho.
    Xa 'ox mul chik.   2.820
X k e qa zik'ih pa zu,
    Pa bix.
K'i chi kuyu 'i tzee.
    Qa tiha chi na,"
X e ch'a chik Hun Ah Pu,
    X Balan Ke.
Kate x e zuvan chik
    Ta x e 'ok chi 'ulok.
K e xahov chik
    X e 'ul chik   2.830
Chi 'u niq'ahal
    U va haa.
Xa vi q'u quz ka ki bano
    Xa vi ka ki taq chiih
Ri k atit chi tzee.
    Libah chi x tzeen chi ri k atit.

Suas flautas
   E seus tambores.
E então ela se sentou,
   Sua avó, com eles.

XXVI

Então eles tocaram;
   Eles chamaram com a flauta, 2.800
E com a canção
   Eles invocaram
O "Hun Ah Pu Qoy",
   Como a melodia é conhecida.
E então eles voltaram, Hun Baatz
   E Hun Choven,
Dançando
   Eles vieram.
E então quando a avó os olhou,
   A avó viu suas faces feias, 2.810
Então ela riu.
   A avó não pôde conter o riso.
Mas eles imediatamente se foram,
   E ela não pôde mais ver suas faces.
Ela os fez se levantar de repente
   E entrar correndo na mata.
"O que você está fazendo,
   Avó?
Só quatro vezes podemos tentar;
   Só mais três vezes 2.820
Vamos chamá-los de volta com a flauta
   E com a canção.
Mas você deve realmente sufocar sua risada.
   Vamos tentar de novo agora",
Então disseram Hun Ah Pu
   E X Balam Ke de novo.
Então eles tocaram a flauta de novo
   E eles voltaram.
Eles estavam dançando de novo
   Quando voltaram de novo. 2.830
No meio
   Do pátio diante da casa.
Só que agora foi engraçado o que eles fizeram:
   Provocaram apenas mais riso
Na avó deles,
   Assim a avó subitamente riu outra vez.

Qitzih tzeebal ki vach ri q'oy chi xirixik xe ki pam
    Chi chihilaxik pu ch u chi ki q'ux.
Ta x e 'ok ulok, are q'ut k'i ch u tzeeh atit
    Kate x e be chik pa tak huyub.   2.840
"Naki pa k'i chi qa bano, ix q atit?
    Xere chi va r ox mul chik x chi qa tiho,"
X ch'a ri Hun Ah Pu,
    X Balan Ke.
X e zuvan q'ut
    X e 'ul chik.
K e xahovik,
    Xa q'u ch u kuyuka 'u tzee ri k atit.
X e 'aqan q'u 'ulok
    Ch u q'atanah tz'aq.   2.850
Kaq ruxuruh u chi;
    Tak ki vach;
Mutzumak ki chi;
    Chikimal ki chi;
Ki vach makamo,
    Chi ki hok'ih chi k e.
Ta x r il ch q'ut ri, atit
    Kate x poq'olih chi' u tzee ri k atit
Ma chi q'u x il chi ki vach
    R umal u tzeebal atit.   2.860
"Xere vi k'u va, ix q atit,
    X k e qa pixabah ubik."
Ch u kah mul q'ut x e zuvax chik
    Ma q'u x e 'ul chik ch u kah mul.
X e beek pa k'icheelah.
    X e ch'a q'ut chi r e k atit,
"Mi q'u x qa tiho, ix q atit,
    Mi nabe x e 'ulik,
Mi pu x qa tih chik ki zik'ixik.
    Mi x bizon q'ut   2.870
Oh q'oolik,
    Oh iv iy.
Xa chi loqoh ri qa chuch,
    Ix q atit.
K e nabax r q atz.
    Ta ch ux ok.
Mi x e k'ohik,
    Mi pu x e biinahik
Hun Baatz',
    Hun Ch'oven   2.880
K e 'uch'axik,"

De fato, a aparência deles era cômica: todos os dois pançudos,
	A ponta do estômago pendente.
Então eles apareceram e foi então que a avó riu muito,
	E então eles voltaram para as montanhas.	2.840
"De fato, o que podemos fazer, Avó?
	Será realmente a terceira vez que vamos tentar",
Disseram Hun Ah Pu
	E X Balam Ke.
E eles tocaram a flauta,
	E eles voltaram.
Eles estavam dançando,
	E a avó conteve fortemente a risada.
Então eles subiram lá,
	Escalando a parede.	2.850
Toda vermelha era a boca
	E estúpida sua face.
Fechadas estavam suas bocas;
	Eriçadas de pelos estavam suas bocas.
Seus olhos ficavam brancos —
	Quando olhavam rapidamente para eles.
E quando a avó os viu,
	A avó rompeu em gargalhadas,
E ela não pôde ver suas faces
	Por causa da sua risada.	2.860
"Realmente, desta vez então, Avó,
	Vamos nos despedir deles".
E pela quarta vez eles tocaram a flauta de novo,
	Mas eles não voltaram uma quarta vez:
Eles entraram na floresta.
	Então eles disseram à avó,
"Agora já tentamos, Avó.
	Inicialmente eles vieram,
E tentamos chamá-los de novo.
	Mas não se aflija.	2.870
Estamos aqui;
	Nós, os netos,
Que só amamos nossa mãe,
	E você, Avó.
Nossos irmãos mais velhos serão lembrados.
	Assim seja.
Deles será a dança dos mascarados,
	E eles serão invocados,
Hun Baatz
	E Hun Choven,	2.880
Como eles são chamados",

>   *X e ch'a*
> *Ri Hun Ah Pu,*
>   *X Balan Ke.*
> *X e zik'ix q'ut r umal ri 'ah zu*
>   *Ah bix*
> *Ri 'oher vinaq.*
>   *Are puch ch u zik'ih*
> *Ri 'ah tz'ib.*
>   *Ah k'ot.*   2.890
> *Oher x e chikopirik*
>   *E q'oy x e 'uxik*
> *R umal xa x ki nimarizah k ib*
>   *X ki yoq' ri ki ch'ak'*
> *Kehe ri q'alabil*
>   *Chi ki k'ux.*
> *Kehe q'ut ki mayixik*
>   *Ri ta x e zachik ri*
> *Hun Baatz'*
>   *Hun Ch'oven, e chikop x e 'uxik.*   2.900
> *Are q'ut e r amaq'elal*
>   *Q'o k ochoch chik.*
> *Xa vi xere, e 'ah zu*
>   *E 'ah bix.*
> *Nim chik x ki bano*
>   *Ta x e q'oheyik*
> *R uq r atit*
>   *R uq pu ki chuch.*

XXVII

> *Ta x ki tikiba chi q'ut ki banoh*
>   *Ki k'utubal k ib*   2.910
> *Ch u vach k atit*
>   *Ch u vach pu ki chuch.*
> *Nabe x ki bano ri 'abix,*
>   *"Xa k oh abixik,*
> *Ix q atit,*
>   *Ix pu qa chuch,"*
> *X e ch'a.*
>   *"M ix bizonik.*
> *Oh q'oolik,*
>   *Oh iv iy.*   2.920
> *Oh ki k'exel*
>   *Q atz,"*
> *X e ch'a q'u ri Hun Ah Pu,*

        Disseram
Hun Ah Pu
        E X Balam Ke.
E eles são invocados pelos tocadores de flauta
        E pelos cantores,
Pelas pessoas antigas,
        E assim os invocam também
Os pintores
        E escultores.   2.890
Eles outrora se tornaram animais
        E se transformaram em macacos
Porque apenas se vangloriavam
        E maltratavam seus irmãos menores,
Segundo a manifestação
        De seu coração.
Assim então foi sua destruição
        Quando eles estavam perdidos;
Hun Baatz
        E Hun Choven se transformaram em animais.   2.900
E assim eles encontraram seu lugar
        E tiveram onde morar outra vez,
De fato eles são apenas tocadores de flauta
        E cantores.
E eles fizeram muito mais coisas
        Enquanto permaneceram
Com sua avó
        E sua mãe.

XXVII

E então eles começaram a fazer coisas
        Para se revelar   2.910
Diante de sua avó
        E diante de sua mãe.
Primeiro eles plantaram os campos,
        "Estamos apenas plantando os campos,
Ó nossa Avó
        E nossa Mãe",
Eles disseram,
        "Não se aflijam.
Estamos aqui;
        Somos seus netos.   2.920
Somos os substitutos
        De nossos irmãos mais velhos",
Então disseram Hun Ah Pu

X Balan Ke.
Ta x ki qam q'ut k ikah
　　Ki mixk'ina, ki xokem
X e beek
　　R uq huhun ki vub x ki teleh.
X e 'el chi k ochoch
　　Ta x ki pixab q'u k atit 2.930
Chi r e 'u yaik ki va.
　　"Chi tik'oh na q'ih chi be ya qa va,
Ix q atit,"
　　X e ch'a.
"Utz ba la, ix v iy,"
　　X ch'a q'ut ri k atit.
Kate q'ut x e 'opon chiri
　　K e 'abix vi.
Xa qi x ki ch'ikiba ri mixk'ina pa 'ulev
　　Xa q'u k'i chi tahin ri mixk'ina pa 'ulev. 2.940
Ma q'u k'i chi tahin ri mixk'ina ch u tukel.
　　Are q'u ri, ikah.
Xa vi chi ki ch'ikiba ch u tolok' chee
　　Xa vi ch u k'ab r ib chee.
Chi bek
　　Chi lahahik chi bek
R onohel chee
　　K'aam.
Kaq chakachoh chik
　　Chi q'atoh chee 2.950
Ch u ban ri xa huna 'ikah.
　　Are q'u ri mixk'ina tzatz chi q'upuh.
Ma vi' ahilan tum k'ixik k u ban ri xa hun chi mixk'ina,
　　Ma vi 'ahilan q'upuh.
Xa ch'uti huyub,
　　Nima huyub ka beek.
Ta x ki pixabah q'ut hun chikop
　　X Mukur u bi
X ki t'uyuba akan ok
　　Ch u vi nima kutaam. 2.960
X e ch'a q'ut Hun Ah Pu,
　　X Balan Ke,
"Xa ch av il ri q atit chi petik yaol qa va,
　　Hu zu k at oq'ik ta pet ok
Kate q'ut chi qa chap ri mixk'ina
　　R uq ikah."
"Utz ba la,"
　　X ch'a q'u ri X Makur.

E X Balam Ke.
E então tomaram seus machados
    E seus enxadões
E suas enxadas e saíram,
    Cada um com a sarabatana no ombro.
Deixaram sua casa
    E então pediram à avó   2.930
Que levasse a comida deles.
    "Ao meio-dia venha e traga a nossa comida,
Avó",
    Eles disseram.
"Está bem, Netos",
    Disse sua avó então.
Assim eles foram lá
    Trabalhar nos campos.
Mas eles apenas fincaram a enxada na terra
    E a enxada sozinha fez a limpeza do campo.   2.940
Mas a enxada não trabalhou muito tempo sozinha,
    Pois havia também um machado,
E eles apenas o cravaram no tronco da árvore
    E a árvore se cortou sozinha.
Caídas horizontalmente,
    Deitadas
Estavam todas as árvores
    E os arbustos.
E trabalhando sem parar,
    Cortando as árvores,   2.950
Estava apenas aquele machado.
    E havia a enxada que limpava grandes porções.
Muitos agaves foram tirados apenas com aquela enxada —
    Muitos ela quebrou.
Então pequenos montes
    E grandes montanhas ela cruzou.
E então eles consultaram um animal.
    Pomba era seu nome.
Eles se sentaram satisfeitos
    Num grande tronco   2.960
E falaram, Hun Ah Pu
    E X Balam Ke:
"Fique só esperando nossa avó que está chegando com nossa comida.
    Avise imediatamente quando ela vier nesta direção,
Assim poderemos pegar a enxada
    E o machado."
"Tudo bem",
    Disse a Pomba então.

Are q'ut xa vubanik chi ki bano.
    Ma na qitzih abixik ta chi ki bano.   2.970
Kate puch ch oq' ri X Mukur
    Anim q'ut k e petik,
Hun chi chapo mixk'ina,
    Hun q'ut chi chapov ri 'ikah.
Chi ki piz la ki vi
    Xa loq' ch u baqala 'ulev p u q'ab.
Ri hun xa kehe ch u tz'iloh u vach
    Kehe ri qitzih abixom,
Are q'u ri hun chik xa loq' ch u puk'ih u vebal chee p u holom,
    Kehe vi ri qitzih q'atoh cheenel.   2.980
Ta x il r umal k atit
    Kate q'ut k e vaik.
Ma qitzih abixik chi ki bano.
    Xa loq' chi be ya 'ok ki va.
Ta x e be q'ut chi k ochoch.
    "Qitzih mi x oh kozik,
Ix q atit,"
    K e ch'a k e 'oponik.
Xa loq' chi ki kikih
    Chi ki yuq puch   2.990
K aqan
    Ki q'ab ch u vach k atit.
Ta x e be chi q'ut ch u ka q'ih
    X e 'opon q'ut pa k abix.
K'iz yakatahinak chik r onohel chee,
    K'aam.
U chapom chi r ib r onohel tun k'ixik
    Ta x e 'oponik.
"A pa chi naq k oh mich'ovik?"
    X e ch'a q'ut.   3.000
Are q'ut k e banov ri r onohel ch'uti chikop,
    Nima chikop,
Koh,
    Balam,
Keh,
    Umul,
Yak,
    'Utiv,
'Aq,
    Tziz,   3.010
Ch'uti tz'ikin,
    Nima tz'ikin.
Are x e banovik

E assim eles ficaram só assoprando a sarabatana e nada mais fizeram;
    Não era realmente uma lavoura o que eles estavam fazendo.   2.970
E quando a Pomba chamou
    Eles voltaram rapidamente.
Um pegou a enxada,
    O outro o machado.
Eles cobriram a cabeça
    E esfregaram sujeira nas mãos,
E um só sujou um pouco a face,
    Como se fosse realmente um agricultor,
E então o outro fingiu carregar um poste na cabeça,
    Como se fosse realmente um lenhador.   2.980
Assim eles foram vistos por sua avó,
    E então eles comeram.
Não era realmente lavoura o que estavam fazendo;
    Era uma trapaça, assim ela viria e lhes daria sua comida.
E então eles voltaram para casa.
    "Estamos realmente cansados,
Ó nossas avós,"
    Eles disseram quando chegaram.
Trapaceando, esfregaram
    E esticaram   2.990
Os pés
    E as mãos diante de sua avó.
E no outro dia eles voltaram
    E retornaram ao seu milharal.
Todas as árvores tinham se levantado outra vez,
    E também os arbustos.
Todas os agaves tinham se fixado juntos de novo
    Quando eles chegaram.
"Quem está nos prejudicando?",
    Eles disseram então.   3.000
Haviam feito aquilo todos os animais pequenos
    E os animais grandes:
A pantera,
    O jaguar,
O veado,
    O coelho,
O lince,
    O coiote,
O porco,
    O quati,   3.010
Os passarinhos
    E os passarões.
Foram eles que fizeram aquilo.

Xa hun aqab x ki bano.
Kate chi q'ut x ki tikiba chik abixik
    Xa vi x u ban chi r ib ulev
R uq q'atoh chee.
    Ta x q'am chi q'u ki naoh chiri pa q'atoh chee
Pa k'upuh puch.
    "Xa qa varah ri q abix.   3.020
A na vi chi na ka banov lo,
    La k'i ta chi qa riqo,"
X e ch'a q'ut
    Ta x q'am ki naoh.
X e 'opon chi q'ut chi ha.
    "Naki ri lo k oh mich'ovik, ix q atit.
Nima k'im chik
    Nima k'icheelah chi puch
Ri q abix
    Ta x oh opon mier, ix q atit,"   3.030
X e ch'a q'ut chi r e k atit
    Chi r e pu ki chuch.
"X k oh be q'ut
    X chi qa varah
R umal ma vi 'utz ka ban chi q e,"
    X e ch'a.
Kate q'ut x e batz'onik
    Kate q'ut ki bik chik pa ki q'atoh chee.
Chiri q'ut x e matzehe vi
    E muqumuxinak chik chiri.   3.040
Ta x e kuchu q'u k ib r onohel ch'uti chikop
    Xa hun x ki zep vi k ib
R onohel ch'uti chikop,
    Nima chikop.
Are puch tik'il u k'ux aqab ta x e petik.
    (X e ch'aviheyik k onohel ta x e petik).
Are ki ch'aabal ri: "Yak lin chee,
    Yak lin k'aam," x e ch'a ta x e petik.
K e nebebik xe chee,
    Xe k'aam.   3.050
Ta x e yopihik,
    Ta x e k'utun q'u chi ki vach.
Are q'ut 'u nabe ri koh,
    Balam.
X r ah q'u ki chapo
    Ma vi x u ya r ib.
Ta x yopih chik keh,
    Umul.

Em uma só noite.
E assim eles iniciaram de novo sua plantação,
  Sozinha de novo a terra ficou pronta,
E a árvore se cortou.
  Então eles conversaram entre si em meio às árvores caídas
E no chão arado.
  "Vamos apenas vigiar o nosso milharal, 3.020
Algo poderá acontecer,
  E então descobriremos certamente o quê",
Eles disseram então,
  Quando discutiram entre si.
E voltaram outra vez para casa.
  "Alguém deve estar nos enganando, Avós.
Novamente um grande pedaço de terra cheio de mato
  E uma grande floresta voltou a ser
Aquele nosso milharal,
  Quando estivemos lá ontem, Avós", 3.030
Eles disseram então à sua avó
  E à sua mãe.
"Por isso vamos lá
  Vigiá-lo,
Assim não poderão fazer isso de novo contra nós",
  Eles disseram.
E assim eles ficaram prontos,
  E assim voltaram às suas árvores caídas.
E lá ficaram esperando
  E se esconderam muito bem lá. 3.040
Então todos os animais pequenos se reuniram de novo,
  E cada um se sentou,
Todos os animais pequenos
  E os animais grandes.
E foi no coração da noite que eles vieram.
  Eles estavam todos falando quando vieram.
E isto era o que diziam: "Levante, ande, árvore!
  Levante, ande, mato!", eles disseram quando vieram.
Eles se colocaram uns atrás dos outros sob as árvores,
  Sob os arbustos, 3.050
Então eles apareceram,
  E então mostraram sua face de novo,
E os primeiros eram a pantera
  E o jaguar,
E eles tentaram apanhá-los,
  Mas eles não deixaram.
Então reapareceram lá o veado
  E o coelho,

Xa q'u ch u hee x ki chap vi
    Xa q'u x q'upuq'ub.   3.060
Kanah ok u hee keh pa ki q'ab.
    Ta x u q'am ri 'u hee keh
R uq u hee umul
    Ri x zkatak ki hee.
Ma q'u x ki ya k ib ri yak
    'Utiv,
'Aq,
    Tziiz.
X e iq'ovik
    K onohel chikop   3.070
Chi ki vach ri Hun Ah Pu
    X Balan Ke.
Chi q'atat chi q'ut ki k'ux
    R umal ri ma ha bi x ki chapo.
X pe q'u ri hun chik
    U xam be chik,
Ka tzotzotik
    Ta x petik.
Kate q'ut x ki k'ateh
    X ki ze q'ut pa k'at ri ch'o.   3.080
Kate puch x ki chapo
    X ki yoteh puch chi r ih u vi.
X r ah ki biyo.
    X ki poroh u hee ch u vi q'aq'.
Ta x u k'aam ri 'u hee ch'o
    Ma ha bi r izümal u hee.
Are nay pu 'u baq' u vach
    Ta x r ah biyik k umal q'aholab
Ri Hun Ah Pu
    X Balan Ke.   3.090
"Ma ta k i kamik iv umal.
    Ma vi' are 'i patan ri 'abixik.
Q'o 'iv e," x ch'a ri ri ch'o.
    "A pa q'o vi q e?
Ch a biih na q'ut,"
    X e ch'a q'u ri q'aholab chi r e ch'o.
"La k in i tzoqopih ta na ba la
    Q'o nu tzih chi nu pam,
Kate q'ut ch in biih ch iv e
    Chi ya ta na zqin v echa," x ch'a ri ch'o.   3.100
"Kate chi qa yao av echa.
    Ch a biih na," x uch'axik.
"Utz ba la.

E eles só conseguiram pegá-los pelo rabo,
    E apenas o rasgaram. 3.060
Só o rabo do veado ficou nas suas mãos;
    Assim eles levaram embora o rabo do veado
E o rabo do coelho,
    Foi o que encurtou o rabo deles.
Mas o lince não deixou,
    Nem o coiote,
Nem o porco
    E nem o quati.
Eles passaram,
    Todos os animais, 3.070
Diante de Hun Ah Pu
    E X Balam Ke.
E então seus corações ferveram de cólera
    Porque não haviam capturado nenhum deles.
E então veio mais um
    Ainda pelo caminho,
Saltitando
    Enquanto vinha,
E assim então eles o enganaram
    E o prenderam numa rede — o Rato. 3.080
E assim então eles o pegaram
    E o feriram atrás na cabeça.
Eles tentaram estrangulá-lo.
    Eles queimaram seu rabo no fogo.
Por isso se alguém pega um rabo de rato
    Vê que o rabo não tem pelos.
E seus olhos são daquele jeito
    Porque ele foi quase estrangulado pelos filhos,
Hun Ah Pu
    E X Balam Ke. 3.090
"Eu não devia ser morto por vocês —
    Esta não é a sua ocupação, esta plantação.
Vocês têm uma coisa", assim falou o Rato.
    "Onde está então?
Diga logo",
    Então os filhos disseram para o Rato.
"Se vocês me deixarem ir de novo,
    Eu tenho a minha palavra na minha barriga,
E assim então eu a darei a vocês,
    Se me derem alguma coisinha para comer", disse o Rato. 3.100
"Bem, então vamos lhe dar sua comida;
    Diga agora", foi-lhe dito.
"Muito bem,

Are ba ri r ech i qahav
Ri Hun Hun Ah Pu
    Vuqub Hun Ah Pu 'u bi
Ri x e kam chi Xibalba.
    Q'o q'u kan ok ri k etz'abal.
X e q'eel kan ok ch u vi ha,
    Ri ki bate,   3.110
Ki pach q'ab,
    Ki kiq' puch.
Xa ma vi ka q'ut ch i vach r umal iv atit
    R umal ri 'are x kam vi 'i qahav."
"Ma qitzih av etaam?"
    X e ch'a q'u ri q'aholab chi r e ch'o.
Nim x kikot ki k'ux ta x ki tao 'u tzihel kiq'
    Ta x u biih ch'o.
Ta x ki ya q'ut r echa ch'o.
    Are q'u ri r echa ri: 3.120
'Ixim,
    Zaqil,
Ik,
    Kinaq',
Peq,
    Kakav.
"Are q'ut
    Av ech ri.
Ve naki la q'uun chi mez
    K'utahinak,   3.130
Av ech q'ut.
    Ch a k'uxu."
X uch'ax q'u ri ch'o k umal Hun Ah Pu,
    X Balan Ke.
"Utz ba la,
    Ix q'aholab.
Naki la q'u k in vuch'ah
    Ve k i r il ri 'iv atit?" x ch'a q'ut.
"Ma vi chi tzaq a k'ux,
    Oh q'oolik,   3.140
K oh noohinik
    Q'o r uch'axik ri q atit.
Xa hu zu ka qa ya 'aqan ok xikin ha,
    Ta k u hoko 'apan ok,
Hu zu k at opon chi ri x e q'eel vi.
    Chiri q'ut ka q il vi p u tum ha
Xa pa qa ti ka q il vi,"
    X e ch'a q'ut chi r e ch'o

      É simplesmente aquela que pertenceu a seus pais,
Hun Hun Ah Pu
      E Vuqub Hun Ah Pu chamados,
Aqueles que morreram em Xibalba.
      Pois existem ainda suas coisas de jogo.
Elas ficaram no teto da casa:
      Seus anéis,   3.110
Suas luvas,
      E sua bola de borracha.
Sua avó não as mostrou a vocês,
      Só porque foi o que matou seus pais."
"Você realmente sabe do que está falando!",
      Os rapazes disseram para o Rato.
Seus corações se alegraram muito quando ouviram falar da bola,
      Tal como o Rato o fez.
E então eles deram ao Rato sua comida,
      E esta era a comida: 3.120
Milho,
      Sementes de abóbora,
Pimenta malagueta,
      Feijões,
Cacau
      E chocolate.
"Assim isto
      É seu.
Se algo estiver escondido lá na sujeira
      E você o desenterrar,   3.130
É seu também.
      Você pode comê-lo",
Ao Rato disseram Hun Ah Pu
      E X Balam Ke.
"Muito bem,
      Meus rapazes.
Mas tem algo que quero dizer:
      E se sua avó vir vocês?", ele perguntou então.
"Não se preocupe,
      Nós estaremos lá.   3.140
Saberemos
      O que dizer à nossa avó.
Nós o ergueremos logo no beiral do telhado,
      Então imediatamente
Você correrá, é claro, para o lugar onde estão escondidas as coisas,
      E nós olharemos para a cobertura.
Só que estaremos apenas olhando para o nosso cozido",
      Eles disseram então para o Rato,

Ta x ki pixabah hun aqab
    X q'am ki naoh   3.150
Ri Hun Ah Pu
    X Balan Ke,
K'i q'u tik'il q'ih
    X e 'oponik.

    XXVIII

Ma k u q'alah ri ch'o
    K u k'aam ta x e 'oponik.
Hun ri yakalik x ok pa ha,
    Hun q'u x ok xikin ha.
Libah chi x u ya 'aqan ok ri ch'o.
    Ta x ki tz'onoh q'ut ki va chi r e k atit.   3.160
"Xa chi q'utu qa ti.
    Ka qa rayih ri q'utum ik,
Ix q atit,"
    X e ch'a q'ut.
Kate q'ut x q'ut ki ti.
    Hun laq u vaal x tikibax chi ki vach.
Xa vi ki mich'ibal r e k atit
    Ki chuch puch.
X ki tzahizah q'u ha pa q'eebal.
    "Qitzih chaq'ih qa chi.   3.170
Chi q'ama q uq'iya,"
    X e ch'a chi r e k atit.
"Ve", x ch'a q'ut
    Ta x beek.
Are q'ut k e va kan oh
    Ma q'u qitzih ta k e numik.
Xa moy vachibal x ki bano
    Ta x k il q'ut ri ch'o ch u pam q'utum ik.
K'olon ulok ri ch'o
    Chi r ih kiq'x e kel vi p u vi ha   3.180
Ta x k ilo pa q'utum ik.
    Ta x ki taq q'ut hun xaan,
Ri chikop ri xaan
    Kehe ri 'uz.
X opon chi 'a
    Are q'u x voro 'u vach q'eebal atit.
Xa yakal ha ch el ch u vach u q'eebal.
    Ch u tiho x ma ch tz'apitah u vach q'eebal.
"Naki pa mi x u ban ri q atit?
    Oh, hizabah chi'a!   3.190

Quando discutiram à noite;
    Eles discutiram entre si,   3.150
Hun Ah Pu
    E X Balam Ke.
  Bem perto do meio-dia
    Eles chegaram.

XXVIII

Não se percebia porém
    Que estavam com o Rato.
Um deles foi andando direto para a casa
    E o outro para a beiral do telhado.
Rapidamente ele levantou o Rato,
    E então eles pediram à avó seu jantar.   3.160
"Agora prepare nosso jantar;
    Queremos molho de pimenta,
Ó nossas Avós",
    Eles disseram então.
E assim então ela preparou o jantar deles.
    Uma tigela de cozido foi deixada diante deles.
Apenas enganaram sua avó
    E sua mãe,
E eles consumiram a água do jarro.
    "Estamos de fato sedentos;   3.170
Traga-nos algo para beber",
    Eles disseram então à sua avó.
"Sim", ela disse então,
    E saiu.
Assim eles continuaram então comendo.
    Mas não era verdade que estivessem com fome.
Era só para distrair a avó que agiam assim,
    Enquanto olhavam o Rato no molho de pimenta.
Lá estava o Rato agitado em volta da bola
    Que tinha ficado no desvão do telhado,   3.180
Enquanto eles o olhavam no molho de pimenta.
    Daí então eles chamaram um Mosquito.
O Mosquito é parecido
    Com uma mosca.
Ele foi onde havia água
    E lá perfurou um buraco na frente do jarro da avó.
Então jorrou água pela frente do jarro.
    Ela tentou mas não pôde vedar a frente do jarro.
"O que a nossa avó está fazendo?
    Queremos água imediatamente.   3.190

K oh utzin r umal chaq'ih chi!"
    X e ch'a chik chi r e ki chuch.
Ta x ki taq ubik.
    Kate q'ut x u k'aqat ula ch'o ri kiq',
X qah ula p u tum ha
    R uq bate,
Pach q'ab,
    Tz'um.
X ki mahix tah q'ut
    Kate x e be k evah   3.200
Pa be,
    U beel hom.
Kate q'ut x ebe chik
    R uq k atit chi ya.
Ka tahin q'u ri k atit,
    Ki chuch tz'api 'u vach q'eebal huhun.
Kate q'ut ta x e 'oponik
    Huhun chi q'u chi vub ta x e 'oponik chi ya.
"Naki pa mi x i bano?
    Xa mi x koz qa k'ux,   3.210
X oh petik,"
    X e ch'a.
"Ch iv ila na 'u vach nu q'eebal.
    Ma vi ka tz'apitahik," x ch'a k atit.
Libah chi q'ut x ki tz'apih chik
    Hunam q'ut x e pe chik,
E nabe ch u vach k atit.
    Kehe k'ut u kanahik kiq' ri.

    XXIX

K e kikot chi q'ut
    X e beek e chaahel pa hom.   3.220
Naht q'u x e chaahik ki tukel.
    X ki mez ri hom ki qahav.
Ta x ki ta q'u 'ulok r ahaval Xibalba.
    "A pa chi na chiri mi x u tikiba chik etz'anem pa qa vi.
Ma pa k e q'ixïbik
    K e nikïnot ulok?
Ma pa x e kam Hun Hun Ah Pu,
    Vuqub Hun Ah Pu
X r ah ki nimarizah k ib chi qa vach?
    H e q'u i taqa chik," x e ch'a chik   3.230
Ri Hun Kame

Estamos quase mortos de sede!",
 Eles repetiram à sua mãe.
Então eles a mandaram lá para baixo,
 E assim então o Rato continuou arranhando perto da bola.
Ela caiu do desvão,
 Junto com os anéis,
As luvas
 E o avental.
E assim eles puderam sair,
 E eles se foram e os esconderam 3.200
Na estrada,
 No caminho para o campo de jogo de bola.
E assim eles retornaram
 Para a casa da avó pelo rio.
E sua avó estava ocupada
 Com sua mãe, remendando o jarro.
E assim eles chegaram então,
 E tinham suas sarabatanas quando foram ao rio:
"O que estão fazendo?
 Nossos corações ficaram cansados, 3.210
Assim aqui estamos",
 Eles disseram.
"Olhem só para a frente do meu jarro.
 Ele não quer se fechar", disse-lhes a avó.
E imediatamente eles o fecharam de novo
 E todos voltaram,
Eles na frente de suas avós.
 E assim ficou a situação da bola então.

XXIX

Assim então eles se alegraram
 E foram jogar no campo de jogo de bola. 3.220
E durante muito tempo jogaram sozinhos.
 Eles limparam o campo de jogo de bola de seus pais.
E quando os senhores de Xibalba ouviram isso:
 "Alguém lá em cima começou de novo um jogo sobre nossas cabeças.
Eles não se envergonham
 De ficar batendo o pé por toda parte lá em cima?
Não está Hun Hun Ah Pu morto,
 E Vuqub Hun Ah Pu,
Por tentarem se vangloriar diante de nós?
 Então vão lá e os enviem de volta", eles repetiram, 3.230
Hun Kame

Vuqub Kame
K onohel ahavab
    "X e taqa 'ulok,"
X e ch'a q'ut
    Chi r e ki zamahel,
"K ix ch'a k ix oponik,
    K e pet ok, k e ch'a ahavab,
Varal tah
    K oh chaah vi k uq.   3.240
Vuqubix k oh etz'anik
    K e ch'a 'ahavab
K ix ch'a k ix oponik,"
    X e 'u ch'ax q'ut ri zamahel.
Ta x e pe q'ut, nima hok q'u
    Ki be ri q'aholab
Chi k ochoch.
    K'a toq'ol chi k ochoch
Xa q'u yakal ri zamahel
    X opon r uq k atit.   3.250
Are q'ut k e chaahik
    Ta x ul kan ok u zamahel Xibalba.
"Qitzih k e petik, k e ch'a ri 'ahavab,"
    X e ch'a q'ut ri 'u zamahel Xibalba.
Ta x ch oye q'u kan ok ki q'ih
    K umal ri 'u zamahel Xibalba.
"Vuqubix k etzel a vachixik,"
    X uch'ax kan ok Xmucane.
"Utz ba la, x k e be taq ok,
    Ix zamahel," x ch'a ri 'atit.   3.260
X e pe q'u ri zamahel,
    X e tzalihik.
Ta x k'iz q'ut u k'ux ri 'atit.
    "Naki x chi v uch'ah
Ki taqik ri v iy
    Ma vi qitzih ri Xibalba?
Xa kehe r ulik zamahel oher
    Ta x e be kam ok ri ki qahav,"
X ch'a ri 'atit,
    Quz ch oq' pa ha 'u tukel.   3.270
Kate q'ut x qah ulo hun uq'.
    Ch u kayak.
Kate q'u x u chap aqan ok
    Ta x u ya q'ut p u q'ab
Chi malämatik q'u ri 'uq'

         E Vuqub Kame
E todos os senhores.
     "Mandem os dois para cá",
Eles disseram então
     Aos seus mensageiros.
"Diga-lhes que vocês vieram
     Para mandá-los falar com os senhores
E que nós aqui
     Jogaremos com eles.   3.240
Daqui a sete dias nós jogaremos,
     Dizem os senhores.
Digam-lhes quando chegarem lá",
     Assim aos mensageiros foi dito.
E eles foram, e era uma grande estrada,
     A estrada dos filhos
Que levava à casa deles,
     Assim eles se dirigiram até lá
E prontamente os mensageiros
     Chegaram à casa das avós deles.   3.250
E assim aconteceu que eles estavam jogando
     Quando os mensageiros de Xibalba chegaram lá.
"Realmente eles devem vir, dizem os senhores,"
     Disseram então aqueles que eram mensageiros de Xibalba.
E então seu dia de ir foi determinado
     Por aqueles que eram mensageiros de Xibalba.
"Para daqui a sete dias o seu jogo está marcado",
     A Xmucane foi dito a seguir.
"Muito bem, eles irão lá nesse dia então,
     Ó mensageiros", disse a avó.   3.260
E os mensageiros partiram;
     Eles retornaram.
E então o coração da avó se extinguiu.
     "A quem eu pedirei
Que leve essa convocação aos meus netos?
     Não é realmente Xibalba?
Também foi assim a vinda dos mensageiros
     Quando seus pais foram lá para morrer",
Disse a avó
     Chorando amargamente sozinha em casa.   3.270
E então um Piolho caiu lá.
     Ele fez cócegas,
Então ela o agarrou,
     Ela o pôs na mão dela.
E o Piolho pulou aqui e ali

  X binik.
"At v iy
 Ch av ah tah
Ka nu taqo
  K e be ta a taqa   3.280
Ri v yi pa hom?"
  X uch'ax ri 'uq'.
Ta x beek taqonel.
  "Mi x ul zamahel r uq iv atit
Ka ch'a k at oponik.
  Vuqubix q'ut k e 'oponik
Ka ch'a 'u zamahel Xibalba
  Ka ch'a 'iv atit," x uch'ax ri 'uq'.
Ta x beek,
  Chi malämat q'ut x beek.   3.290
Kubul q'u ri q'ahol pa be.
  Tamazul u bii, ri x peq.
"A pa k at be vi?"
  X ch'a q'u ri x peq chi r e 'uq'.
"Q'o ba bu tzih chi nu pam.
  K in be k uq q'aholab,"
X ch'a ri 'uq' chi r e Tamazul.
  "Utz ba la, ma ba k at anayik ka v ilo,"
X u ch'aax q'u 'uq' r umal x peq.
  "Ma ch av ah ka nu biq'o?   3.300
Ch av il na pe k in anik va.
  X k oh opon ch anim."
"Utz ba la,"
  X ch'a ri 'uq' chi r ech x peq.
Kate q'ut ta x riq' taxik r umal x peq
  Chi beqënah q'u ri x peq.
Ta x beek chi
  Ma vi ka 'anik.
Kate q'ut ta x u k'ul chi q'ut hun nima kumatz.
  Zaqi K'az u bii.   3.310
"A pa k at be vi
  At Tamazul, q'ahol?"
X uch'ax chik ri x peq
  R umal Zaqi K'az.
"In zamahel,
  Q'o nu tzih chi nu pam,"
X ch'a chi q'ut x peq
  Chi r e kumatz.
"Ma ba k at anik ka v ilo.

E caminhou.
"Você, meu Neto,
Não gostaria
Que eu o enviasse para
Lá, para se encontrar com 3.280
Meus netos no campo de jogo?",
Ao piolho foi perguntado.
Assim ele foi lá como um mensageiro.
"Um mensageiro veio ver sua avó
Para dizer que vocês devem vir.
E dentro de sete dias eles devem vir,
Disse o mensageiro de Xibalba,
Sua avó diz", ao Piolho foi dito.
Então ele se foi,
Se foi pulando para a frente. 3.290
E havia um filho sentado na estrada.
Sapo era seu nome, um sapo saltador.
"Aonde você está indo?",
Então o Sapo perguntou ao Piolho.
"Bem, minha palavra está na minha barriga.
Estou indo ver os filhos",
Disse o Piolho ao Sapo.
"Muito bem, mas vejo que não está indo muito rápido",
Ao Piolho então disse o Sapo,
"Não quer que eu o engula? 3.300
Você verá como sou rápido:
Chegaremos lá num instante."
"Está bem",
Disse o Piolho ao Sapo.
E depois que o Piolho foi engolido pelo Sapo,
O Sapo pulou
E se pôs em movimento,
Mas não ia muito rápido.
E então aconteceu que logo ele encontrou uma Cobra grande.
Zaqi Kaz (Vida Branca) era seu nome. 3.310
"Aonde está você indo,
Sapo, meu filho?",
O Sapo foi indagado então
Quando passou por Zaqi Kaz.
"Eu sou um mensageiro.
Minha palavra está na minha barriga",
O Sapo respondeu então
Para a Cobra.
"Acontece que você não está indo muito rápido,

        In ta 'on x k in opon ch anim,"　　　　　　　　　　　3.320
X ch'a q'u kumatz
        Chi r e x peq.
"K at oh ok,"
        X uch'axik,
Kate q'u x biq' chik
        Ri x peq r umal Zaqi K'az.
Ta x u q'am ri r echa kumatz
        K e biq'ov x peq vakamik.
Ch na q'u ri kumatz,
        Ta x beek.　　　　　　　　　　　　　　　　　　　　3.330
X k'ulutah chi vi q'ut ri kumatz r umal Vak',
        Nima tz'ikin.
X biq' chi vi ri kumatz
        R umal Vak'.
Kate pu x opon
        Ri ch u vi hom.
Ta x u k'am r echa ri xik
        K e tiov kumatz pa taq huyub.
Ta x opon puch ri Vak'
        X chakachob ch u vi 'u tz'utz'il hom.　　　　　　　　3.340
K e kikot q'u ri Hun Ah Pu
        X Balan Ke, k e chaahik
Ta x opon q'ut ri Vak',
        Ta x oq' q'u ri Vak',
"Vak'o, vak'o,"
        X ch'a r oq'ibal Vak'o.
"Naki pa ri ch oq'ik?
        Pe ta qa vub,"x e ch'a.

        XXX

Kate puch x ki vubah ri Vak'
        K e k'u taqal u baq vub ch u baq' u vach　　　　　　3.350
Chi zetet q'u
        X qah ulok.
Qitzih vi q'ut x be ki chapa,
        Kate x ki tz'onoh,
"Hu pa 'a petik?"
        X e ch'a chi r e Vak'.
"Q'o ba nu tzih chi nu pam.
        Chi kunah ta na 'u baq' nu vach nabe
Kate q'ut x ch in biih,"
        X ch'a ri Vak'.　　　　　　　　　　　　　　　　　3.360

　　　　Enquanto eu chegarei lá provavelmente num instante",　　　　3.320
Disse a Cobra então
　　　Ao Sapo.
"Vamos",
　　　Foi-lhe dito.
E assim ele foi comido imediatamente,
　　　O Sapo foi comido pela Cobra.
Quando as cobras se alimentam,
　　　Ainda engolem sapos hoje em dia.
E a Cobra correu
　　　Ao se movimentar.　　　　　　　　　　　　　　　　　　　　　　　3.330
E a Cobra foi vista mais tarde pelo Falcão,
　　　Um grande pássaro.
E a Cobra foi engolida também
　　　Pelo Falcão.
E assim então ele chegou a
　　　Um lugar sobre o campo de jogo de bola.
Quando os falcões se alimentam,
　　　Comem cobras em todas as montanhas.
E quando o Falcão chegou,
　　　Ele pousou no topo do anel do campo de jogo de bola.　　　3.340
E eles estavam se divertindo, Hun Ah Pu
　　　E X Balam Ke, jogando,
Quando o Falcão chegou então,
　　　Quando o Falcão os chamou então.
"Falcão... ão! Falcão... ão!",
　　　Disse o grito do Falcão.
"Quem é que está chamando?
　　　Vamos pegar nossas sarabatanas", eles disseram.

XXX

E assim eles atiraram no Falcão
　　　E a bolinha desapareceu no seu olho,　　　　　　　　　　　　3.350
E ele rodopiou ali mesmo
　　　E caiu.
E então eles se acercaram dele de fato e o pegaram,
　　　E então lhe perguntaram:
"Por que você veio?",
　　　Eles disseram ao Falcão.
"Eu apenas tenho minha palavra na minha barriga.
　　　Se curarem meu olho primeiro,
Então eu a direi",
　　　Disse o Falcão.　　　　　　　　　　　　　　　　　　　　　　　3.360

"Utz ba la,"
    X e ch'a q'ut.
Kate x k elezah zkakin r ih kiq',
    Ri Chaah.
X ki koh ch 'u vach ri Vak'.
    Lotz Kiq' x u binaah k umal.
Libah chi q'ut x ka ch'oh k umal
    Utz chik u mukubal ri Vak' x uxik.
"Ch a biih q'ut,"
    X e ch'a chi r e Vak'.   3.370
Kate q'ut x u xavah nima kumatz.
    "Ka ch'av ok," x e ch'a chik chi r e kumatz.
"Ve", x ch'a chi q'ut
    Ta x u xavah chi x peq.
"Naki pa q'o 'a taqikil?
    K at tzihon ok,"
X uch'ax chi q'u ri x peq.
    "Q'o ba nu tzih chi nu pam," x ch'a chi q'u ri x peq.
Kate q'ut x u tih xa bik
    Ma ha bi x u xavah.   3.380
Xa kehe ch u k'axah u chi.
    Ch u tiho, x ma q'o vi ch u xavah.
Kate q'ut x r ah ch'ayik k umal q'aholab,
    "At q'ax tok," x uch'axik.
Ta x yiq' u va r achaq chi 'aqan.
    X k'ah q'ut u baqil u va r achaq chi'aqan.
X u tih chi q'ut
    Xa kehe x u chub u chi.
Kate puch x ki rech' u chi ri x peq.
    X rech' k umal q'aholab.   3.390
X ki tzukuh p u chi
    Xa q'u nak'al ri 'uq'
Ch u va r e x peq.
    Xa p u chiq'o vi.
Ma na x u biq'o.
    Xa kehe xa biq'.
Kehe q'ut x ch'akatah vi ri x peq.
    Ma vi q'alah u vach r echa x ki yao.
R uq ma vi ch anik
    Xa 'u ch'ak kumatz x uxik.   3.400
"Ka tzihon ok,"
    X uch'ax chi q'ut ri 'uq'.
Ta x u biih q'ut u tzih,
    "Ka ch'a ri 'iv atit, ix q'aholab:

198

"Está bem",
    Eles disseram então.
E assim então eles tiraram um pouco
    Do revestimento de borracha da bola.
Eles o puseram no olho do Falcão.
    Goma Ácida, foi chamada por eles.
E tão logo ela foi aplicada por eles,
    A vista do Falcão ficou perfeita.
"Agora fale",
    Eles disseram ao Falcão.   3.370
E assim então ele vomitou a Cobra grande.
    "Fale então", eles lhe disseram.
"Sim", ela disse então,
    Enquanto vomitava o Sapo.
"Qual é sua missão?
    Diga agora",
Ao Sapo foi dito a seguir.
    "Minha palavra está exatamente na minha barriga", disse o Sapo também.
E assim então ele se esforçou um pouco,
    Mas não conseguiu vomitar.   3.380
Apenas abriu à toa sua boca;
    Tentou, mas não pôde vomitar.
E assim então ele começou a ser batido pelos filhos.
    "Você é um demônio", lhe foi dito.
Então eles empurraram seu traseiro com os pés;
    E esmagaram os ossos do seu traseiro com os pés.
E ele tentou de novo,
    Mas apenas babou.
E assim então eles seguraram a boca do Sapo aberta.
    E ela foi mantida aberta pelos filhos.   3.390
Eles olharam sua boca
    E o piolho estava grudado exatamente
Na frente dos dentes do Sapo;
    Ele estava apenas na sua boca então:
Ele não o havia engolido;
    Ele apenas fez de conta que o tinha engolido.
E assim o sapo foi dominado então,
    E não ficou claro que tipo de comida eles lhe deram.
E como ele não tinha se apressado,
    Apenas se tornou comida de cobras.   3.400
"Fale então",
    Ao Piolho foi dito logo a seguir,
E então ele disse sua palavra:
    "Sua avó diz, ouçam filhos:

H e taqa.
    X ul taqol k e.
Ka pe chi Xibalba,
    U zamahel,
Hun Kame
    Vuqub Kame.   3.410
Vuqubix k e 'ulik varal.
    K oh chaah vi.
Chi pe ri k etz'abal: kiq',
    Bate,
Pach q'ab,
    Tz'um.
Are chi k'azitah u vach varal,
    K e' ch'a 'ahavab.
X ul ki tzih,
    Ka ch'a ri 'iv atit   3.420
Ta x i petik,
    Qitzih ka ch'a ri 'iv atit.
K oq'ik,
    Ka zik'inik iv atit x i petik."
"Ma qitzih!" x e ch'a q'ut q'aholab chi ki k'ux
    Ta x ki tao.
Hu zuq x e petik.
    X e 'opon q'ut r uq r k atit.
Xa 'e pixabay chi r e k atit
    X e beek.   3.430

XXXI

"H o na, ix q atit,
    Xa 'oh pixabay iv e.
Vae q'ute r etal qa tzih
    X chi qa kanah na.
Huhun x chi qa tik na chi r e va 'ah,
    Ch u niq'ahal q ochoch x chi qa tik vi.
Are r etal qa kamik
    Ve chi chaq'ihik.
Mi pa x e kamik,
    K ix ch'a ta chi chaq'ihik.   3.440
Ve q'ut ta chi pe 'u tux,
    E pa k'azilik, k ix ch'a q'ut.
Ix q atit,
    Ix pu qa chuch,
Mi x okik q'o r etal qa tzih

Vá ter com eles, ela me disse.
    Uma intimação veio para eles.
Eles chegaram de Xibalba,
    Os mensageiros
De Hun Kame
    E Vuqub Kame.   3.410
Dentro de sete dias eles devem vir aqui.
    Nós jogaremos bola então.
Deixem que eles tragam suas coisas de jogo: a bola,
    Os anéis,
As luvas
    E os aventais.
Então haverá animação aqui,
    Dizem os senhores.
A palavra deles veio,
    Diz sua avó.   3.420
Então vocês devem vir,
    Diz sua avó de verdade.
Ela chora;
    Sua avó implora a vocês que voltem".
"Não pode ser!", os filhos disseram então para si mesmos
    Quando ouviram isso.
Eles se foram imediatamente
    E chegaram diante de sua avó.
Eles estavam apenas se despedindo de sua avó
    E partindo.   3.430

XXXI

"Nós estamos indo, ó nossas avós;
    Estamos apenas nos despedindo de vocês.
E este é o sinal da nossa palavra
    Que deixaremos agora.
Nós dois iremos plantar, cada um, um pé de milho para vocês;
    No meio da nossa casa iremos plantá-los então.
Será o sinal da nossa morte
    Se eles secarem.
Eles devem estar mortos,
    Vocês podem dizer quando eles secarem.   3.440
E se eles produzirem seu cabelo,
    Eles devem estar vivos, vocês podem dizer então,
Ó nossa Avó,
    Ó nossa Mãe.
Assim eles se tornaram o sinal da nossa palavra

   Ka qa nahik iv uq," x e ch'a.
Ta x e beek hun x u tik Hun Ah Pu,
   Hun chi q'u x tikov X Balan Ke.
Xa pa haa x u tik vi.
   Ma n pa huyub tah,   3.450
Ma nay pu pa rax ulev tah.
   Xa pa chaq'ih ulev
Ch u niq'ahal u pa k ochoch.
   X chi ki tik vi kan ok.
Ta x e be q'ut
   Huhun chi v ub chi k e.
X e qah chi Xibalba.
   Libah chi x e qah ch u va kumak.
X e 'iq'ov chi vi q'ut ch u pam hal ha zivan.
   Xa ch u xol tz'ikin x e 'iq'ov vi.   3.460
Are ri tz'ikin,
   Molay ki bi.
X e 'iq'ov chi q'ut pa Puhi 'A,
   Pa Kiq'i 'A,
Ch'akobal ta k e
   Chi ki k'ux Xibalba.
Ma vi x ki yikov.
   Xa chi r ih vub x e 'iq'ov vi.
X e 'el chi q'u 'apan ok pa kahib xalak'at be.
   Xa x k etam vi q'ut ki be Xibalba.   3.470
Q'eqa Be,
   Zaqi Be,
Kaqa Be,
   Raxa Be.
Chiri q'ut x ki taq vi hun chikop,
   Xaan u bi.
Are qamol ki ta
   X ki taq ubik.
"Huhunal k e 'a tiyo.
   Nabe ch a tiy ri nabe kubulel,   3.480
Ch a tzakonizah ki tiyik k onohel.
   Xav ech vi q'ut ch a tz'ubah vi u kiq'el vinaq pa be,"
X uch'axik ri xaan.
   "Utz ba la," x ch'a q'u ri xaan.
Ta x ok pa Q'eqa Be
   Tak'al q'u chi r ih
Ri poy
   Aham chee.
Nabe kulel e kautalik

Que vamos deixar aqui com vocês", eles disseram.
Então eles foram lá e Hun Ah Pu plantou um pé
    E X Balam Ke plantou outro.
Imediatamente eles foram plantados na casa então,
    Não lá fora, nas montanhas,   3.450
Nem na terra úmida:
    Apenas na terra seca,
No meio da casa.
    Eles os plantaram então logo.
E então eles saíram,
    Cada um com sua sarabatana.
Eles desceram para Xibalba.
    Logo passaram diante de um penhasco.
Cruzaram também diferentes gargantas cavadas por rios.
    Então eles passaram no meio dos pássaros.   3.460
Estes são os pássaros:
    Molay (Bando de Pássaros) é seu nome.
Então eles cruzaram o Rio de Pus,
    O Rio de Sangue,
Supostos obstáculos para eles
    No coração daqueles de Xibalba.
Eles não foram incomodados.
    Apenas foram adiante pisando então suas sarabatanas.
E mais uma vez eles vieram diretamente à encruzilhada.
    Mas então já sabiam das quatro estradas dos moradores de Xibalba: 3.470
A Estrada Negra,
    A Estrada Branca,
A Estrada Vermelha
    E a Estrada Verde.
E então eles chamaram um animal lá.
    Mosquito era seu nome.
Ele era o guia, eles tinham ouvido falar.
    Eles o enviaram à frente.
"Pique cada um deles.
    Pique primeiro aquele que está no primeiro assento,   3.480
E vá picando depois todos eles,
    E a vocês mosquitos caberá sugar o sangue das pessoas na estrada",
Ao Mosquito foi dito.
    "Está bem", disse o Mosquito então.
Assim ele tomou a Estrada Negra
    E ficou atrás
Dos bonecos
    De madeira.
As primeiras figuras sentadas estavam todas enfeitadas,

                    Nabe q'ut x ki tiyo   3.490
Ma vi x ch'avik.
          X u tiy chi q'u
Ta x u tiy chik u kaab kulel,
          Ma chi vi x ch'avik.
X u tiy chi q'u r ox
          Q'a chi r ox kulel q'o vi Hun Kame.
"Aqi!"
          X ch'a q'ut hun ta x tiyik.
"Naki?"
          "Ahi!" *x ch'a Hun Kame.*   3.500
"Naki, Hun Kame?
          Naki la?"
"Mi x i tiyovik!"
          "Xa ahi! Naki chila?
Mi x i tiyovik!"
          X ch'a chik u kah kulel.
"Naki, Vuqub Kame?
          Naki la?"
"Mi x i tiyovik!"
          X ch'a chi r o kulel.   3.510
"Ahi! Ahi!"
          X ch'a na.
"Xik'iri Pat,"
          X ch'a Vuqub Kame chi r e,
"Naki la?"
          "Mi x i tiyovik!" *x ch'a chik.*
X tiyik u vaqaq kulel.
          "Ahi!"
"Naki, Kuchuma Kiq'?"
          X ch'a Xik'iri Pat chi r e,   3.520
"Naki la?"
          "Mi x i tiyovik!" *x ch'a chik.*
Ta x tiy u vuq kulel.
          "Ahi!" *x ch'a chik.*
"Naki, Ahal Puh?"
          X ch'a Kuchuma Kiq' chi r e,
"Naki la?"
          "Mi x i tiyovik!" *x ch'a chik.*
Ta x tiy u vahxaq kulel.
          "Ahi!" *x ch'a chik.*   3.530
"Naki, Ahal! Q'ana?"
          X ch'a chik Ahal Puh chi r e,
"Naki la?"

                E a primeira que ele picou   3.490
Não falou,
        E assim ele picou de novo.
E quando ele picou então a segunda figura sentada,
        Ela também não falou.
E assim ele picou a terceira,
        E a terceira figura sentada era Hun Kame.
"Ai!",
        Cada um foi dizendo à medida que recebia uma picada.
"O quê?"
        "Ai!", disse Hun Kame.   3.500
"O que foi, Hun Kame?
        O que foi?"
"Estou sendo picado!"
        "Opa! O que é isso?
Estou sendo picado!",
        Disse a seguir a quarta figura sentada.
"O que foi, Vuqub Kame?
        O que foi?"
"Estou sendo picado!",
        Disse a quinta figura sentada então: 3.510
"Ai! Ai!",
        Ele disse então.
"Kikiri Pat!",
        Vuqub Kame disse para ele,
"Que foi?"
        "Estou sendo picado!", ele disse então.
A sexta figura sentada foi picada.
        "Ai!"
"O que foi, Kuchuma Kiq?",
        Disse-lhe Kikiri Pat,   3.520
"O que foi?"
        "Estou sendo picado!", ele respondeu.
Então a sétima figura sentada foi picada.
        "Ai!", ele disse então.
"O que foi, Ahal Puh?",
        Disse-lhe Kuchuma Kiq,
"O que foi?"
        "Estou sendo picado!", ele disse então.
Então a oitava figura sentada foi picada também.
        "Ai!", ele disse então.   3.530
"O que foi, Ahal Qana?",
        Então lhe disse Ahal Puh,
"O que foi?"

"*Mi x i tiyovik!*" *x ch'a chik.*
Ta x tiy chik u beleh kulel.
　"*Ahi!*" *x ch'a.*
"*Naki, Chamiya Baq?*"
　X ch'a 'Ahal Q'ana chi r e,
"*Naki la?*"
　"*Mi x i tiyovik!*" *x ch'a chik.* 3.540
Ta x tiy chik u lahuh kubulel.
　"*Ahi!*"
"*Naki, Chamiya Holom?*"
　X ch'a Chamiya Baq,
"*Naki la?*"
　"*Mi x i tiyovik!*" *x ch'a chik.*
Ta x tiy chik u hu lahuh kulel.
　"*Ahi!*" *x ch'a chik.*
"*Naki, (Xik')?*"
　X ch'a chik Chamiya Holom chi r e, 3.550
"*Naki la?*"
　"*Mi x i tiyovik!*" *x ch'a chik.*
Ta x tiy chik u kaab lahuh kulel.
　"*Ahi!*" *x ch'a chik.*
"*Naki, Patan?*"
　X ch'a chik (Xik') chi r e,
"*Naki la?*"
　"*Mi x i tiyovik!*" *x ch'a chik.*
Ta x tiy chik r ox lahuh kulel.
　"*Ahi!*" 3.560
"*Naki, Kiq' r E,*"
　X ch'a Patan chi r ech,
"*Naki la?*"
　"*Mi x i tiyovik!*" *x ch'a chik.*
Ta x tiy chik u kah lahuh kulel.
　"*Ahi!*"
"*Naki, Kiq' r Ix K'aq?*"
　X ch'a chik Kiq' r E chi r ech.
"*Naki la?*"
　"*Mi x i tiyovik!*" *x ch'a chik.* 3.570
Kehe q'ut u biixik ki bi
　Ri x ki biih.
K onohel chi k ibil k ib x ki k'ut u vach
　X ki biih ki bi.
Huhun chi holoman u biixik k umal.
　Are chi biin u bi hun ri kubul ch u xukut.
Ma ha bi hun ok x ki zach u bi.

"Estou sendo picado!", ele disse então.
Então a nona figura sentada foi picada.
"Ai!", ele disse.
"O que foi, Chamiya Baq?",
    Disse-lhe Ahal Qana,
"O que foi?"
"Estou sendo picado!", ele disse então.   3.540
Então foi picada a décima figura sentada.
"Ai!"
"O que foi, Chamiya Holom?",
    Disse Chamiya Baq,
"O que foi?"
"Estou sendo picado!", ele disse então.
Então foi picada a décima primeira figura sentada.
"Ai!", ela disse por sua vez.
"O que foi, Kik?",
    Disse-lhe Chamiya Holom a seguir,   3.550
"O que foi?"
"Estou sendo picado!", ele disse por sua vez.
Então foi picada a décima segunda figura sentada desta vez.
"Ai!", ele disse a seguir.
"O que foi, Patan?",
    Kik disse-lhe por sua vez,
"O que há?"
"Estou sendo picado!", ele disse por sua vez.
Então foi picada a décima terceira figura sentada.
"Ai!"   3.560
"O que foi, Kiq r E (Dentes Ensanguentados)?",
    Patan disse para ele por sua vez,
"O que foi?"
"Estou sendo picado!", ele disse então.
Então foi picada a décima quarta figura sentada.
"Ai!"
"O que foi, Kiq r Ix Kaq (Garras Sanguinárias)?",
    Disse Kiq r E para ele então,
"O que foi?"
"Estou sendo picado!", ele disse então.   3.570
E assim todos eles foram chamados por seus nomes,
    Os quais eles revelaram.
Todos eles revelaram suas faces uns aos outros
    E foram chamados por seus nomes,
Cada um foi desnudado por seu nome,
    O nome de cada um foi assim chamado por aquele sentado ao seu lado.
Nenhum só nome ficou de fora.

    K'iz ki biih ki bi k onohel.
Ta x e tiy r umal r izumal u vach
    U ch'ek Hun Ah Pu x u mich' ubik.   3.580
Ma na qitzih xaan ri x e tiyovik.
    X be tao ki bi k onohel.
R umal Hun Ah Pu
    X Balan Ke.
Kate q'ut ta x e beek
    Ta x e 'opon puch
Chila 'e q'o vi
    Xibalba.
"Chi q'ihila 'ahav," x ch'a.
    "Ri kubulik," x ch'a hun tak chinel.   3.590
"Ma vi 'are 'ahav ri,
    Xa poy aham chee ri,"
X e ch'a ta x e 'oponik.
    Kate q'ut ta x e q'alahinik.
"Q'ala ta Hun Kame!
    Q'ala ta Vuqub Kame!
Q'ala ta Xik'iri Pat!
    Q'ala ta Kuchuma Kiq'!
Q'ala ta 'Ahal Puh!
    Q'ala ta 'Ahal Q'ana!   3.600
Q'ala ta Chamiya Baq
    Q'ala ta Chamiya Holom
Q'ala ta Xik',
    Q'ala ta Patan,
Q'ala ta Kiq' r E,
    Q'ala ta Kiq' r Ix K'aq,"
X e ch'a,
    Ta x e 'oponik.
R onohel x k'iz q'ut u vach.
    X ki biih u bi r onohel.   3.610
Ma ha bi hun
    X ki zach u bii.
Are ta x ahavax chi k ech
    Ma ta x kanay u bii k umal.
"K ix ku 'ulok,"
    X e 'uch'ax q'ut.
X e r ah ok ch u vi tem
    Ma q'u x k ah.
"Ma vi 'are qa tem ri,
    Xa chohim abah ri tem,"   3.620
X e ch'a Hun Ah Pu

       Todos eles acabaram chamando seus nomes.
Foram todos afligidos por um pelo da parte da frente da perna de Hun Ah Pu
       Que ele mesmo tinha arrancado.   3.580
Não foi de fato o Mosquito que os picou.
       Ele foi lá para ouvir todos os seus nomes
A pedido de Hun Ah Pu
       E X Balam Ke.
E assim então eles foram
       E então chegaram
Onde era
       Xibalba.
"Saúdam os senhores", lhes disseram.
       "Que estão sentados", disse um, só para enganá-los.   3.590
"Aqueles lá não são os senhores.
       São apenas bonecos entalhados em madeira, aqueles lá",
Eles disseram quando chegaram.
       E assim eles saudaram:
"Salve Hun Kame,
       Salve Vuqub Kame,
Salve Kikiri Pat,
       Salve Kuchuma Kiq,
Salve Ahal Puh,
       Salve Ahal Qana,   3.600
Salve Chamiya Baq,
       Salve Chamiya Holom,
Salve Kik,
       Salve Patan,
Salve Kiq r E,
       Salve Kiq r Ix Kaq",
Eles disseram
       Quando chegaram.
E a revelação de todas as suas faces foi concluída.
       Chamaram todos os seus nomes.   3.610
Nem um só
       Nome foi esquecido.
Pois o desejo deles
       Era que seus nomes fossem esquecidos.
"Sentem-se ali",
       Foi-lhes dito então.
Eles os desejavam no banco,
       Mas eles não quiseram sentar.
"Aquele não é o nosso banco;
       Aquele banco é rocha aquecida",   3.620
Disseram Hun Ah Pu

X Balan Ke, ma vi x e ch'akatahik.
"Utz ba la, xa ba h ix pa ha,"
X e 'uch'axik.
Kate q'ut ta x e 'ok pa Q'equma Ha
Ma vi x e ch'akatahik chiri.
Are nabe u tihobal Xibalba
Ri x e 'ok vi.
K e chi q'u 'u tikarik
Ki ch'akatahik ta chik chi ki k'ux Xibalba. 3.630
Nabe x e 'ok pa Q'equma Ha
Kate q'ut x be ya ok chi chah.
Ka tilovik
Ta x oponik
R uq huhun ki zik'
R umal u zamahel Hun Kame.
"Vae ki chah e'
Ka ch'a 'ahav
Ch ul ki ya chik ri chah zaqarik
R uq ri zik'. 3.640
Ch ul ki moloba,
Ka ch'a 'ahav,"
X ch'a zamahel ta x oponik
"Utz ba la," x e ch'a q'ut,
Ma q'u x ki tzih ri chah.
Xa kaqah u k'ex vach x okik.
Are 'u he kaqix.
Kehe ri chah x k ilo varanel.
Are chi q'u ri zik',
Xa q'aq'a chikop x ki koho ch u vi zik'. 3.650
Hun aqab chi yokovik k umal.
"Mi x e qa ch'ako," x e ch'a varanel.
Ma q'u ha bi x k'iz ri chah,
Xa vi xe re 'u vach.
Are q'u ri zik'
Ma ha bi naki la x ki tzih chi r e.
Xa vi xe re 'u vach.
X be ya 'ok k uq ahavab.
"Naki pa k e 'uxik?
A pa x e pe vi? 3.660
A chi nak x e q'aholanik,
X e 'alanik?
Qitzih q'aq'atat qa k'ux
R umal ma 'utz ka ki bano chi q e.
Halan ki vach,

E X Balam Ke, e eles não foram vencidos.
"Está bem, apenas entrem na casa",
   Foi-lhes dito.
E assim eles entraram na Qequma Haa
   E não foram vencidos lá.
Essa foi a primeira prova de Xibalba
   Que eles venceram.
E eles prometeram começar sua punição de novo então,
   Aqueles de Xibalba, em seus corações. 3.630
Primeiro eles foram à Qequma Haa,
   E então eles receberam uma tocha.
Ela estava acesa
   Quando chegou,
Com um charuto para cada um
   Trazido pelo mensageiro de Hun Kame.
"Estas são suas tochas,
   Diz o senhor.
Eles devem vir amanhã de manhã para devolver as tochas,
   Junto com os charutos. 3.640
Esses devem ser devolvidos inteiros,
   O senhor diz",
O mensageiro disse quando ele veio.
   "Está bem", eles disseram então.
Mas eles não queimaram a tocha.
   Apenas alguma coisa vermelha ficou no seu lugar.
Era um rabo de papagaio,
   E ele parecia ser a tocha acesa para os guardas.
E na extremidade dos charutos
   Eles puseram um pirilampo. 3.650
E a noite inteira eles o conservaram aceso.
   "Nós os derrotamos", disseram os guardas.
Mas as tochas não terminaram absolutamente;
   Só pareciam assim.
Nem os charutos:
   Não havia absolutamente nada ardendo neles.
Apenas pareciam arder.
   Eles saíram e os devolveram para os senhores.
"Quem são eles?
   De onde vieram? 3.660
Quem os gerou
   E os deu à luz?
Nossos corações estão muito perturbados,
   Porque não é bom o que eles estão fazendo.
Diferente é sua aparência,

    Halan nay puch ki q'aheyik,"
X e (ch'a) chi k ibil k ib.
    Ta x e taqon q'ut k onohel ahavab,
"Oh o chaah ok, ix q'aholab," x e 'uch'axik,
    Ta x e tz'onox q'ut   3.670
R umal Hun Kame
    Vuqub Kame,
"A pa k'i x ix pe vi?
    Chi biih tah, ix q'aholab," x ch'a q'ut Xibalba chi k e.
"A la ba x oh pe vi lo,
    Ma vi q etaam,"
Xa x e ch'a,
    Ma vi x ki biih.
"Utz ba la, xa ka be q'u qa chaah,
    Ix q'aholab," x e ch'a Xibalba chi k e.   3.680
"Utz,"
    X e ch'a.
"Are ba chi qa koh ri va qa kiq',"
    X e ch'a Xibalba.
"Ma tah, are ta chi koh va q e,"
    X e ch'a q'aholab.
"Ma ha bi, are chi qa koh va q e,"
    X e ch'a chik Xibalba.
"Utz ba la,"
    X e ch'a q'aholab.   3.690
"He ba la xa huch'il,"
    X e ch'a Xibalba.
"Ma ba la, xa holom k oh ch'a chik,"
    X e ch'a q'aholab.
"Ma ha bi,"
    X e ch'a Xibalba.
"Utz ba la,"
    X ch'a Hun Ah Pu.
Ta x tzaq q'u 'ulok r umal Xibalba,
    Kiq' u taqal ch u vach u bate Hun Ah Pu.   3.700
Kate puch ta x k il Xibalba
    Ri zaqi tok ta x el ch u pan ri kiq'.
Chi tzininik.
    X be he ch u vach tak ulev ri chaa.
"Naki pa la?" x ch'a ri Hun Ah Pu
    X Balan Ke.
"Xa kamik
    K iv ah chi q ech.
Ma ta x oh be 'i taqa?

           E diferente também é sua natureza",
Eles comentaram entre si.
           Então eles chamaram todos os senhores.
"Vamos jogar então, rapazes", foi-lhes dito.
           E então lhes perguntaram   3.670
Hun Kame
           E Vuqub Kame:
"De onde vocês estão vindo então?
           Digam-nos, rapazes", Xibalba lhes disse então.
"Devemos vir de algum lugar;
           Não sabemos",
Foi tudo o que eles disseram,
           E eles nada contaram.
"Está bem, vamos só jogar bola então,
           Filhos", Xibalba lhes disse.   3.680
"Que bom",
           Eles disseram.
"Aqui, então, poremos a nossa bola",
           Xibalba disse.
"Ó, não. Aqui poremos a nossa",
           Disseram os filhos.
"Não, não. Aqui poremos a nossa",
           Disse Xibalba de novo.
"Está bem",
           Disseram os filhos.   3.690
"Certo, é só uma bola enfeitada",
           Disse Xibalba.
"Não, não é. É apenas uma caveira, repetimos",
           Disseram os filhos.
"Não é, não",
           Disse Xibalba.
"Está bem",
           Disse Hun Ah Pu.
Então ela foi lançada no chão por Xibalba.
           A bola parou diante do anel de Hun Ah Pu,   3.700
E enquanto Xibalba olhava
           A faca branca saiu de dentro da bola.
Ela ressoou.
           Ela se arrastou ondulando por todo o campo.
"O que é isso?", disseram Hun Ah Pu
           E X Balam Ke.
"Vocês só querem
           A nossa morte!
O seu chamado não chegou até nós?

Ma ta pu x be 'i zamahel? 3.710
Qitzih toq'ob qa vach!
  Xa k oh beek,"
X e ch'a q'aholab chi k e.
  Are ta q'u x ahavax chi k e q'aholab
Hu zu ta x kam ri chiri
  Chi cha x e ch'akatah tah.
Ma vi kehe
  Xa Xibalba x e ch'akatah chik k umal q'aholab.
"Ma ba k ix beek,
  Ix q'aholab, 3.720
K oh chaah na
  Xa 'are ka qa koho ri 'iv ech,"
X uch'ax q'ut q'aholab.
  "Utz ba la," x e ch'a q'ut.
Are q'u x ok ri ki kiq'.
  Ta x qah q'u chaah.
Kate q'ut ta x k ichoy
  Ki ch'akon,
"Naki pa chi qa ch'ako?"
  X e ch'a Xibalba. 3.730
"He na k i k'ut,"
  Xa x e ch'a q'aholab.
"Xa qa ch'a k'aqah kah zel kotz'ih,"
  X e ch'a Xibalba.
"Utz ba la, naki pa chi kotz'ihal?"
  X e ch'a q'aholab chi k e Xibalba.
"Hu tik'ab kaqa mu chit,
  Hu tik'ab zaqi mu chit,
Hu tik'ab q'ana um chit,
  Hu tik'ab q'u ri nimaq," 3.740
X e ch'a Xibalba.
  "Utz ba la," x e ch'a q'ut q'aholab.
Ta x qah q'ut chi cha, hunam ki chuq'ab,
  Tzatz pu ki cha ri q'aholab,
Xa q'u k'i r utz ki k'ux.
  Ta x ki ya k ib chi ch'akatahik ri q'aholab.
K e kikot q'ut ri Xibalba
  Ta x e ch'akatahik.
"Utz mi x qa bano,
  Nabe mi x e qa ch'ako." 3.750
X e ch'a Xibalba.
  "A pa x chi be ki q'ama vi ri kotz'ih?"
X e ch'a chi ki k'ux.

  E seus mensageiros não vieram?   3.710
Por favor, tenham pena de nós!
  Estamos indo embora",
Os filhos lhes disseram.
  Pois era o que eles queriam para os filhos:
Que eles morressem subitamente ali,
  E fossem derrotados pelas facas.
Mas não foi assim.
  Em vez disso toda Xibalba foi derrotada pelos filhos.
"Não vão embora,
  Filhos.   3.720
Vamos jogar.
  Poremos apenas as suas bolas",
Aos filhos foi dito então.
  "Muito bem", eles responderam.
Assim eles trouxeram sua própria bola,
  E então arremessaram a bola.
E isso foi quando eles estavam escolhendo
  Seus prêmios.
"O que vamos ganhar?",
  Disseram aqueles de Xibalba.   3.730
"Bem, vocês é que escolhem",
  Foi tudo o que disseram os jovens.
"Nosso prêmio será apenas quatro vasos de flores",
  Disseram aqueles de Xibalba.
"Está bem, que tipo de flor?",
  Disseram os filhos para aqueles de Xibalba.
"Um ramo de campainhas vermelhas,
  Um ramo de campainhas brancas,
Um ramo de campainhas amarelas,
  E um ramo das grandes",   3.740
Disseram aqueles de Xibalba.
  "Está bem", disseram os filhos então.
E quando eles a lançaram no jogo, a força deles era igual,
  E os jovens fizeram muitas jogadas.
E seus corações estavam então muito satisfeitos.
  Então os meninos se permitiram ser vencidos,
E os de Xibalba se alegraram
  Quando ganharam.
"Estamos nos saindo bem.
  Vencemos logo no início",   3.750
Disseram aqueles de Xibalba.
  E então: "Onde eles poderão colher as flores?",
Eles disseram em seus corações.

"Qitzih ta 'aqab
Chi ya ri qa kotz'ih,
   Qa ch'akom puch,"
X e 'uch'ax puch q'aholab Hun Ah Pu
   X Balan Ke r umal Xibalba.
"Utz ba la, 'aqab chi q'ut k oh chaahik,"
   X e ch'a q'ut ta x e pixaban k ib.   3.760
Kate chi q'ut ta x e 'ok chi q'aholab pa Chayim Ha,
   U kaab tihobal Xibalba.
Are ta q'ut x ahavax chik
   X e q'ataq'ox tah r umal cha'.
Ch anim tah chi k k'ux
   X e kam tah chi ki k'ux, ma q'u k e kamik.
Ta x e ch'a chi r e cha.
   Ta x ki pixabah,
"Are 'iv e ri r onohel u tiyohil chikop,"
   X e ch'a chi r e cha.   3.770
Ma q'u x e zilab chik.
   Xa hun q'ah chi vi
Cha
   R onohel.
Are q'ut e q'o chi chiri pa Chayim Ha ch aqab,
   Ta x ki zik'ih r onohel zanik,
"Chay zanik,
   Ch'eken zanik,
K ix pet ok,
   K ix oh 'iv onohel   3.780
Oh i q'ama r onohel u vach kotz'ih,
   Ki ch'akon ahavab."
"Utz ba la,"
   X e ch'a q'ut.
Ta x e be q'u ri zanik,
   K onohel e q'amol kotz'ih u tikon
Hun Kame
   Vuqub Kame.
Mier ok q'ut chi ki pixabah
   Chahal ki kotz'ih ri Xibalba,   3.790
"La k'i ch iv ila qa kotz'ih.
   M i ya chi eleq'axik
R umal ri ma x e qa ch'ako ri q'aholab.
   A na vi x pe vi ri lo qa ch'akon k umal?
Ma ha bi chi varah hun aqab,"
   "Utz ba la," x e ch'a q'ut.
Ma q'u x ki na ri chahal tikon.

"Exatamente ao anoitecer
Deem-nos nossas flores
　E nossos prêmios",
Disseram aos moços Hun Ah Pu
　E X Balam Ke aqueles de Xibalba.
"Muito bem, e jogaremos esta noite também",
　Eles disseram quando saíram.　　　　　　　　　　　　　3.760
E assim foi então que os filhos voltaram à Chayim Haa,
　A segunda prova de Xibalba.
E isso foi quando imaginaram de novo que
　Seriam ali picados pelas facas,
E rapidamente então, nos corações deles,
　Eles seriam mortos, nos corações deles, mas não foram.
Então eles falaram às facas;
　Então eles as avisaram:
"De vocês é toda a carne dos animais",
　Eles disseram às facas.　　　　　　　　　　　　　　　3.770
E elas não se moveram mais para a frente,
　Mas cada uma deixou pender sua ponta,
Todas as
　Facas.
E eles ficaram então lá na Chayim Haa durante a noite.
　Então eles chamaram todas as formigas:
"Formigas Cortadeiras,
　Formigas Carregadeiras,
Venham agora.
　Queremos que vocês todas nos　　　　　　　　　　　3.780
Tragam todas as flores,
　O prêmio dos senhores."
"Muito bem",
　Elas disseram então.
E assim as formigas se foram.
　Elas trouxeram as flores do jardim
De Hun Kame
　E Vuqub Kame.
Mas eles já haviam dado instruções no dia anterior
　Aos guardas das flores, aqueles de Xibalba:　　　　　　3.790
"Vocês só vigiem as nossas flores.
　Não deixem que sejam roubadas,
Porque assim venceremos os filhos,
　E onde poderão eles agora colher o nosso prêmio?
Não durmam de maneira nenhuma a noite inteira."
　"Está bem", eles disseram então.
Mas os guardas não ouviram as formigas.

      Xa loq' chi ki raquh ki chii
Ch u q'ab tak chee
      Tikon puch   3.800
K e be chakala chiri
      Xa vi xere chi ki ch'abeh ri ki bix,
"Xpurpuveq,
      Xpurpuveq,"
Ch'a ri hun
      Ta ch oq'ik.
"Puhuyu,
      Puhuyu,"
Ch'a chik
      Ta ch oq'ik ri Puhuyu, u bii.   3.810
E kaib chi
      Chahal tikon,
U tikon Hun Kame
      Vuqub Kame,
Ma q'u ka ki na
      Ri zanik eleq'ay ki chahem,
Ka bolovik,
      Ka tukuvik,
Eray kotz'ih
      Ri ka be q'ato va 'ulok.   3.820
Kotz'ih ch u vi chee, r e ka zikov
      K uq ch u xe chee ri kotz'ih.
Xa kehe chi ki raquh ki chii ri chahalib
      Ma na r e ka ki nao
Ka kux ki he,
      Ka kux ki xik'.
Are ka ki rixik kotz'ih
      Ka ka qah ulok
R e ka zik'ovik
      R e ka be q'ato va 'ulok.   3.830
Libah chi q'ut x noh kahib zel kotz'ih
      Tikitoh chi q'ut ta x zaqirik.
Kate q'ut ta x ul zamahel
      Taqonel,
"K e pet 'ok, ka ch'a 'ahav,
      Hu zuq chi ki q'am ula ri qa ch'akon,"
X e 'uch'ax q'ut q'aholab.
      "Utz ba la," x e ch'a q'ut
Ki tik'el a 'on
      Ri kotz'ih kahib zel   3.840
Ta x e beek

                Eles encheram em vão seus pulmões
Nos galhos das árvores
                E nas parreiras,   3.800
Movendo-se lentamente ali
                E repetindo de fato apenas suas canções.
"Coo!
                Coo!",
Disse um
                Quando ele chamou.
"Cooruja!
                Cooruja!",
Disse o outro
                Quando ele chamou, Coruja era seu nome.   3.810
Os dois eram
                Os guardas do jardim,
O jardim de Hun Kame
                E Vucub Kame.
Mas eles não ouviram
                As formigas roubando as coisas confiadas a eles,
As formigas passando
                E dando voltas,
Carregando as flores
                Que tinham sido cortadas lá: 3.820
Flores do alto das árvores para ser colhidas
                E flores sob as árvores.
Os guardas apenas continuaram seu tipo de chamado,
                Porque não sabiam
Que elas estavam cortando também seus rabos;
                Elas estavam cortando também suas asas.
Assim elas morderam as flores,
                Que caíram
Para ser colhidas,
                Para ser juntadas lá embaixo.   3.830
E logo as flores encheram quatro vasos
                E outras foram sendo acrescentadas até que ficou claro de novo.
E isso foi quando os mensageiros vieram,
                E aqueles que bradavam.
"Que eles venham", os senhores disseram,
                "Que tragam nossos prêmios já",
Aos filhos foi dito então.
                "Muito bem", eles disseram então.
E assim carregando
                As flores em quatro vasos   3.840
Eles foram então

   Ta x e 'opon q'u
Chi ki vach ahav.
   Ahavab k u k'aam kotz'ih q'uz u vach.
Kehe q'ut x e ch'akatah vi Xibalba.
   Xa zanik x ki taq ri q'aholab.
Xa hun aqabil x ki chap zanik
   Ta ki ya pa zel.
Kehe q'ut x e zaq qahe ri k onohel Xibalba,
   Zaq bu 'e ki vach r umal ri kotz'ih.   3.850
Kate q'ut x ki taq ri chahal kotz'ih,
   "Naki pa r umal mi x i ya qa kotz'ih?
Chi 'eleq'axik?
   Are qa kotz'ih vae,
K av ilo?"
   X e 'uch'ax chahal.
"Ma ba x qa nao, at ahav,
   Mi na re kuyu qa he,"
X e ch'a q'ut.
   Kate puch x hix ki chii,   3.860
Ki tohöbal,
   Ki chahin chi 'eleq'axik.
Kehe q'ut ki ch'akatahik Hun Kame,
   Vuqub Kame
K umal Hun Ah Pu,
   X Balan Ke.
U xe ri banoh ri
   Ta x ki k'am ri ki chii herebaq.
Ki chii purpuveq,
   Herebaq vakamik.   3.870
Kate chi q'ut ta x qah chaah
   Xa vi xe re hunam k e chaahik
X k eleh chi q'u chaah.
   Ta x e pixaban chi q'u k ib.
"Zaqirik chik," x e ch'a Xibalba.
   "Utz ba la," x e ch'a q'aholab ta x k eleh.
X e 'ok chi q'ut pa Tev Ha.
   Ma vi 'ahilan tev.
Tzatz chi zaq boqom ch u pan ha,
   R ochoch tev.   3.880
Hu zuq q'u x tzah tev
   R umal k utzinak,
Mayinak.
   X zach ri tev k umal q'aholab.
Ma vi x e kamik;

        E então ficaram de novo
Diante dos senhores.
        Os senhores tomaram as flores com as faces caídas.
E assim os senhores de Xibalba foram derrotados.
        Os filhos tinham apenas enviado formigas,
E em uma noite apenas as formigas tinham carregado
        E colocado as flores nos vasos,
E assim todos aqueles de Xibalba foram derrotados.
        Caídas estavam suas faces por causa das flores.   3.850
E assim eles chamaram os guardas das flores.
        "Por que deixaram nossas flores
Serem roubadas?
        Estas aqui são nossas flores,
Veem?",
        Aos guardas foi dito.
"Só soubemos disso, ó senhor,
        Depois que nossos rabos doeram",
Eles disseram então.
        E assim então suas bocas foram rasgadas,   3.860
Seu pagamento
        Por terem deixado que o tesouro deles fosse roubado.
E assim Hun Kame
        E Vuqub Kame foram derrotados
Por Hun Ah Pu
        E X Balam Ke.
Por causa disto é
        Que eles ficaram com as bocas rasgadas,
E as bocas dos mochos-orelhudos
        São fendidas até os dias de hoje.   3.870
E assim quando eles jogaram bola então,
        Apenas empataram.
E eles deixaram o jogo de novo,
        E assim se despediram dos outros de novo.
"Amanhã recomeçamos", disseram aqueles de Xibalba.
        "Está bem", disseram os filhos enquanto saíam.
E eles voltaram para a Tev Haa (Casa do Frio).
        O frio era insuportável.
Aterradora era a temperatura da casa,
        O lar do frio.   3.880
E logo o frio foi dissipado
        Porque eles o enfraqueceram
E acabaram com ele.
        O frio foi destruído pelos filhos.
Eles não morreram;

        Xa vi 'e k'azilik
Ta x zaqirik.
        Are ta q'u x k ah Xibalba,
Chiri ta x e kam vi.
        Ma vi kehe.   3.890
Xa vi q'ut utz ki vach
        Ta x zaqirik.
X e kel chik ula taqol k e;
        X e be chik e chahal.
"Naki pa la ma vi x e kamik?"
        X ch'a chik r ahaval Xibalba.
X ki mayihah chik
        Ki banoh q'aholab,
Hun Ah Pu,
        X Balan Ke.   3.900

XXXII

Kate x e 'ok chik q'ut pa Balami Haa.
        Tzatz chi balam Balam r Ochoch.
"Ma vi k oh i tiyo.
        Q'o iv ech ch uxik, x e 'uch'axik balam.
Kate q'ut x ki pub'ih baq chi ki vach chikop,
        Kate q'ut k e paq'aq'ik chiri ch u vi baq.
"Mi q'u x e 'utzinik.
        Mi x u tih ki k'ux.
Kate vi ri mi x ki ya k ib.
        Are ki baqil ri ka k'uxixik,"   3.910
X e ch'a ri varanel,
        K onohel kiy ki k'ux chi r e.
Ma q'u x e kamik;
        Xa vi xere 'utz ki vach.
X e 'el ulok
        Pa Balami Haa.
"Naki pa q'u chik e vinaqil?
        A pa q'u x e pe vi?"
X e ch'a ri Xibalba,
        K onohel.   3.920

XXXIII

Kate chik x e 'ok ch u pam q'aq'.
        Hun haa chi q'aq'.
Xa 'u tukel q'aq' u pam.

Ao contrário, sobreviveram
Até o amanhecer.
　　　Era isso que Xibalba queria,
Que lá eles morressem então,
　　　Mas não foi assim.　　　　　　　　　　　　　　　3.890
Em vez disso eles estavam bem
　　　Quando amanheceu.
E os mensageiros vieram buscá-los;
　　　Os guardas voltaram.
"Por que eles não estão mortos?",
　　　Disse o governante de Xibalba.
Eles se admiraram mais uma vez
　　　Do comportamento dos filhos,
Hun Ah Pu
　　　E X Balam Ke.　　　　　　　　　　　　　　　　3.900

XXXII

E assim eles voltaram à Balami Haa.
　　　Havia muitos jaguares na Balami Haa.
"Não nos comam.
　　　Haverá algo para vocês", aos jaguares foi dito.
E assim então eles lançaram ossos diante das feras,
　　　E assim então elas lutaram lá sobre os ossos.
"Agora eles estão acabados;
　　　Agora eles estão comendo seus corações,
E isso significa que foram vencidos.
　　　Aqueles são seus ossos que estão sendo comidos",　3.910
Disseram os guardas.
　　　Seus corações ficaram satisfeitos com isso.
Mas eles não morreram;
　　　Ao contrário, estavam bem.
Eles saíram
　　　Da Balami Haa.
"Mas que tipo de pessoas são essas?
　　　E de onde vieram?",
Disseram todos aqueles
　　　De Xibalba.　　　　　　　　　　　　　　　　　3.920

XXXIII

E assim então eles entraram no fogo.
　　　Uma casa estava em chamas.
Não havia nada exceto fogo nela,

  Ma vi x e k'atik r umal.
Xa bolol;
  Xa tz'imah vi.
Xa vi xere 'utz chik
  Ki vach
Ta x zaqirik.
  Are ta k ahavaxik: 3.930
Hu zuq ta k e kamik ch u pam
  Ri k e 'iq'ov vi.
Ma vi kehe.
  Xa vi ka zach ki k'ux Xibalba r umal.

  XXXIV

X e koh chik ch u pam Zotz'in Haa.
  U tukel zotz' ch u pam chi haa.
Hun haa chi kama zotz',
  Nimaq chikop.
Kehe ri cha ki tzam,
  Ki kamizabal.   3.940
Hu zuq ch utzinik
  Ch opon chi ki vach.
X e q'ohe q'u chiri ch u pam.
  Xa pa vub x e var vi,
Ma vi x e tiyik
  R umal ri 'e q'o pa haa.
Chiri q'ut x ki ya vi k ib hun vi
  R umal hun chi kama zotz'
Chi qah
  X pe vi.   3.950
Xa vi 'u k'utubal r ib
  Ta x ki bano.
R umal q'o ka ki tz'onoh vi
  Ri ki naoh.
Hun aqab q'u
  Ri zotz' k e buhuhik.
"Kilitz!
  Kilitz!"
K e ch'a;
  K e ch'a hun aqab.   3.960
X tane q'u ri zkakin.
  Ma ha bi chik k e zilobik ri zotz'.
Chiri q'u chakal vi ri tun,
  Tzam vub,

Mas eles não foram queimados.
Eles apenas ficaram tostados;
  Apenas marcados então.
Ao contrário, eles estavam bem de novo.
  E apareceram
Quando amanheceu.
  Isso foi quando imaginaram 3.930
Que eles logo morreriam
  No meio daquilo que atravessaram lá dentro.
Mas não foi assim.
  Apenas aqueles de Xibalba perderam o coração por causa disso.

XXXIV

Eles os puseram depois na Zotzi Haa.
  Não havia nada além de morcegos dentro da casa,
Uma casa cheia de Morcegos da Morte,
  Grandes Feras.
Como facas eram seus caninos,
  Suas armas de matar. 3.940
Uma pessoa era imediatamente morta
  Ao se aproximar,
 E eles estavam lá dentro.
  Mas eles dormiram dentro de suas sarabatanas então,
 E não foram comidos,
  Apesar de estarem na casa.
E foi aqui que um deles se rendeu
  Por causa de um Morcego da Morte
Que então desceu.
  Ele veio justo 3.950
Quando um deles se expôs,
  Quando eles agiram.
Fizeram isso
  Porque era na verdade o que desejavam.
Toda a noite
  Os morcegos esvoaçaram ao redor.
"Guincho!
  Guincho!",
Eles disseram;
  Eles chamaram a noite toda. 3.960
Então isso parou um pouco.
  Os morcegos não se moveram mais;
E rastejando para cima no tubo,
  Até a extremidade da sarabatana,

X ch'a q'u ri X Balan Ke,
    "Hun Ah Pu,
Q'a hanik pa 'u zaqirik k av ilo?"
    "Q'a hanik an la ba lo v ila na," x ch'a q'ut.
K'i q'ut are ka r ah muqum ulok ch u chi vub.
    Ka r ah r il ulok u zaqirik.   3.970
Kate puch ta x kupix u holom r umal kama zotz'.
    K u pul chi kan ok u nimal ri Hun Ah Pu huch'alik.
"Ma mi x zaqirik?" x ch'a ri X Balan Ke.
    Ma ha bi chik chi zilobik ri Hun Ah Pu.
"Hu pa cha? Ma xa 'on mi x beek Hun Ah Pu?
    Hu pa cha mi x a bano?"
Ma ha bi chi zilobik;
    Xa k'i chi qozoz chik.
Kate q'ut x u k'ixibih X Balan Ke.
    "Akarok, mi x qa ya yaan, x ch'a q'ut.   3.980
Chila q'ut x be q'ola na vi 'u holom,
    Ch u vi hom.
Xa vi 'u tzih Hun Kame,
    Vuqub Kame.
K e kikot q'u ri Xibalba k onohel
    R umal u holom Hun Ah Pu.
Kate q'ut ta x u taq chikop,
    R onohel:
Tziiz,
    'Aq,   3.990
R onohel ch'uti chikop,
    Nima chikop,
Ch aqab,
    Xa vi xere r aqabal.
Ta x u tz'onoh q'ut,
    K e ch'a.
"Naki tak pa 'iv echa ch i huhunal?
    Are k ix nu taq vi chi qam ulok ri 'iv echa,"
X ch'a q'ut X Balan Ke chi k e.
    "Utz ba la," x e ch'a q'ut.   4.000
Ta x e beek e qamol r ech,
    Ta x e 'ul he q'ut k onohel.
Q'o xa q'umar r ech x be 'u qama;
    Q'o xa tz'alik x be 'u qama;
Q'o xa 'abah x be 'u qama;
    Q'o xa 'ulev x be 'u qama.
Halahoh k echa ri chikop,
    Nima chikop.

X Balam Ke então disse:
"Hun Ah Pu,
Você está saindo para ver se já amanheceu?"
"Não sei se vou conseguir ver", ele disse então.
E continuou assim tentando olhar através da abertura da sarabatana;
Ele tentou olhar para fora para ver se havia amanhecido. 3.970
E assim então sua cabeça foi agarrada por um Morcego da Morte.
O corpo de Hun Ah Pu ficou preso, sem cabeça.
"Já amanheceu?", perguntou X Balam Ke.
Mas Hun Ah Pu não se mexeu mais.
"O que é isso? Hun Ah Pu não pode já ter saído!
O que você está fazendo?"
Mas ele não se mexeu.
Só a respiração pesada continuou.
E assim então X Balam Ke se sentiu ultrajado.
"Ai de mim! Fomos traídos", ele disse então. 3.980
E lá fora a cabeça dele foi então parar
No campo de jogo,
Tal como ordenado por Hun Kame
E Vuqub Kame,
E todos aqueles de Xibalba se alegraram
Por causa da cabeça de Hun Ah Pu.
E foi assim então que ele chamou os animais,
Todos eles:
Quati,
Porco, 3.990
Todos os pequenos animais
E os grandes animais
À noite,
Ou antes, ao escurecer,
E quando ele lhes fez perguntas,
Eles falaram.
"O que é que vocês comem, cada um de vocês?
Agora eu lhes ordeno que tragam suas comidas aqui."
Disse X Balam Ke para eles.
"Está bem", eles disseram então. 4.000
Então eles foram buscar sua comida,
E então todos realmente voltaram.
Havia decomposição no que eles trouxeram;
Havia folhas no que eles trouxeram;
Havia pedras no que eles trouxeram;
Havia lodo no que eles trouxeram.
Coisas bem diferentes comiam os pequenos animais,
Os grandes animais.

K'i pu q'ut u qam be kanah ok ri tziiz.
    Q'oq' x be 'u qama.   4.010
K u balakatih ch u tzam ka petik.
    Are q'ut x ok hal vachibal u holom Hun Ah Pu.
Libah chi x k'otox u baq' u vach.
    Tzatz chi 'ah naoh chi kah x pe vi.
Are 'u K'ux Kah,
    Hu r Aqan.
X ulik ulok;
    X ulik ulok
Chiri,
    Pa Zotz'i Haa.   4.020
Ma q'u q'atan x utzinik u vach,
    Utz chik x uxik.
Xa vi xere 'u ch'uq hebel x vachinik;
    Xa vi xere x ch'avik.
Are q'ut ta chi r ah zaqirik;
    Chi kaqatarin u xe kah.
"Ka xaqi na chik, ama," x uch'ax ri vuch'.
    "Ve", x ch'a ri mamma ta chi xaqinik.
Kate ta chi q'equmar chik.
    Kah mul xaqin ri mamma.   4.030
"Ka xaqin uch',"
    Ka ch'a vinaq vakamik.
Xa q'u kaq rax utzinik
    Ta x u tikiba 'u q'oheyik.
"Ma 'utz?" ch uch'ax q'ut Hun Ah Pu.
    "He, 'utz," x ch'a q'ut.
Xa vi xere ch u baqitila 'u holom.
    Kehe ri qitzih u holom x uxik.
Kate q'ut ta x ki ban ki tzih,
    X e pixaban k ib.   4.040
"Ma naki k at chaahik;
    Xa k'i ch a yeq'uh av ib.
Xa 'in hun,
    K'i k in banovik,"
X ch'a X Balan Ke chi r e.
    Kate q'ut ta x u pixabah hun Umul.
"K at q'ole ta chiri ch u vi hom chi vi;
    K at q'ohe vi ch u pam pix,"
X uch'ax Umul
    R umal X Balan Ke.   4.050
"Ch opon na kiq' av uq
    Kate k at elik
Q'a 'in k in banovik,"

Mas então ainda faltava o quati voltar e trazer a comida dele.
    Abóbora foi o que ele trouxe.   4.010
Ele chegou rolando-a com seu focinho,
    E aquilo se transformou na cabeça de Hun Ah Pu.
Rapidamente seus olhos foram cinzelados.
    O cérebro veio do sábio no Céu.
Este era o Kux Kah,
    Hu r Aqan.
Ele desceu;
    Ele desceu
Lá
    Na Zotzi Haa.   4.020
Embora não fosse fácil, ele concluiu a face,
    E ela ficou boa de novo.
E sua pele ficou bem bonita;
    E ele realmente falou!
E foi então que começou a amanhecer.
    O fundo do Céu começou a avermelhar.
"Escureça-o outra vez, meu velho", ao Gambá foi dito.
    "Está bem", disse o avô, escurecendo-o,
E assim então ele ficou escuro de novo.
    Quatro vezes o avô o escureceu.   4.030
"O gambá está escurecendo",
    As pessoas dizem hoje.
Mas então ele se tornou vermelho e azul,
    Como começou sua existência.
"Não está bom?", a Hun Ah Pu foi perguntado então.
    "Sim, está bom", ele disse então,
E a cabeça dele realmente concordou;
    Ela se tornou como uma cabeça verdadeira.
E assim foi que eles fizeram seu plano;
    Eles o discutiram.   4.040
"Você não deveria jogar de modo algum;
    Apenas tome conta de si mesmo.
Deixe-me sozinho:
    Vou fazer o melhor que puder",
Disse-lhe X Balam Ke.
    E assim então ele instruiu um Coelho:
"Você deve ficar lá a postos sobre o pátio;
    Você deve ficar nos tomates",
Ao Coelho disse
    X Balam Ke.   4.050
"Se a bola vier na sua direção,
    Então você foge,
Mas eu ficarei ocupado",

>   *X uch'ax ri 'Umul*
> *Ta x pixabaxik*
> >   *Ch aqab.*
> *Kate q'ut ta x zaqirik,*
> >   *Xa vi xere 'utz ki vach ki kaab ichal.*

>   XXXV

X qah chi q'u ki chaah,
>   *K'ol an chi q'ut u holom Hun Ah Pu chu vi hom.*   4.060
"*Mi x qa ch'akoy an;*
>   *Mi x i bano.*
K i ya 'an;
>   *Mi x i yao,*"
X e 'uch'axik.
>   *Xa vi q'u xere chi zik'in Hun Ah Pu,*
"*Ch a kaq'a ri holom chi kiq',*
>   *K e 'uch'axik,*
"*Ma q'u chi qa q'axov chik,*
>   *Chi yeq'ov q ib.*"   4.070
Are q'u x e tzaqov kiq' r ahaval Xibalba,
>   *X u qul q'ut X Balan Ke,*
Tak'al q'u ri kiq' ch u vach bate;
>   *Chi tanenik,*
Ta x elik,
>   *Hu zuq q'u x iq'ov kiq' ch u vi hom*
Xa hun,
>   *Xa ka nab vi, tak'al pa pix.*
Ta x el q'u ri 'Umul chi k'oxik'otik,
>   *Ta x beek okotal q'ut,*   4.080
Ta x be
>   *K umal ri Xibalba:*
K e huminik;
>   *K e ch'aninik.*
X e be chi r ih ri 'Umul.
>   *X e k'iz be k onohel Xibalba.*
Kate q'ut x ki qamix tah ri 'u holom Hun Ah Pu,
>   *X tikix tah chik u q'oq' X Balan Ke.*
Are chi q'ut x be k'i,
>   *K u ba ri q'oq' ch u vi hom.*   4.090
Qitzih holom chik,
>   *U holom ri Hun Ah Pu.*
K e kikot chi q'u,
>   *Ki kaab ichal.*

    Ao Coelho foi dito
Quando ele foi instruído
    Durante a noite.
E assim foi então que amanheceu,
    Mas ambos estavam realmente bem.

XXXV

E de novo sua bola foi lançada ali.
    Era a cabeça de Hun Ah Pu, rolando pelo campo todo.   4.060
"Estamos ganhando até agora.
    Vocês estão realmente derrotados.
É melhor desistir;
    Vocês já perderam!",
Foi-lhes dito.
    No entanto Hun Ah Pu gritou:
"Chutem a cabeça como uma bola",
    Foi-lhes dito,
"Nós não ficaremos mais feridos,
    Chutem."   4.070
E assim os governantes de Xibalba acertaram a bola
    E X Balam Ke a devolveu,
E a bola parou diante do anel.
    Bateu ali
E foi para cima,
    E de repente a bola cruzou o campo,
Apenas um,
    Apenas dois pulos, parando nos tomates.
E então o Coelho fugiu pulando,
    E então eles foram atrás dele.   4.080
Então a caça continuou
    Para aqueles de Xibalba.
Eles assobiaram;
    Eles zumbiram.
Eles foram atrás daquele Coelho.
    Xibalba toda acabou indo.
E foi então que a cabeça de Hun Ah Pu pôde ser resgatada
    E a abóbora de X Balam Ke de novo fixada.
Assim ele foi adiante
    E rolou a abóbora sobre o campo de jogo,   4.090
E a cabeça de Hun Ah Pu
    Era novamente uma cabeça verdadeira,
E eles se alegraram,
    Os dois.

Are q'ut k e be tzuku na kiq' ri Xibalba,
  Kate q'ut x ki qamix tah
Chi ri kiq',
  Pa pix.
Ta x e zik'in chi q'ut, "K ix pet ok!
  Vae kiq' q e! 4.100
Mi x qa riqo!"
  X e ch'a,
Ki q'oolem chi q'ut
  Ta x e 'ul Xibalba.
"Naki pa ri mi x q ilo?"
  X e ch'a q'ut.
Ta x ki tikiba chi q'ut chaahik,
  Hunam chaahik chi q'ut x ki ban chik kaab ichal.
Kate q'ut x kaqatah ri q'oq' r umal X Balan Ke.
  Chi puqabin ri q'oq' x qah pa hom 4.110
Zaqiram q'u
  Ri 'u zaqilal chi ki vach.
"Naki pa ri chi be i qama?
  A pa q'o vi ri qamol r e?" x ch'a Xibalba.
Kehe q'ut ki ch'akatahik
  R ahaval Xibalba,
R umal Hun Ah Pu,
  X Balan Ke.
Nima q'axiq'ol x e q'ohe vi,
  Ma vi 'are x e kam vi, 4.120
Ri r onohel
  X ban chi k e.

XXXVI

Are q'ut vae ki nabal,
  Ki kamik
Hun Ah Pu,
  X Balan Ke.
Are va ki nabal,
  Ki kamik x chi qa biih chik.
Ta x e pixabah q'ut,
  X ki bano 4.130
R onohel q'axiq'ol,
  Rayil x ban chi k e,
Ma vi x e kamik r umal u tihobal Xibalba;
  Ma vi x e ch'akatahik
R umal r onohel tiyonel,

E lá estavam aqueles de Xibalba ainda caçando a bola,
    E assim eles tiveram de ser atraídos de volta,
Atrás da bola nos tomates,
    E assim eles os chamaram:
"Voltem!
    Aqui está a nossa bola!   4.100
Nós a encontramos!",
    Eles disseram então.
E eles ainda estavam ali
    Quando aqueles de Xibalba voltaram.
"O que era aquilo que vimos?",
    Eles disseram então.
E assim então eles começaram a jogar de novo
    E de novo as duas partes estavam empatadas.
E assim então a abóbora foi chutada por X Balam Ke;
    A abóbora estourou e caiu sobre o campo   4.110
E esguichou
    Suas sementes nas suas faces.
"O que é isso que você trouxe?
    Onde está quem trouxe isto?", disseram os de Xibalba.
E assim foram derrotados
    Os governantes de Xibalba
Por Hun Ah Pu
    E X Balam Ke.
Grande sofrimento tiveram de passar,
    Mas isso não os matou,   4.120
Apesar de tudo
    O que lhes fizeram.

XXXVI

E aqui está sua memória,
    A morte
De Hun Ah Pu
    E X Balam Ke.
Aqui está sua lembrança;
    Sua morte como iremos contar.
Pois depois que foram prevenidos,
    Eles suportaram   4.130
Toda a dor,
    O sofrimento que lhes infligiram,
Mas não foram mortos pelas provações de Xibalba;
    Mas não foram derrotados
Por todos os animais

  Chikop q'o chi Xibalba.
Kate q'ut ta x ki taq chi kaib nik' vachinel,
  Kehe ri 'e 'ilol.
Are ki bi va:
  Xulu,   4.140
Pakam;
  E 'etamanel.
"Ve k oh tz'onoxik ch iv e
  K umal r ahaval Xibalba
R umal ri qa kamik.
  Ki naoh ka ki nuk'
R umal ri ma vi mi x oh kamik,
  Ma pu mi x oh ch'akatahik.
Mi x qa zach ki tihobal,
  Ma xa chikop ch ok chi q e.   4.150
Are q'u r etal va chi qa k'ux:
  Chohim abah kamizabal q e k umal.
Mi x e kuchu k ib r onohel Xibalba,
  Ma q'u qitzih ta x oh kamik.
Are q'u i naoh
  Va x chi qa biih.
Ve k ix ul tz'onobex x ok k umal
  Chi r ech qa kamik,
Ta k oh k'at ok,
  Naki x chi k uch'ah,   4.160
Ix Xulu,
  Ix Pakam,
Ve k e' ch'a ch iv e?
  Ma 'utz lo
Chi qa tix ta ki baqil pa zivan,
  V e ma ba 'utz?
Xa vi xere chik chi k'azitah ki vach,
  K ix ch'a.
Ve ba 'are'utz
  Xa chi qa xekeba ch u vi chee?   4.170
Ta k e ch'a chik ch iv e,
  Xax ma 'utz vi;
Xa vi xere ch iv il chi k'azitah ki vach,
  K ix ch'a.
Ta k e ch'a chi q'ut
  Chi r ox mul,
Xa ba 'are r utzil
  Xa chi qa tix ki baqil pa r aqan ha?
Ve q'ut k ix uch'ax chik k umal,
  Are 'utz ba la k e kamik,   4.180

    Venenosos de Xibalba.
E assim então eles chamaram dois videntes de longe,
    Dois adivinhos.
Estes são seus nomes:
    Xulu (Pobre)   4.140
E Pakam (Rico);
    Eles eram sábios instruídos.
"Por meio de vocês poderemos ser indagados
    Pelos governantes de Xibalba
Sobre nossa morte.
    Eles estão reunidos,
Porque não morremos
    Nem fomos derrotados.
Frustamos seus esforços,
    Nem os animais nos atingiram.   4.150
Assim temos este presságio em nossos corações:
    A nossa morte no forno será preparada por eles.
Todos os moradores de Xibalba estão reunidos,
    Mas ainda assim não morremos.
E esta é a instrução
    Que vamos lhes dar:
Se mais tarde vocês forem indagados por eles
    Sobre nossa morte,
Quando o fogo nos destruir,
    O que eles irão dizer,   4.160
Ó Xulu,
    Ó Pakam,
Se falarem a vocês?
    Poderia ser bom
Lançar seus ossos no barranco,
    Ou talvez não?
Mas então sua face será ressuscitada de novo,
    Vocês digam.
Não poderia ser bom talvez
    Apenas pendurá-los numa árvore?   4.170
Se eles falarem isso para vocês depois,
    De fato, isso não seria bom,
Pois então vocês veriam suas faces ressuscitarem de novo,
    Vocês digam.
E então se eles disserem
    Pela terceira vez,
Então seria bom talvez
    Jogarmos seus ossos no rio?
E se vocês forem indagados por eles,
    Seria bom se eles pudessem morrer,   4.180

Kate q'ut utz
    Chi hoq ki baqil ch u vach abah,
Kehe ri chi keex q'ahim hal.
    Huhunal chi keik,
Kate q'u chi tix ubik chi r aqan a,
    Chi ri qah q'ut a,
Chi be ch'uti huyub,
    Nima huyub,
Ch ix ch'a q'ut.
    Ta chi k'utunizah   4.190
Ri qa pixab,
    Mi x qa biih ch iv e,"
X e ch'a X Hun Ah Pu,
    X Balan Ke,
Ta x e pixabik
    X k etamah ki kamik.
Are ka ban ri nima chohim abah,
    Kehe ri chohibal,
X ki ban Xibalba.
    Nimaq xaq x ki ki koho.   4.200
Kate q'ut x ul zamahel,
    Ach'bilay k e,
U zamahel Hun Kame,
    Vuqub Kame.
K e pet ok.
    "K oh be ta k uq q'aholab,
Chi be ta
    K ila.
Q'a k ix qa ch'ohih,
    Ka ch'a 'ahav,   4.210
Ix q'aholab,"
    X e 'uch'axik.
"Utz ba la,"
    X e ch'a q'ut.
Anim x e beek,
    X e 'opon q'ut ch u chi choh.
Chiri q'ut x e r ah ch'ih vi,
    Chi 'etz'anem.
"Ka ch'opih vae ri qa ki
    Kah tak mul tah   4.220
Chi q'axiq'ah
    Chi qa huhunal,
Ix q'aholab," x e ch'aax q'ut
    R umal Hun Kame.
"Ma vi 'are k oh i mich' vi ri.

E então seria bom
   Moer seus ossos com uma pedra,
Como o milho verde é moído.
   Cada um deveria ser moído separadamente,
E cada um então jogado ao longo do rio,
   E no fundo do rio,
E sobre a estrada das pequenas montanhas
   E das grandes montanhas.
Vocês lhes digam.
   Então será declarada   4.190
Esta nossa profecia
   Que declaramos a vocês,"
Disseram Hun Ah Pu
   E X Balam Ke
Quando eles profetizaram
   O que sabiam sobre sua morte.
Foi lá preparado o grande forno de pedra
   Como um forno para o vinho,
Feito por aqueles de Xibalba.
   Grandes galhos puseram nele.   4.200
E assim então os mensageiros chegaram
   Para acompanhá-los,
Os mensageiros de Hun Kame
   E Vuqub Kame.
Eles voltaram.
   "Vamos até os filhos,
Aqui eles vão vir
   E vão nos ver.
Pois vamos realmente submetê-los a uma prova,
   Dizem os senhores,   4.210
Ó filhos",
   Foi-lhes dito.
"Está bem",
   Eles disseram então.
Rapidamente eles se foram
   E chegaram à boca do forno.
E para ali eles queriam atraí-los
   Como se fosse um jogo.
"Vamos pular sobre o nosso vinho
   Quatro vezes seguidas,   4.220
De um lado para o outro,
   Cada um de nós,
Filhos", disse-lhes então
   Hun Kame.
"Vocês não podem nos enganar;

  Ma pa q etam qa kamik,
Ix ahavab?
  Ch iv ila na," x e ch'a q'ut.
Ta x ki k'ula vachih ki vach.
  X ki rip ki q'ab ki kaab ichal,   4.230
E pu hupuhuh ta x e beek pa choh,
  Chiri q'ut x e kam vi ki kaab ichal.
K e kikot chi q'ut
  R onohel Xibalba.
Tak'al ki yuyub,
  Tak'al ki xul q'ab,
"Mi x e qa ch'ako!
  Qitzih ma vi 'atan x ki ya k ib," x e ch'a.
Kate q'ut ki taqik ri Xulu,
  Pakam.   4.240
X kanah vi ki tzih.
  Xa vi xere x tz'onox
Ri x be vi ki baqil,
  Ta x e q'ihin Xibalba.
X hoq ki baqil,
  X be tix ok chi r aqan a,
Ma q'u x e be ta chi nah.
  Xa hu zuq x e qah ch u xe 'a.
E chaom q'aholab x e 'uxik,
  Xa vi xere ki vach x uxik,   4.250
X e k'utun chi q'ut.

XXXVII

  Chi r oo bix q'ut x e k'utun chik.
X e 'il chi ya r umal vinaq.
  E kaib kehe ri xa vinaq kar x e vachinik.
Ta x il ki vach k umal Xibalba,
  X e tzukux q'ut chi tak ya.
X chuveq a q'ut k e k'utun ok
  E kaib chi meba.
Atz'iyaq ki vach,
  'Atz'iyaq pu k ih,   4.260
Atz'iyaq q'ut ki q'u.
  Ma na chi ban an ta ki vach,
Ta k'i x e 'ilik r umal Xibalba,
  Hala chi q'ut x ki bano.
Xa Xahoh Puhuy,
  Xahoh Kux,
Xa 'Iboy x ki xahoh,
  Xa X Tz'ul,

Não temos conhecimento da nossa morte,
Ó senhores?
É o que veremos", eles disseram então.
Então eles se olharam;
    E se deram as mãos   4.230
Enquanto se atiravam impetuosamente no forno,
    E lá os dois morreram.
E então se alegraram mais uma vez
    Todos os moradores de Xibalba.
Quando eles pararam de olhar com satisfação;
    Quando pararam de assobiar entre as mãos,
"Nós os derrotamos!
    Mas eles não desistiram logo!", eles disseram.
E assim eles chamaram Xulu
    E Pakam,   4.240
Que mantiveram sua palavra
    Quando foram efetivamente indagados
Sobre o que aconteceria com os ossos deles;
    Quando foram invocados por aqueles de Xibalba.
Seus ossos foram triturados
    E espalhados ao longo do rio,
Mas eles não foram muito longe.
    Eles apenas afundaram logo na água.
Eles se transformaram em belos filhos,
    E de fato suas faces surgiram   4.250
E eles reapareceram.

XXXVII

    E no quinto dia eles apareceram de novo.
Eles foram vistos na água pelas pessoas.
    Os dois apenas pareciam peixes-homens.
Suas faces foram vistas por aqueles de Xibalba,
    E eles foram procurados por toda parte no rio.
E no dia seguinte, ou depois, eles apareceram de novo,
    Os dois, como mendigos,
Farrapos na frente
    E farrapos nas costas,   4.260
E farrapos eram seus cobertores.
    Não estavam fazendo nada quando apareceram,
Quando foram vistos por aqueles de Xibalba,
    Ao contrário, o que eles fizeram
Foi apenas a Dança da Coruja,
    A Dança da Doninha;
Apenas dançaram o Tatu,
    Apenas a Centopeia,

Xa Ch'itik x ki xah chik.
  K'iya mayihabal x ki ban chik. 4.270
X ki poroh haa kehe ri qitzih chi k'atik,
  Libah chi q'ut x vinaqir chik.
Tzatz chi Xibalba chi kayik.
  Kate chi ki puz k ib.
Chi kam hun chi k e,
  Chi pune na chi kaminakil,
Nabe chi ki kamizah k ib,
  Xa vi xere libah chi k'azitah vi chi 'u vach.
Xa ki kay Xibalba,
  Ta chi ki bano. 4.280
R onohel x ki ban chik,
  U xenahik chik,
Ch'akabal k ech
  Xibalba k umal.

XXXVIII

Kate chi puch x oponik chik
  U tzihel ki xahoh
Chi xikin ahavab Hun Kame,
  Vuqub Kame.
X ch'a
  Ta x ki tao, 4.290
"Naki ri 'e kaib meba?
  La qitzih vi chi quz?"
"Qitzih vi pu chi hebelik ki xahovik.
  R onohel ka ki bano,"
X ch'a q'ut.
  Ki tzihoxik x oponik k uq ahavab.
Quz x ki tao.
  Ta x bochi q'ut
Ki zamahel
  Taqol chi k e pet ok, 4.300
"Ch ul ki bana,
  Qa kay,
K e qa mayihah tah;
  K e qa kayih tah puch,
K e ch'a ahavab,
  K ix ch'a chi k e,"
X uch'ax ri zamahel.
  X e' opon q'ut k uq ri xahol,
Ta x ch'av q'ut
  Ki tzih ahavab chi k e. 4.310

E apenas dançaram a Dança da Perna-de-Pau;
   Eles fizeram outras coisas maravilhosas também.   4.270
Atearam fogo numa casa, e era como se ela estivesse realmente ardendo,
   E então subitamente ela voltou a ser de novo o que era.
Eles foram olhados com assombro em Xibalba.
   E então eles se sacrificaram,
Cada um morrendo para o outro
   E ficando então lá estendidos.
Depois que haviam se matado,
   Suas faces subitamente voltaram à vida.
Xibalba apenas olhou
   Enquanto eles faziam isso.   4.280
Eles estavam fazendo de tudo,
   A fim de inspirar mais temor
Para derrotar
   Xibalba.

XXXVIII

E assim então continuaram chegando
   Notícias de suas danças
Aos ouvidos dos senhores Hun Kame
   E Vuqub Kame.
Eles disseram
   Quando ouviram isso: 4.290
"Quem são esses dois mendigos?
   É realmente divertido o que fazem?"
"Sim, a dança deles é realmente muito bonita.
   Eles fazem de tudo",
Eles disseram então.
   Foi-lhes comunicado então que se apresentassem perante os senhores,
Pois eles estavam curiosos para ouvi-los,
   E por isso então pediram a
Seus mensageiros
   Que os trouxessem até eles.   4.300
"Deixem os dois vir e atuar
   Para assistirmos,
Para podermos nos encantar com eles,
   E que possamos olhá-los,
Dizem os senhores,
   Digam-lhes isso",
Aos mensageiros foi dito,
   E eles foram aos dançarinos
E disseram
   A palavra dos senhores para eles.   4.310

"Ma ba chi ka q ah
    R umal ri qitzih k oh xobik.
Ma xa ma vi k oh k'ixibik
    K oh ok apan ok chi 'ahaval haa!
R umal k'i 'itzel qa vach.
    Ma xa ki nimaq, u baq' qa vach chi meba.
Ma xa 'on r il chi r e xa 'oh xahol.
    Naki ta chi qa biih chi k e q ach'meba.
K okam k u rayih nay pu ri qa xahol
    Ka ki k'azitah ki vach q uq.   4.320
Ma kehe la q'u x chi qa ban chi k e ri 'ahavab,
    Kehe q'u ma vi ka q ah vi,
Ix zamahel,"
    X e ch'a q'ut,
Ri Hun Ah Pu,
    X Balan Ke.
X elehebex naki vach ch u vi ray,
    Ch u vi k'ax.
Kaq rayil x e beek;
    Ma vi 'atan x k ah benam.   4.330
K'iya mul x e ch'ihik,
    Xa chi mach' kay
Zamahel chi ki vach,
    Qamol k e,
Ta x e be q'ut r uq ahav.

XXXIX

X e 'opon puch k uq ahavab.
K e mochochik,
    Chi ki xul,
Ela ki vach x e 'oponik;
    X ki kemelah k ib.   4.340
Chi ki luk k ib;
    Chi ki pach k ib.
Chi mayo k ih
    Chi 'atz'iyaq.
Qitzih vi chi meba
    Ki vachibal.
X e 'oponik,
    Ta x tz'onox q'ut
Ki huyubal,
    K amaq' puch;   4.350
X tz'onox nay puch ki chuch,
    Ki qahav.
"A pa k ix pe vi?"

"Não sabemos se queremos,
　　Porque estamos de fato receosos.
Não, não!, não devíamos nos sentir envergonhados
　　De entrar na casa do governo?
Porque nossas faces são muito desagradáveis.
　　Não!, seja como for, nossos olhos dão pena.
Poderia parecer que somos apenas dançarinos.
　　O que podemos dizer a nossos colegas mendigos
Que também vieram e desejam nossa dança,
　　Para conosco alegrar suas faces? 4.320
Assim não podemos atuar para os senhores,
　　É por isso que não queremos,
Ó mensageiros,"
　　Eles disseram então,
Hun Ah Pu
　　E X Balam Ke.
Eles foram por fim persuadidos a ir, com dificuldade,
　　Com esforço.
Com relutância eles foram.
　　Eles não queriam caminhar rápido. 4.330
Muitas vezes resistiram,
　　Só para humilhar
Os dois mensageiros à frente deles,
　　Sua escolta.
Assim eles foram até os senhores.

XXXIX

　　E eles chegaram diante dos senhores.
Eles inclinaram muito a cabeça para a frente,
　　Abaixaram
E curvaram suas faces quando chegaram.
　　Eles se humilharam, 4.340
Abaixando-se,
　　Curvando-se até o chão,
Suas costas cobertas
　　De farrapos.
Realmente era miserável
　　Sua aparência
Quando chegaram.
　　E então lhes perguntaram sobre
Suas montanhas
　　E suas cidades, 4.350
E lhes perguntaram sobre suas mães
　　E seus pais.
"De onde vocês vêm?",

X e 'uch'axik.
"Ma ba q eta 'on, at Ahav.
    Ma vi x q etamah u vach
Qa chuch,
    Qa qahav.
Q'a 'oh ch'utik ok
    Ta x e kamik,"   4.360
Xa x e ch'a,
    Ma vi naki la x ki biih.
"Utz ba la,
    Ch u ban ta ba qa kay.
Naki ch iv ah,
    Iv ahil chi qa yao?" x e 'uch'axik.
"Ma ba ka q ah.
    Qitzih chi ka qa xibih q ib,"
X e ch'a chik
    Chi r e 'ahav.   4.370
"M ix xibih iv ib.
M ix xobik.
K ix xahov ok.
    Are ta nabe ch i xah
Ri k ix puzu ta 'iv ib,
    Ch i poroh ta q'u ri v ochoch.
Ch i bana r onohel
    Ri 'iv etam.
K oh kay tah.
    Ka q ah.   4.380
Are 'uma qa k'ux
    K ix be taq ok.
R umal ix meba,
    Chi qa ya 'iv ahil," x e 'uch'ax q'ut.
Ta x tikiba q'ut ki bix,
    Ki xahoh.
Ta x ul q'ut r onohel ri Xibalba.
    X e pulik,
E kayel,
    R onohel q'ut x ki xaho.   4.390
X ki xah Kux;
    X ki xah Puhuy;
X ki xah Iboy;
    X ch'a q'ut ahav chi k e,
"Chi puzu ri nu tz'i,
    Chi k'azitah chik u vach iv umal,"
X e 'uch'axik.
    "Ve", x e ch'a.
Ta x ki puz tz'i;

    Foi-lhes perguntado.
"Talvez não saibamos, ó Senhor.
    Nunca conhecemos o rosto
De nossa mãe
    E de nosso pai,
Porque éramos ainda pequenos
    Quando eles morreram",   4.360
Foi tudo o que disseram.
    Eles não disseram mais nada.
"Muito bem,
    Então façam o nosso espetáculo agora.
O que vocês quiserem como pagamento
    Nós daremos", foi-lhes dito.
"Não desejamos realmente nada.
    Na verdade estamos com medo",
Eles disseram
    Ao senhor.   4.370
"Não fiquem amedrontados;
    Não fiquem assustados.
Vão lá e dancem:
    Inicialmente, aquela dança
Na qual vocês se sacrificam
    E queimam a casa.
Façam tudo
    O que sabem fazer.
Assim poderemos assistir;
    É o que desejamos.   4.380
Foi por causa dos nossos corações
    Que vocês foram chamados.
Como vocês são pobres,
    Nós lhe daremos seu pagamento", foi-lhes dito então.
Assim então começaram suas canções,
    Suas danças.
E então vieram todos aqueles de Xibalba.
    Eles se sentaram
Como espectadores,
    E eles dançaram tudo: 4.390
Eles dançaram a Dança da Doninha,
    Eles dançaram a Dança da Coruja;
Eles dançaram a Dança do Tatu,
    E o senhor lhes falou:
"Vamos ver o meu cachorro ser sacrificado
    E a sua face depois ser ressuscitada por vocês",
Foi-lhes dito.
    "Está bem", eles disseram.
Então eles sacrificaram o cachorro,

```
        X k'azitay chik u vach.                                    4.400
Qitzih q'u chi kikot ri tz'i
        Ta x k'azitah u vach.
Ch u zaq bizala 'u hee,
        Ta x k'azitah u vach.
X ch'a q'ut ahav chi k e,
        "Chi poroh na ba v ochoch,"
X e 'uch'ax chik.
        Ta x ki poroh q'ut r ochoch ahav.
E pulinaq ahavab pa haa k onohel,
        Ma vi x e k'atik.                                          4.410
Libah chi chik x k utzinizah.
        Ma na hu zuq zachik ri r ochoch Hun Kame.
X ki mayihah q'ut
        K onohel ahavab.
Xa vi q'u xere k e xahovik.
        Nim k e kikotik.
X e 'uch'ax chi q'ut
        R umal ahav,
"Ch i kamizah na q'u hun vinaq,
        Chi i puzu ma ta q'u chi kamik,"                           4.420
X e 'uch'ax q'ut.
        "Utz ba la," x e ch'a.
Ta x ki chap q'ut hun vinaq,
        Kate x ki puzu.
X ki poq'oh q'u 'aqan ok u k'ux ri hun vinaq,
        X ki k'oloba q'ut chi ki vach ahavab.
X k mayiha chi q'ut Hun Kame,
        Vuqub Kame.
Libah chi q'ut x k'azitah chi 'u vach ri hun vinaq k umal.
        Nim chi kikot u k'ux ta x k'azitah u vach.                 4.430
X ki mayihah q'ut
        Ahavab.
"Ch i puzu chi na q'ut iv ib,
        Chi q il tah.
Qitzih k u rayih qa k'ux ri 'i xahoh,"
        X e ch'a chi q'u 'ahavab.
"Utz ba la, at Ahav,"
        X e ch'a q'ut.
Kate puch x ki puz k ib.
        Are q'u x puz                                              4.440
Ri X Hun Ah Pu
        R umal X Balan Ke,
Huhunal q'u
        X perepoxik:
R aqan,
```

E ressuscitaram sua face de novo. 4.400
E o cachorro estava realmente feliz
    Quando sua face foi ressuscitada.
Ele sacudiu o rabo alegremente
    Quando sua face foi ressuscitada.
E o senhor falou para eles:
    "Vamos ver a minha casa ser queimada",
Foi-lhes dito a seguir,
    E então eles queimaram a casa do senhor.
Todos os senhores estavam sentados na casa,
    Mas eles não foram queimados. 4.410
Subitamente eles a refizeram.
    Nada na casa de Hun Kame foi perdido.
E eles ficaram assombrados,
    Todos os senhores.
Assim tudo o que eles dançaram
    Lhes agradou bastante.
E a seguir disse-lhes
    Os senhores:
"E agora matem um homem.
    E o sacrifiquem sem que ele morra", 4.420
Foi-lhes dito então.
    "Está bem", eles disseram.
E então eles pegaram um homem
    E o sacrificaram.
E tiraram o coração do homem sem demora.
    E o colocaram diante dos senhores,
E eles ficaram assombrados, Hun Kame
    E Vuqub Kame.
E subitamente a face desse homem foi de novo ressuscitada por eles;
    Seu coração se alegrou muito quando sua face foi ressuscitada, 4.430
E eles se admiraram,
    Os senhores.
"E agora vocês se sacrifiquem,
    Assim poderemos ver isso.
Realmente nossos corações estão encantados com essa dança de vocês",
    Os senhores repetiram.
"Está bem, ó Senhor",
    Eles disseram então.
E assim então eles se sacrificaram,
    E Hun Ah Pu 4.440
Foi morto
    Por X Balam Ke.
E cada parte do seu corpo
    Foi largada em volta:
Suas pernas,

U q'ab.
X el u holom;
    X q'ole 'apon ok chi nah.
X q'otik ulok u k'ux;
    X ch'eqe ch u vach tzalik.   4.450
K e q'abar q'u ri,
    R onohel r ahaval Xibalba chi kay.
Xa q'u hun chi ka xahovilabik:
    Ri X Balan Ke.
"K at valih ok," x ch'a q'ut,
    Libah chi q'ut x k'azitah u vach.
Nim k e kikotik.
    Xa vi kehe k e kikotik ahavab
Xa vi 'are k e banovik.
    Ka kikot ki k'ux   4.460
Hun Kame,
    Vuqub Kame,
Kehe ri 'are k e xahovik,
    Ka ki nao

XL

Kate puch u rayinik,
    U malinik pu ki k'ux ahavab
Chi r e ki xahoh X Hun Ah Pu,
    X Balan Ke.
Ta x el q'u ki tzih Hun Kame,
    Vuqub Kame,   4.470
"Ch i bana chi q e;
    K oh i puzu," x e ch'a q'ut.
"Hunal tah k oh i puzu,"
    X e ch'a q'ut
Hun Kame,
    Vuqub Kame
Chi k e ri X Hun Ah Pu,
    X Balan Ke.
"Utz ba la, chi k'azitah i vach.
    Ma pa 'ix q'o Kam?   4.480
Oh pu kikotirizay iv e,
    Ix pu r ahaval
Iv al,
    I q'ahol,"
X e ch'a q'ut
    Chi k e 'ahavab.
Are q'u nabe x puz ri
    K'i 'u holom ahav,

             Seus braços.
Sua cabeça se separou;
             Deslocou-se até certa distância.
Seu coração foi retirado;
             E posto numa folha.   4.450
E eles ficaram ébrios dessa visão,
             Todos os governantes de Xibalba.
E só um deles foi capaz de continuar dançando:
             Era X Balam Ke.
"Levanta-te de novo", ele disse então,
             E subitamente sua face ressuscitou.
Eles se alegraram muito,
             E os senhores se alegraram também
Por terem realmente feito aquilo.
             Regozijaram-se os corações   4.460
De Hun Kame
             E Vuqub Kame,
Como se eles tivessem dançado
             E conhecido aquilo.

             XL

E assim então brotou uma aflição
             E um anseio nos corações dos senhores
Pelas danças de Hun Ah Pu
             E X Balam Ke.
Assim então vieram as palavras de Hun Kame
             E Vuqub Kame: 4.470
"Façam para nós!
             Sacrifiquem-nos!", eles disseram então.
"Sacrifiquem-nos da mesma maneira",
             Então disseram
Hun Kame
             E Vuqub Kame
A Hun Ah Pu
             E X Balam Ke.
"Está bem: suas faces vão ser ressuscitadas.
             Vocês não são a Morte?   4.480
Pois estamos lhes dando divertimento,
             E vocês são os que governam
Sua criança nascida,
             Sua criança engendrada",
Eles disseram então
             Aos senhores.
E o primeiro a ser sacrificado
             Foi o verdadeiro chefe dos senhores,

Hun Kame 'u bi,
    R ahaval Xibalba.   4.490
Kaminak chi q'ut Hun Kame,
    Ta x chap chik Vuqub Kame.
Ma vi x k'azitah chik ki vach.
    Kate puch k elik Xibalba chi k aqan.
Are x k il ri 'ahavab
    X e kamik.
E xaraxoh chik ubik,
    E pu xaraxoxinah ki kaab ichal.
Xa q'u k'ahizabal ki vach
    X banik.   4.500
Hu zuq x u kamibeh ri hun ahav,
    Ma na x ki k'azitah chik u vach.
Are q'u hun ahav x elah na
    X ok na chi ki vach ri 'e xahol.
Ma vi x u q'ulu;
    Ma pu x u riqo.
"Toq'ob nu vach,"
    X ch'a ta x u na r ib.
X e k'iz ka beek r onohel k al,
    Ki q'ahol pa nima zivan.   4.510
Xa hun x ki balih vi k ib
    Pa nima xolobachan,
Chiri q'ut e t'ubul vi.
    Ta x q'ulun q'ut
Ma vi 'ahilan chi zanik tukulih ula,
    K e pa zivan.
Kehe ri x e beyox ulok.
    Ta x e 'ul q'ut.
X ki xul,
    Ki ya chi k ib k onohel.   4.520
X e 'ul elah ok;
    X e 'ul puok ok.
Kehe q'ut k e ch'akatahik
    R ahaval Xibalba.
Xa mayihabal,
    Xa pu ki hal vachibal k ib ta x ki bano.
Kate puch ta x ki biih ki bi.
    X ki q'obizah k ib chi ki vach onohel Xibalba.

    XLI

"Ch i ta qa bi,
    X chi qa biih!   4.530

Hun Kame chamado,
    O governante de Xibalba.   4.490
E quando Hun Kame estava morto
    Eles pegaram então Vuqub Kame.
Mas não ressuscitaram suas faces.
    E assim aqueles de Xibalba fugiram.
Eles viram os senhores lá,
    Mortos.
A seguir eles abriram buracos neles,
    Assim ambos ficaram cheios de buracos.
E foi apenas para humilhar suas faces
    Que eles o fizeram.   4.500
Imediatamente eles mataram um senhor
    E não ressuscitaram sua face.
Mas outro senhor se inclinou bastante
    Quando veio diante dos dançarinos.
Ele não concordou,
    E não pôde se entender com eles.
"Tenham pena de mim",
    Ele disse quando compreendeu.
Finalmente eles enviaram todas as suas crianças nascidas,
    Todas as suas crianças engendradas à grande garganta.   4.510
Todas elas se apertaram
    Dentro das grandes gargantas estreitas
E se amontoaram lá.
    E então as crianças encontraram
Uma multidão de formigas que se juntaram e
    Entraram lá no desfiladeiro,
Quando elas estavam sendo conduzidas para lá.
    Assim então elas saíram.
Elas se curvaram
    E todas se entregaram a eles.   4.520
Elas vieram para se curvar até chão então;
    Elas vieram para lhes prestar um tributo então,
E assim foram derrotados
    Os governantes de Xibalba.
Foi apenas um milagre,
    E foi apenas porque se transformaram que eles fizeram isso.
E assim então eles chamaram seus nomes
    E se vangloriam diante de todos aqueles de Xibalba.

XLI

"Ouçam os nossos nomes
    Que vamos dizer!   4.530

X chi qa biih nay puch
    U bi qa qahav ch iv e!
'Oh va!
    'Oh,
X Hun Ah Pu,
    X Balan Ke qa bi!
'Are q'u qa qahav
    Ri x i kamizah,
Hun Hun Ah Pu,
    Vuqub Hun Ah Pu ki bi!   4.540
'Oh pu paq'ol r e vae ki rayil,
    Ki k'axik'ol ri qa qahav,
Kehe q'ut mi x qa kuyu vi
    R onohel k'axik'ol mi x i ban chi q e.
Kehe q'ut k ix qa zach vi 'iv onohel.
    X ix qa kamizah.
Ma ha bi chik kolotahel ch iv e,"
    X e 'uch'ax q'ut.
Kate puch k elahik.
    K oq'ik k onohel Xibalba,   4.550
"Toq'ob qa vach,
    Ix,
Hun Ah Pu,
    X Balan Ke.
Qitzih vi x oh makunik
    Chi k e ri 'i qahav k i biih,
La q'ute 'e muqul;
    E chi Puqubal Chaah,"
X e ch'a q'ut.
    "Utz ba la,   4.560
Are ba ri qa tzih
    X ki qa biih ch iv e.
Ch i taa 'iv onohel,
    Ix Xibalba,
R umal ma na nim chik i q'ih,
    Iv alaxik ch uxik,
R uq nay puch ma vi nim chik i kochibal.
    X zkakin chik
Chi kiq' holomax;
    Ma vi ch'ahom kiq' iv e.   4.570
Xa xot,
    Xa 'akam,
Xa ch'uch',
    Chi r e x heraxik,
Xa nay pu r al k'im,
    R al tolob ch iv echah.

E vamos dizer também
    Os nomes dos nossos pais para que vocês ouçam!
Nós estamos aqui!
    Nós!
Hun Ah Pu
    E X Balam Ke são nossos nomes!
E estes são nossos pais,
    A quem vocês mataram:
Hun Hun Ah Pu
    E Vuqub Hun Ah Pu são seus nomes!   4.540
E nós é que vamos vingar a aflição deles,
    O sofrimento dos nossos pais,
E foi por isso que suportamos
    Todos os sofrimentos que vocês nos infligiram.
E é por isso que vocês estão todos perdidos:
    Nós os mataremos.
Não sobrará ninguém para salvá-los",
    Eles lhes disseram.
E assim então eles se curvaram.
    Todos aqueles de Xibalba choraram: 4.550
"Tenham pena da nossa face,
    Sim,
Hun Ah Pu
    E X Balam Ke!
Realmente nós cometemos o pecado
    Contra os pais que vocês nomearam,
E de fato eles estão enterrados.
    Eles estão no Campo Empoeirado",
Eles disseram então.
    "Está bem,   4.560
Então esta é a nossa palavra
    Que iremos lhes dizer.
Ouçam todos,
    Ó vocês de Xibalba,
Pois nunca mais será grande seu sol,
    Sua descendência,
Nem suas oferendas jamais serão grandes.
    Pequenas elas serão
Com seiva de cróton:
    Nenhum sangue limpo para vocês.   4.570
Apenas grelhas,
    Apenas potes,
Para vocês apenas coisas moles
    Bem apertadas,
E apenas os filhos da grama,
    Os filhos de terra seca vocês irão comer.

Ma q'u 'iv ech ri r onohel zaqil al,
    Zaqil q'ahol.
Xa nooh
    Chi tzaqo r ib ch i vach. 4.580
Are ri 'ah mak,
    Ah labal,
Ah biz,
    Ah moken
Chak na 'u mak
    K ix oq' vi.
Ma na xa rax chapom r onohel vinaq ch i bano,
    K ix t'a 'on puch ch u vi ri kiq' holomax,"
X e 'uch'ax q'ut
    K onohel Xibalba. 4.590
Kehe q'ut tikarinak ki zahik,
    U mayixik nay puch ki zik'ixik.
Ma vi nim ki q'ih oher;
    Xa x r ah tza vi vinaq oher.
Qitzih ma na kabavil
    Ki bi 'oher.
Xa vi xibal,
    Itzel ki vach.
E 'ah tza,
    Ah Tukur, 4.600
E taq chinel chi mak,
    Chi labal;
E nay pu 'ah muqulik k'ux,
    E q'eqa 'il zaqi 'il,
Ah mox vach,
    Ah latz'ab, k e 'uch'axik.
Chi x e 'on
    Ki vach k e q'ulutahik.
Kehe q'ut u zachik ki nimal,
    Q'aq'al. 4.610
Ma vi nim chi k ahavarem x uxik.
    Are x e banov
Ri X Hun Ah Pu,
    X Balan Ke.
'Are q'ut k oq'ik,
    Ka zik'in ri k atit
Ch u vach ri 'ah
    Ri x ki tik kan ok.
X pe 'u tux ri 'ah,
    Kate x chaqih. 4.620
Are q'ut ta x e k'at pa choh.
    Ta x pe chi q'ut u tux ri 'ah.

Tampouco terão vocês qualquer um dos nascidos na luz,
    Dos engendrados na luz.
Apenas resina
    Será cozida diante de vocês.   4.580
Aqui está o pecador,
    O malvado,
O triste,
    O saqueador,
Suas malvadezas refreadas,
    Para chorar por vocês então.
Tampouco conseguirão vocês se apoderar repentinamente de todas os povos,
    Embora possam comandar a seiva de cróton",
Foi então dito
    A todos aqueles de Xibalba.   4.590
E assim foi iniciada sua decadência
    E a destruição de sua adoração.
Tampouco era maior seu antigo sol;
    As primeiras pessoas queriam apenas brigar.
De fato eles não eram os deuses
    Que inicialmente disseram ser.
Apenas assustadoras,
    Más eram suas faces.
De fato eles eram um povo da guerra;
    Povo da Coruja;   4.600
Eles eram os que tendiam ao pecado,
    À guerra,
E eram também pessoas de coração insondável,
    Apenas de aspecto negro e branco;
Faces estúpidas,
    Opressores, como eram chamados.
Pois as bochechas
    Das próprias faces eles esfolavam.
E assim foi a perda da sua grandeza
    E glória.   4.610
Nunca mais seu poder foi grande.
    Isto foi feito
Por Hun Ah Pu
    E X Balam Ke.
E alguém chorou —
    Sua avó gritou
Diante dos pés de milho
    Que eles tinham plantado antes.
O milho criou cabelo
    E então secou,   4.620
E isso aconteceu quando eles foram queimados no forno.
    Então voltou de novo o cabelo do milho,

Kate q'ut k'aton ri k atit;
  X u k'at ri pom ch u vach ri 'ah,
U natabal k ech ri.
  Are x kikot vi 'u k'ux k atit
Ri ch u ka mul x pe 'u tux ri 'ah.
  Ta x kabavilax r umal k atit.
Ta x u binatizah q'ut Niq'ah Haa,
  Niq'ah Bichok,   4.630
K'azam Ah,
  Chatam Ulev u bi x uxik.
Are q'ut x u biinah vi Niq'ah Haa,
  Niq'ah Bichok,
R umal xa ch u niq'ahal
  U pa k ochoch x ki tikah.
Are chi q'u x u biinah vi Chatam Ulev,
  K'azam Ah
Ch u vi chata 'ulev
  Ka tik vi 'ah.   4.640
Are nay pu x u biinah vi K'azam Ah
  R umal x pe 'u tux ah.
Ta x koh u bi r umal Xmucane.
  X ki tik kan ok
Hun Ah Pu,
  X Balan Ke.
Xa natabal k e
  R umal k atit.
Are q'u ri nabe ki qahav
  X oher ok k e kam ok,   4.650
Ri Hun Hun Ah Pu,
  Vuqub Hun Ah Pu,
X k il chi q'ut
  U vach ri ki qahav
Chila
  Chi Xibalba.
X ch'av chik ki qahav chi k e,
  Ta x ki ch'ak Xibalba.

    XLII

Va q'ute 'u viqik chik ki qahav k umal.
  Are x ki viq ri Vuqub Hun Ah Pu.   4.660
Chila x be ki viqa vi
  Chi Puqubal Chaah.
Xa vi xere 'u vach x r ah uxik,
  X tz'onox q'ut chi r e 'u bi r onohel,
U chi,

E assim então a avó deles queimou uma oferenda.
 Ela queimou incenso diante dos pés de milho.
Em memória deles.
 O coração de sua avó então se alegrou
Porque uma segunda vez o milho criou cabelo.
 Então ele foi venerado pela avó deles.
E então ela determinou que ele seria chamado de Niqah Haa (Centro da Casa),
 De Niqah Bichok (Centro do Campo); 4.630
Kazam Ah (Milho Vivo),
 Chatam Ulev (Terra Plana) é seu nome.
E foi assim chamado de Niqah Haa
 E Niqah Bichok
Porque foi realmente no meio,
 Dentro da casa deles que eles plantaram o milho.
E então mais tarde foi chamado de Chatam Ulev
 E Kazam Ah
Por causa da terra
 Onde plantaram o milho. 4.640
E também ele foi chamado então de Kazam Ah
 Porque a espiga criou cabelo.
Assim seu nome foi dado por Xmucane.
 Ele tinha sido plantado antes
Por Hun Ah Pu
 E X Balam Ke.
Era apenas uma recordação deles
 Para sua avó.
E quanto a seus antigos pais
 Que haviam morrido muito antes, 4.650
Hun Hun Ah Pu
 E Vuqub Hun Ah Pu,
Eles também viram de novo
 As faces deles
Lá
 Em Xibalba,
E seus pais lhes falaram de novo,
 Pois eles haviam conquistado Xibalba.

XLII

E assim então foi a reconstituição de seus pais,
 E então eles juntaram Vuqub Hun Ah Pu. 4.660
Eles foram lá para os reconstituir
 No Campo Empoeirado.
Pois realmente sua face desejava existir,
 E lhe perguntaram o nome de todas as coisas,
Sua boca,

  U tzam,
U baq',
  U vach,
X u riq nabe 'u bi,
  Xa q'u zkakin chik x ch'atah vi.   4.670
Xere ma vi x u biih chik
  U bi ri, u hunal puvil u chi,
Xere pu x ch'atah chi vi.
  Kehe q'ut ta x ki nimah vi
Kanah ok u k'ux ki qahav.
  "Xa vi x kanah chi Puqubal Chaah,
Chi ri k ix zik'ix vi
  Ch uxik,"
X e ch'a chi 'u q'ahol chi r ech
  Ta x kuubax u k'ux.   4.680
"Nabe ch el iv e,
  Nabe nay puch k ix q'ihiloxik
R umal zaqil al,
  Zaqil q'ahol.
Ma vi chi zachik i bi.
  Ta ch ux ok,"
X e ch'a chi r ech ki qahav
  Ta x ki kuuba 'u k'ux.
"Xa 'oh paq'ol i kamik,
  I zachik,   4.690
K'axik'ol,
  Rayil x ban ch iv e."
Kehe q'ut ki pixabik,
  Ri x chakatahinak ok r onohel Xibalba.
Ta x e 'aqan q'u 'ulok
  Varal e niq'ah zaq,
Hu zuq q'u
  X e 'aqan chi k ah.
Hun q'u q'ih,
  Hun nay pu 'ik' chi k e.   4.700
Ta x zaqirik u pam kah,
  U vach ulev.
Chi kah x e q'ohe vi.
  Are q'ut q'a ch aqanik
Ri 'o much q'aholab
  X e kam r umal Cipacna.
Are q'ut k ach'bil x uxik;
  E 'u ch'umilal kah x e 'uxik.

            Seu nariz,
A cavidade
    Do olho.
No começo ele encontrou o seu nome,
    Mas quase mais nada pôde falar. 4.670
Não pôde falar mais
    O nome dos lábios de sua boca,
Assim ele não pôde realmente falar.
    E assim então eles o reverenciaram
E deixaram o coração de seu pai.
    "Será justamente deixado no Campo Empoeirado,
E aqui você será invocado
    No futuro",
Seus filhos então lhe disseram.
    Então o coração dele foi confortado. 4.680
"Em primeiro lugar virá alguém até você,
    E em primeiro lugar também você será reverenciado
Pelo nascido na luz,
    Pelo engendrado na luz.
Seus nomes não serão perdidos.
    Assim seja",
Eles disseram a seu pai
    Enquanto confortavam seu coração.
"Mas somos os vingadores da sua morte,
    Da sua perda, 4.690
Da dor
    E da desgraça que caiu sobre você."
E assim eles se despediram,
    Tendo conquistado Xibalba.
E então eles caminharam de volta para cima,
    Aqui no meio da luz,
E imediatamente
    Eles andaram pelo Céu.
E um deles é o Sol,
    E o outro é a Lua. 4.700
Então aumentou a luz no Céu
    E sobre a Terra.
Eles estão ainda no Céu.
    De fato para lá subiram também
Os quatrocentos filhos
    Que foram mortos por Cipacna,
Assim agora eles se tornaram seus companheiros;
    Eles se tornaram estrelas do Céu.

QUARTO CANTO

XLIII

Vae q'ut u tikerik ta x naohix vinaq;
    Ta x tzukux puch ri ch ok u tiyohil vinaq.   4.710
X e ch'a q'ut ri 'Alo
    Q'aholom,
E Tzakol,
    Bitol,
Tepev,
    Q'uq' Kumatz ki bi:
"Mi x yopihik u zaqirik,
    Mi x tzak utzinik.
Mi pu x q'aleyik tzuqul,
    Kool,   4.720
Zaqil al,
    Zaqil q'ahol.
Mi x q'al e vinaq,
    U vinaqil u vach ulev," x e ch'a.
X molomanik x ulik;
    X be ki naoh
Chi q'equmal,
    Chi 'aqabal.
Ta x ki tzuquh,
    X ki puq'uh puch.   4.730
X e naohinik,
    X e bizon puch varal.
Kehe q'ut x el vi apanok ki naoh zaqil,
    Q'alal.
X ki riqo,
    X ki kanayizah puch
Ri x ok
    U tiyohil vinaq.
Xa zkakin chik
    Ma vi ka vachin   4.740

QUARTO CANTO

XLIII

E este é o começo da invenção do homem
    E da procura do que iria dentro do corpo do homem.   4.710
Então falaram Alom
    E Qaholom,
Aquele que era Tzakol
    E Bitol,
Tepev
    E Quq Kumatz, como são chamados:
"O amanhecer já começou;
    A criação já foi feita,
E há claramente um nutridor aparecendo,
    Um sustentador,   4.720
Nascido da luz,
    Engendrado pela luz.
O homem já apareceu,
    A população da superfície da Terra", eles disseram.
E foi tudo reunido e veio
    E foi, a sabedoria deles,
Na escuridão,
    No tempo escuro,
Enquanto eles criavam coisas
    E dissolviam coisas.   4.730
Eles pensaram;
    E meditaram lá
E assim veio sua sabedoria diretamente, brilhante
    E clara.
Eles encontraram
    E preservaram
O que veio a ser
    O corpo do homem.
Isso foi apenas um pouco mais tarde,
    Não tinha ainda aparecido   4.740

Q'ih,
    Ik',
Ch'umil
    Pa ki vi
E Tzakol,
    Bitol.

XLIV

Pan Paxil,
    Pan K'ayal A 'u bi,
X pe vi q'ana hal,
    Zaqi hal.   4.750

XLV

Are q'u ki bi chikop;
    Va qamol r echa:
Yak,
    Utiv,
K'el,
    Hoh.
E kahib chi chikop
    X biin u tzihel
Q'ana hal,
    Zaqi hal chi k e.   4.760
Chila k e pe vi pan Paxil,
    X k'ut u beel Paxil,
Are q'ut x ki riqo ri 'echa,
    Are q'ut x ok u tiyohil
Vinaq tzak,
    Vinaq bit.
Ha q'ut u kiq'el;
    U kiq'el vinaq x uxik.
Are x ok k umal Alom,
    Q'aholom ri hal,   4.770
Kehe q'u x e kikot vi
    R umal ri 'u riqitahik
Utzilah huyub
    Nohinak
Ch e quz,
    Tzatz
Chi q'ana hal,
    Zaqi hal,

O Sol,
   A Lua
E as Estrelas
   Sobre as cabeças
De Tzakol
   E Bitol.

   XLIV

De Paxil (A Fenda),
   De Kayal A (A Água Amarga), como era chamada,
De lá vieram então espigas de milho amarelo
   E espigas de milho branco.   4.750

   XLV

E estes são os nomes dos animais;
   Eram estes os carregadores de comida:
Lince,
   Coiote,
Periquito
   E Corvo.
São os quatro animais
   Que trouxeram a notícia
Sobre as espigas de milho amarelo
   E as espigas de milho branco.   4.760
Lá foram eles então a Paxil
   Para mostrar a estrada de Paxil,
E lá eles descobriram a comida
   Com que se fez a carne
Das pessoas construídas,
   Das pessoas modeladas.
E água era seu sangue;
   Tornou-se o sangue do homem.
Lá, vieram para Alom
   E para Qaholom as espigas de milho,   4.770
E eles se alegraram então
   Com a descoberta
Da maravilhosa montanha
   Repleta
De muitas
   E muitas
Espigas de milho amarelo
   E espigas de milho branco,

Tzatz nay puch chi peq,
    Chi kako,   4.780
Ma vi 'ahilan tulul,
    Q'avex,
Q'inom,
    Tapal,
Ahache,
    Kab.
Nohinak kiilah echa
    Ch u pan ri tinamit,
Pan Paxil
    Pan K'ayal A 'u bi.   4.790
Q'o vi 'echa
    U vachinel r onohel:
Ch'uti 'echa,
    Nima 'echa,
Ch'uti tikon,
    Nima tikon.
X k'ut u beel
    K umal chikop.
Ta x keex q'ut ri q'ana hal,
    Zaqi hal,   4.800
Beleheb q'u 'u q'al
    X u ban Xmucane.
Echa x okik
    R uq ha r openal,
X vinaqir u kab cheyal,
    U q'anal vinaq x uxik,
Ta x ki ban ri 'Alom,
    Q'aholom,
Tepev,
    Q'uq' Kumatz, k e 'uch'axik.   4.810
Kate q'ut x ki koh pa tzih u tzakik,
    U bitik
Qa nabe chuch,
    Qahav.
Xa q'ana hal,
    Zaqi hal u tiyohil.
Xa 'echa r aqan,
    U q'ab vinaq.
Ri 'e qa nabe qahav
    E kahib chi vinaq tzak.   4.820
Xa 'echa 'akinak
    Ki tiyohil.

E também grande quantidade de cacau
    E chocolate,   4.780
Muitas sapotas,
    Asiminas,
Frutas-de-conde,
    Nances,
Mata-sãos
    E mel.
Havia abundância de alimentos muito doces
    Na cidade
De Paxil,
    E em Kayal A, como era chamada.   4.790
Havia alimento lá
    De todos os tipos:
Pequenos vegetais,
    Grandes vegetais,
Pequenas plantas
    E grandes plantas.
A estrada foi indicada
    Pelos animais.
E então o milho amarelo estava moído,
    E o milho branco,   4.800
E nove alqueires
    Foram preparados por Xmucane.
A comida se juntou
    Com água para criar força,
E se tornou a banha do homem
    E se transformou na sua gordura
Quando preparada por Alom
    E Qaholom,
Tepev
    E Quq Kumatz, como são chamados.   4.810
E assim então eles puseram em palavras a criação,
    A modelagem
De nossa primeira mãe
    E nosso pai.
Apenas de milho amarelo
    E milho branco eram seus corpos.
Apenas de alimento eram as pernas
    E os braços do homem.
Aqueles que eram nossos primeiros pais
    Eram os quatro homens originais.   4.820
Apenas de alimento no começo
    Estavam feitos seus corpos.

XLVI

Vae ki bi nabe vinaq x e tzakik,
    X e bitik.
Are nabe vinaq ri Balam Kitze;
    U kaab chi q'ut Balam Aqab;
R ox chi q'ut Mahuq'utah;
    U kah q'ut Iq'i Balam.
Are q'u ki bi ri qa nabe chuh,
    Qahav.   4.830
Xa tzak,
    Xa bit k e 'uch'axik.
Ma ha bi ki chuch;
    Ma ha bi ki qahav.
Xa 'u tukel achih,
    Chi qa biih.
Ma na 'ixoq x e 'alanik;
    Ma nay pu x e q'aholaxik
R umal ri 'Ah Tzak,
    Ah Bit,   4.840
Ri 'Alom,
    Q'aholom.
Xa puz,
    Xa naval
Ki tzakik,
    Ki bitik
R umal ri Tzakol,
    Bitol,
Alom,
    Q'aholom,   4.850
Tepev,
    Q'uq' Kumatz.
Ta x e vinaq vachin q'ut
    E vinaq x e 'uxik.
X e ch'avik,
    X e tzihon puch.
X e muqunik,
    X e taon puch.
X e binik;
    X e chapanik.   4.860
E 'utzilah vinaq;
    E chaom.
Achihil vach
    Ki vachibal.

XLVI

Existem os nomes dos primeiros homens que foram feitos,
    Que foram modelados:
O primeiro homem era Balam Kitze (Jaguar Quiché),
    E o segundo foi Balam Aqab (Jaguar Noite),
E o terceiro era Mahuqutah (Zero),
    E o quarto era Iq Balam (Vento Jaguar),
E estes são os nomes de nossas primeiras mães
    E pais.   4.830
Apenas construídos,
    Apenas modelados conta-se que foram.
Eles não tinham mãe;
    Eles não tinham pai.
Apenas heróis por si mesmos,
    Foi-nos dito.
Nenhuma mulher os gerou;
    Nem foram engendrados
Por Tzakol
    E Bitol,   4.840
Alom
    E Qaholom.
Apenas poder,
    Apenas magia
Foi sua construção,
    Sua modelação
Por Tzakol
    E Bitol,
Alom
    E Qaholom,   4.850
Tepev
    E Quq Kumatz.
E quando se assemelharam a homens
    Eles se tornaram homens.
Eles falaram
    E conversaram;
Eles viram
    E ouviram;
Eles caminharam;
    Agarraram as coisas;   4.860
Eles eram homens perfeitos.
    Eram belos.
Face máscula
    Era sua aparência.

Q'o k uxilab
    X uxik.
X e muqun nay puch;
    Hu zuq x opon ki muqubal.
X k'iz k ilo;
    X k'iz k etamah   4.870
R onohel xe kah,
    Ve k e muqunik.
Libah chi chi ki zol vachih,
    Chi zol muquh puch
U pam kah,
    U pam ulev.
Ma hu q'atahil na
    Chi k ilix tah r onohel.
Ma k e bin ta na 'on nabe
    Kate ta chi k il ri 'u xe kah: 4.880
Xa vi chiri 'e q'o vi ta k e muqunik,
    Tzatz k etamabal x uxik.
X iq'ov ki vachibal pa chee,
    Pa 'abah,
Pa cho,
    Pa palo,
Pa huyub,
    Pa tak'ah.
Qitzih vi chi 'e
    Loqolah vinaq   4.890
Ri Balam Kitze,
    Balam Aqab,
Mahuq'utah,
    Iq'i Balam.

XLVII

Ta x e tz'onox q'ut r umal ri 'Ah Tzak,
    Ah Bit:
"Hu cha lik i q'ohey?
    K i nao?
Ma k ix muqunik?
    Ma k ix taonik?   4.900
Ma 'utz i ch'aabal,
    R uq i binibal?
K ix muquna na q'ut
    Ch iv ila 'u xe kah!
Ma q'alah huyuh?

Eles tiveram alento
 E existiram.
E podiam ver também;
 Imediatamente sua visão começou.
Eles começaram a ver;
 Eles chegaram a conhecer 4.870
Tudo sob o Céu,
 Quando puderam ver.
Repentinamente eles puderam olhar ao redor
 E ver ao redor
No Céu,
 Na Terra.
Foi só um instante
 Antes que tudo pudesse ser visto.
Eles não tiveram de caminhar a princípio,
 A fim de olhar atentamente para o que estava sob o céu: 4.880
Eles estavam apenas lá e olharam.
 Sua compreensão se tornou grande.
Seu olhar atravessou as árvores,
 Pedras,
Lagos,
 Mares,
Montanhas,
 Vales.
De fato então
 Eles foram os mais amados dos homens, 4.890
Balam Kitze,
 Balam Aqab,
Mahuqutah
 E Iq Balam.

XLVII

E então eles foram indagados por Tzakol
 E Bitol:
"É agradável sua existência?
 Vocês sabem das coisas?
Não podem ver?
 Não podem ouvir? 4.900
Não estão bons sua linguagem
 E seu andar?
E olhem agora
 Para o que vocês veem sob o céu!
Não estão as montanhas claras?

>   Tak'ah k iv ilo?
> Ch i tiha na q'ut,"
>   X e 'uch'axik.
> Kate puch x k'iz k il r onohel u xe kah,
>   Kate q'ut ki qamovanik ri   4.910
> Chi r e Tzakol,
>   Bitol.
> "Qitzih vi ka mul qamo,
>   Ox mul qamo mi x oh vinaqirik,
> Mi pu x oh chiinik,
>   X oh vachinik.
> K oh ch'avik;
>   K oh taonik;
> K oh bizonik;
>   K oh zilabik;   4.920
> Utz ka qa nao.
>   X q etamah
> Nah,
>   Naqah.
> Mi pu x q ilo nim,
>   Ch'utin
> U pa kah,
>   U pa 'ulev.
> Qamo q'ut ch iv e
>   Mi x oh vinaqirik.   4.930
> Oh tzak,
>   Oh bit.
> Mi x oh uxik, at q atit,
>   At, qa mam,"
> X e ch'a
>   Ta x ki qamovah
> Ki tzakik,
>   Ki bitik.
> K k'iz k etamah r onohel.
>   X ki muquh   4.940
> Kah tzuq,
>   Kah xukut,
> U pam kah,
>   U pam ulev.
> Ma q'u 'utz
>   X ki tao
> Ri 'Ah Tzak,
>   Ri 'Ah Bit.
> "Ma vi 'utz

    Vocês veem os vales?
Então tentem ver agora!",
    Foi-lhes dito.
E assim então eles viram tudo sob o Céu,
    E assim então agradeceram 4.910
A Tzakol,
    E Bitol:
"Então agradecemos verdadeiramente duas vezes,
    Três vezes agradecemos por termos sido criados,
E por termos sido falados
    E mostrados.
Podemos falar;
    Podemos ouvir;
Podemos ponderar;
    Podemos nos mover; 4.920
Pensamos muito bem;
    Compreendemos
O que é distante
    E o que é próximo,
E podemos ver o grande
    E o pequeno,
O que está no Céu,
    O que está na Terra.
Agradecemos então
    Por termos sido criados, 4.930
Construídos,
    Modelados,
Existimos, ó nossa avó,
    Ó nosso avô",
Eles disseram
    Enquanto agradeciam
Por sua construção
    E sua modelagem.
Eles puderam compreender tudo;
    Eles perceberam isto: 4.940
As quatro criações,
    As quatro destruições,
O útero do Céu,
    O útero da Terra.
E não foi realmente com grande contentamento
    Que eles ouviram isso,
Tzakol
    E Bitol.
"Não é bom

  Ri mi x ki biih   4.950
Qa tzak,
  Qa bit:
Mi x q etamah r onohel nim,
  Ch'utin." K e ch'a.

XLVIII

Kehe chi q'ut u qamik chik
  Ki naoh
Alom,
  Q'aholom.
"Hu cha chik chi qa ban chi k e
  Xa ta naqah ch opon vi ki muqubal,   4.960
Xa ta zkakin u vach
  U vach ulev chi k ilo?
Ma vi 'utz
  Ri ka ki biih.
Ma pa xa tzak,
  Xa bit ki bi?
Xa labe 'e kabavil
  K e 'uxi chik,
Ve ma vi k e poq'otahik,
  K e k'iritahik.   4.970
Ta chavax ok,
  Ta zaqir ok!
Ve ma vi chi k'iyarik,
  Ta ch ux ok!
Xa qa yoho chi zkakin chik,
  Q'o chi ka r ah.
Ma vi 'utz ka qa nao.
  Xa pa x chi hunamatah ki banoh q uq,
Ri naht k opon vi k etamabal,
  K ilon r onohel?" x e 'uch'axik   4.980
R umal u K'ux Kah,
  Hu r Aqan,
Ch'ipi Ka Kulaha,
  Raxa Ka Kulaha,
Tepev,
  Q'uq' Kumatz,
Alom,
  Q'aholom,
Xpiacoc,
  Xmucane,   4.990

      O que eles disseram,   4.950
Nossa construção,
      Nossa modelagem:
Conhecemos tudo o que é grande
      E pequeno", eles disseram.

XLVIII

E assim eles tomaram de volta
      Seu conhecimento,
Alom
      E Qaholom.
"Como os faremos de novo
      Para que sua visão alcance apenas o que está perto?   4.960
De modo que apenas uma pequena parte
      Da superfície da Terra eles vejam?
Não é bom
      O que disseram.
Não estão seus nomes apenas criados
      E modelados?
Mas tão grandes como deuses
      Eles se tornarão então
Se não começarem a se multiplicar,
      Se não começarem a crescer muito   4.970
Quando clarear,
      Quando ficar iluminado:
Se não aumentarem.
      Que assim seja então!
Vamos apenas desfazê-los um pouco mais.
      É o que ainda está faltando.
Não é bom o que descobrimos.
      Não irão por acaso suas façanhas se igualar com as nossas
Se sua compreensão chegar a tanto
      E virem tudo?", disseram-se   4.980
U Kux Kah,
      Hu r Aqan,
Chipi Ka Kulaha,
      Raxa Ka Kulaha,
Tepev,
      Quq Kumatz,
Alom,
      Qaholom,
Xpiacoc,
      Xmucane,   4.990

Tzakol,
    Bitol, k e 'uch'axik.
Ta x ki ban q'ut
    U q'oheyik chik
Ki tzak,
    Ki bit.

XLIX

Xa q'u vabax u baq' ki vach
    R umal u K'ux Kah.
X moyik kehe ri x uxilabix u vach lemo;
    X moyomobik u baq' ki vach.   5.000
Xa naqah chik x e muqun vi,
    Xere chi q'alah ri 'e q'o vi.
Kehe q'ut u zachik k etamabal
    R uq r onohel ki naobal e kahib chi vinaq
U xe,
    U tikaribal.
Kehe q'ut ki tzakik,
    Ki bitik
Nabe qa mam,
    Qa qahav   5.010
R umal u K'ux Kah,
    U K'ux Ulev.
Ta x q'ohe chi q'ut ki q'ulel,
    K ixoqil puch x uxik.
Xa vi kabavil
    X naohin chik.
Kehe ri xa pa varam
    X ki qam vi.
Qitzih e hebel
    Chi 'ixoq q'o   5.020
R uq Balam Kitze,
    Balam Aqab,
Mahuq'utah,
    Iq'i Balam.
Q'o chi k ixoqil ta k'i x e k'azitahik.
    Anim x kikot chik ki k'ux r umal ki q'ulel.
Are q'u ki bi;
    K ixoqil va:
Kaha Palu Na 'u bi
    R ixoqil Balam Kitze;   5.030
Chomi Ha 'u bi

Tzakol
    E Bitol, como são chamados.
E então eles alteraram
    A vida deles,
Na construção deles,
    Na modelação deles.

XLIX

E seus olhos foram cortados
    Por u Kux Kah.
Eles ficaram cegos como a face embaçada de um espelho;
    Seus olhos ficaram todos cegos.   5.000
Eles podiam ver apenas o que estava perto deles,
    Contudo claras tinham de ser as coisas,
E assim perderam seu conhecimento
    E toda a sabedoria dos quatro homens
No começo,
    No início.
E assim a construção,
    A modelação
De nossos primeiros avós,
    Nossos primeiros pais,   5.010
Foi feita por u Kux Kah,
    Por u Kux Ulev.
E então houve suas companheiras;
    E suas esposas passaram a existir.
Apenas os deuses
    As inventaram então.
Assim foi apenas em seu sono
    Que eles as trouxeram então.
De fato elas eram bonitas
    E eram mulheres   5.020
Para Balam Kitze,
    Balam Aqab,
Mahuqutah
    E Iq Balam.
Quando suas esposas estavam lá eles foram enfim despertados;
    Imediatamente seus corações se alegraram de novo por causa delas.
E estes são seus nomes;
    Suas esposas eram estas:
Kaha Palu Na (Casa do Mar Vermelho) era o nome
    Da esposa de Balam Kitze;   5.030
Chomi Ha (Casa da Beleza) era o nome

R ixoqil Balam Aqab;
Tz'ununi Ha 'u bi
    R ixoqil Mahuq'utah;
Kaqixa Ha 'u bi
    R ixoqil Iq'i Balam.
Are q'ut u bi k ixoqil,
    Ri 'e xoq ahavab x e' uxik.
E poq'ol vinaq ch'uti 'amaq',
    Nima 'amaq'.   5.040
Are q'ut u xe q ech,
    Ri 'oh K'iche vinaq.
Tzatz q'u x uxik ri 'ah q'ixib,
    Ah k'ahib.
Ma na xa 'e kahib chik x uxik,
    Xere kahib ri qa chuch oh K'iche vinaq.
Halahoh chi ki bi
    Chi ki huhunal,
Ta x poq'otahik chila
    Chi r elebal q'ih.   5.050
K'iy u bi
    X uxik ri vinaq:
Tepev,
    Oloman,
K'ohah,
    Kenech Ahav
Ch uch'ax chik
    U bi vinaq.
Chila
    R elebal q'ih x poq'otahik.   5.060
R etam q'ut
    U tikarik chik
R ech ri Tamub,
    R ech Ilokab.
Xa hun x pe vi chila,
    R elebal q'ih.
Balam Kitze 'u mam,
    U qahav
Beleheb nim haa
    Chi Qavikib.   5.070
Balam Aqab u mam,
    U qahav
Beleheb nim haa
    Chi Nim Hayibab.
Mahuq'utah u mam,

Da esposa do Balam Aqab;
Tzununi Ha (Casa do Beija-flor) era o nome
    Da esposa de Mahuqutah.
Kaqixa Ha (Casa do Papagaio) era o nome
    Da esposa de Iq Balam.
E esses eram os nomes de suas esposas
    Que se tornaram rainhas.
Eles foram os portadores das pequenas Tribos,
    Das grandes Tribos, 5.040
E essa foi a nossa origem,
    A origem do povo quiché.
E os veneradores se tornaram muitos,
    E os sacrificadores.
Eles já não eram mais quatro,
    Embora quatro fossem nossas mães, mães do povo quiché.
Diferentes eram os nomes
    De cada um.
Então eles se multiplicaram lá
    No oriente. 5.050
Muitos eram seus nomes.
    Eles se tornaram pessoas:
Tepev (Majestades),
    Oloman (Jogadores de Bola),
Kohah (Mascarados),
    Kenech Ahav (Crianças dos Senhores),
Como continuaram a ser chamados,
    Os nomes das pessoas.
E lá
    No oriente eles se multiplicaram. 5.060
E lá foi conhecido
    O início também
Dos Tamub (Ramos),
    Dos Ilokab (Videntes).
Vieram juntos de lá
    Do oriente.
Balam Kitze era o avô
    E o pai
Das nove casas-grandes
    Dos Qavikib (Kaveks). 5.070
Balam Aqab era o avô
    E o pai
Das nove casas-grandes
    Dos Nim-Hayibab (Casas-grandes).
Mahuqutah era o avô

```
         U qahav
Kahib nim haa
         Chi 'Ahav K'iche.
Ox ch'ob
         Chinamit                                    5.080
Chi 'u q'oheyik.
         Ma vi zachel u bi
U mam,
         U qahav.
Are poq'ol
         Kirol
Chila,
         R elebal q'ih.
Xa vi xere x pe vi Tamub,
         Ilokab,                                     5.090
R uq ox lahuh u ka 'amaq',
         Ox lahuh:
Tecpan
         (R uq Rabinalab),
Q'aq' Chikeleb,
         Ah Tz'ikina Haa,
(R uq puch Zaq Ahib,
         R uq nay puch Lamakib),
Kumatz,
         Tuhal Haa,                                  5.100
Uch'aba Haa,
         Ah Ch'umila Haa
(R uq Ah Qiba Haa),
         Ah Batena Haa,
Akul vinaq,
         Balami Haa,
Qan Chaheleb,
         Balam Kolob.
Xere q'ut u nimaqil amaq',
         Ri 'u ka 'amaq'                             5.110
K oh ch'a chi r ech
         Xa 'u nimaqil ri mi x qa cholo.
K'i chik elenaq chi r ih,
         Ri hu tak ch'ob chi tinamit.
Ma vi mi x qa tz'ibah ki bi.
         Xa vi q'u chila x poq'otah vi 'ulok r elebal q'ih.
K'iya vinaq x uxik chi q'equmal
         Ta x k'iyarik.
Ma ha ch alax ok q'ih,
```

         E o pai
Das quatro casas-grandes
         Do Ahav Quiché (Senhor Quiché).
Três divisões
         De família   5.080
Foram criadas,
         E os nomes
De seus avós,
         De seus pais não foram perdidos.
Eles foram os procriadores
         E os multiplicadores
Lá
         No oriente.
E de fato vieram de lá então os Tamub,
         Os Ilokab,   5.090
Com treze das Tribos secundárias.
         As treze eram:
Tecpan (Palácios)
         Com os Rabinaleb (Rabinais),
Qaq Chikeleb (Árvores de Fogo),
         Ah Tzikina Haa (Pessoas da Casa de Pássaro)
E com eles os Zaq Ahib (Milhos Brancos),
         E também os Lamakib (Barreiras),
Kumatz (Serpentes),
         Tuhal Haa (Casa de Banho de Vapor),   5.100
Uchaba Haa (Casa do Orador),
         Ah Chumila Haa (Pessoas da Casa da Estrela)
Com os Ah Qiba Haa (Pessoas da Casa do Peito),
         Ah Batena Haa (Pessoas da Casa do Anel),
Akul (Homens da Colmeia),
         Balami Haa (Casa do Jaguar),
Qan Chaheleb (Protetores da Serpente),
         Balam Kolob (Cordas de Tripa de Jaguar).
Pois realmente são essas as maiores Tribos
         Que formaram as Tribos secundárias.   5.110
Estamos falando apenas das maiores,
         Que apresentamos,
Muitas outras vieram depois,
         E eram uma divisão da cidade.
Não vamos escrever seus nomes.
         Todavia continuaram a se multiplicar lá no oriente.
Elas se tornaram muitas pessoas na escuridão
         Enquanto cresciam.
O Sol ainda não havia nascido

>   *Zaq ta x e k'iyarik.*   5.120
> *Xa hun x e q'ohe vi k onohel,*
>   *E tzatz chi ki q'oheyik.*
> *Ki binovik chila,*
>   *R elebal q'ih.*
> *Are ma ha bi chi tzuqun,*
>   *Ki koon.*
> *Xa vi chi kah chi ki paqaba ki vach.*
>   *Ma vi k etam x e ba vi.*
> *Naht x ki bano.*
>   *Ta x q'ohe pa k'iy chiri,*   5.130
> *Q'eqa vinaq,*
>   *Zaqi vinaq.*
> *K'iy vachibal vinaq,*
>   *K'iy u ch'aabal vinaq.*
> *Kay u xikin q'o ley u xe kah*
>   *Q'o q'ut huyubal vinaq.*
> *Ma vi 'ilo 'u vach;*
>   *Ma ha bi r ochoch.*
> *Xa ch'uti huyub,*
>   *Nima huyub k e beek,*   5.140
> *"Kehe ri 'e ch'uh," x e ch'a;*
>   *"Ta x ki yahobeh ri huyubal vinaq," x e ch'a.*
> *Chila x k il vi r elebal q'ih,*
>   *Xa q'u hun ki ch'aabal k onohel.*
> *Ma ha chi ki zik'ih ok chee,*
>   *Abah.*
> *Are natal chi k ech ri 'u tzih Tzakol,*
>   *Bitol,*
> *U K'ux Kah,*
>   *U K'ux Ulev, x e ch'a.*   5.150
> *Xere ki k'uxilan ri r evaxik,*
>   *U zaqirik.*
> *Xa tz'ononik*
>   *Chi ki bano.*
> *E 'ah loq tzih,*
>   *E 'ah loq;*
> *E 'ah nim,*
>   *E 'ah xob.*
> *Chi ki paqaba ki vach chi kah*
>   *Ta x ki tz'onoh*   5.160
> *Ki meal,*
>   *Ki q'ahol.*
> *"Akarok, at Tzakol,*

E nem a luz enquanto elas se multiplicavam.　　　　　　　　5.120
Todas ficaram juntas então,
　　E numerosas se tornaram.
E caminharam lá
　　No oriente.
Não havia ninguém para alimentá-las
　　E ampará-las,
Mas elas inclinaram suas faces diante do Céu.
　　Elas não sabiam aonde ir,
Por longo tempo agiram assim
　　Enquanto lá estavam bem —　　　　　　　　　　　　　5.130
Pessoas negras,
　　Pessoas brancas.
Muitos eram os aspectos das pessoas;
　　Muitas eram as linguagens das pessoas.
Dispersas estavam as gerações nas margens do Céu.
　　E havia as pessoas da montanha
Que não mostravam suas faces
　　E não tinham casas.
Elas apenas vagavam pelas pequenas montanhas
　　E pelas grandes montanhas.　　　　　　　　　　　　　5.140
"Como loucos", elas disseram.
　　"Porque as pessoas da montanha eram uma ameaça", elas disseram.
Elas esperaram o nascer do Sol lá.
　　E todas falavam a mesma linguagem.
Elas ainda não haviam invocado a madeira
　　E a pedra,
Para lhes lembrar das palavras de Tzakol
　　E Bitol,
"U Kux Kah,
　　U Kuc Ulev", como elas disseram.　　　　　　　　　　5.150
De fato elas se recordaram daquilo que estava escondido
　　E se tornou luminoso.
Apenas orando
　　Foi que o obtiveram.
Elas eram amantes da palavra;
　　Eram adoradoras;
Eram veneradoras;
　　Eram pessoas pias
Que inclinavam as faces diante do Céu
　　Quando oravam　　　　　　　　　　　　　　　　　　5.160
Pelas suas filhas
　　E seus filhos:
"Bem-vindo seja, Tzakol,

At Bitol.
K oh av ila,
    K oh a ta!
M oh a tzaqo.
    M oh a piz kalih,
At Kabavil chi kah,
    Chi 'ulev,   5.170
U K'ux Kah,
    U K'ux Ulev!
Ch a ya tah q etal,
    Qa tzihel,
Chi be q'ih,
    Chi be zaq,
Ta chavax ok,
    Ta zaqir ok.
K'i ta raxal be,
    Raxal hok.   5.180
K oh a ya vi liyanik zaq,
    Liyanik amaq' tah,
Utzilah zaq,
    Utzilah amaq' tah.
Utzilah k'azilem,
    Vinaqirem ta puch
K oh a ya vi,
    At Hu r Aqan,
Ch'ipi Ka Kulaha,
    Raxa Ka Kulaha,   5.190
Ch'ipi Nanahuac,
    Raxa Nanahuac,
Vok,
    Hun Ah Pu,
Tepev,
    Q'uq' Kumatz,
Alom,
    Q'aholom,
Xpiacoc,
    Xmucane,   5.200
R Atit Q'ih,
    R Atit Zaq,
Ta chavax ok,
    Ta zaqir ok," x e ch'a.
Ta x e q'ilonik,
    X e zik'inik.
X e zela vachin u zaqirik,

       Bitol,
Olhe por nós,
       Ouça-nos.
Não nos oprima;
       Não nos seja hostil,
Ó deus no Céu
       E na Terra!   5.170
U Kux Kah,
       U Kux Ulev!
Dê-nos nosso sinal,
       Nossa palavra
Na estrada do dia,
       Na estrada da luz,
Quando tiver amanhecido,
       Quando tiver clareado.
Grande seja a riqueza do caminho,
       A riqueza da estrada.   5.180
Dê-nos então tranquilidade e luz,
       Tranquilidade e paz;
Luz perfeita
       E paz perfeita possa haver.
Vida perfeita
       E existência,
Dê-nos então
       Hu r Aqan,
Chipi Ka Kulaha,
       Raxa Ka Kulaha,   5.190
Chipi Nanahuac (Deuses Quádruplo Anão)
       Raxa Nanahuac (Deuses Quádruplo Verde),
Vok (Falcão),
       Hun Ah Pu,
Tepev,
       Quq Kumatz,
Alom,
       Qaholom,
Xpiacoc,
       Xmucane,   5.200
R Atit Qih,
       R Atit Zaq,
Quando estiver amanhecendo,
       Quando estiver clareando", elas disseram
Enquanto veneravam
       E oravam.
Elas decidiram buscar o amanhecer;

> *Xa vi chila k e muqun vi r elebal q'ih.*
> *K ila vachin ri 'Iq'o Q'ih,*
>   *Nima Ch'umil.*   5.210
> *X ch alaxik q'ih,*
>   *Tzihol r e*
> *U pa kah,*
>   *U pa 'ulev,*
> *U binibal vinaq tzak,*
>   *Vinaq bit.*
> *X e ch'a 'e Balam Kitze,*
>   *Balam Aqab,*
> *Mahuq'utah,*
>   *Iq'i Balam:*   5.220
> *"K oh oyobeh na*
>   *U zaqirik," x e ch'a.*
> *E nimaq etamanel,*
>   *E naonel,*
> *E 'ah q'ixib,*
>   *E 'ah nim k e 'uch'axik.*
> *Ma ha bi q'u ha bi 'ok chee,*
>   *Abah*
> *Chi chahin e qa nabe chuch,*
>   *Qahav.*   5.230
> *E xa q'u x koz ki k'ux chiri*
>   *Chi r oyobexik q'ih.*
> *E k'iy chik r onohel amaq',*
>   *R uq Yaqui vinaq,*
> *Ah q'ixib,*
>   *Ah k'ahib.*
> *"Xa h o, oh qa tzukuh,*
>   *Oh, pu q ila*
> *Ve q'o chi chahin q etala.*
>   *Chi qa riq ri k oh tzihon ta ch u vach.*   5.240
> *Xa ki kehe 'oh q'oolik.*
>   *Ma ha bi chahal q e,"*
> *X e ch'a q'ut e Balam Kitze,*
>   *Balam Aqab,*
> *Mahuq'utah,*
>   *Iq'i Balam.*
> *X ki tao 'u tzihel hun tinamit*
>   *X e be vi.*

    Olharam apenas na direção do nascer do Sol,
A fim de espreitar e ver Aquela que Ultrapassa o Sol,
    A Grande Estrela, 5.210
Quando o Sol começa a nascer,
    A que ilumina
O que está no Céu,
    O que está na Terra,
O caminho das pessoas construídas,
    Das pessoas modeladas.
Então falaram Balam Kitze,
    Balam Aqab,
Mahuqutah
    E Iq Balam: 5.220
"Vamos esperar agora
    Pelo amanhecer", eles disseram.
Eram grandes sábios.
    Eram homens de muita compreensão;
Eram Ah kahib (Sacrificadores);
    Eram Ah qixib (Veneradores), como são chamados.
Pois não havia nada até então nem de madeira
    Nem de pedra
Para proteger nossas primeiras mães
    E pais. 5.230
E eles apenas cansaram seus corações lá
    Na expectativa do Sol.
Eles eram já muitos e todas as Tribos
    Unidas ao Yaqui (povo mexicano)
Veneravam
    E sacrificavam.
"Iremos e procuraremos,
    E veremos nós mesmos
Se existe algo que proteja nosso sinal.
    Descobriremos o que se deve dizer diante deles, 5.240
E assim viveremos.
    Não existem guardiões para nós",
Então disseram Balam Kitze,
    Balam Aqab,
Mahuqutah
    E Iq Balam.
Eles ouviram notícias da cidade
    E foram até lá.

L

Are q'ut u bi huyub
    Va x e be vi   5.250
Balam Kitze,
    Balam Aqab,
Muhuq'utah,
    Iq'i Balam,
R uq Tamub,
    Ilokab.
Tulan,
    Zuyua,
Vuqub Peq,
    Vuqub Zivan, u bi tinamit.   5.260
X e 'opon vi,
    E qamol r e kabavil.

LI

X e 'opon q'ut chila Tulan k onohel.
    Ma vi 'ahilan chi vinaq x oponik.
Tzatz q'ut ch u binik,
    Cholon q'ut r elik ulok ki kabavil.
Nabe ri Balam Kitze,
    Balam Aqab,
Mahuq'utah,
    Iq'i Balam k e kikotik.   5.270
"Are qa tzukum va
    Mi x qa riqo," x e ch'a.
Are q'ut nabe x el ri Tohil,
    U bi kabavil
Xekel u kok
    R iqaxik r umal Balam Kitze.
X el chi q'u' 'ulok Avilix,
    U bi kabavil r uq'ah Balam Aqab.
Haka Vitz chik
    U bi kabavil x u qamov Mahuq'utah.   5.280
Niq'ah Tak'ah
    U bi kabavil x u qamov Iq'i Balam.
Xere q'ut r ach' K'iche vinaq
    Ri x u qam chi q'ut r e Tamub.
Xa vi xere Tohil chi Tamub
    Q'o 'u bi x qamovik
U mam,

L

E este é o nome da montanha
> Para onde eles foram — 5.250
Balam Kitze,
> Balam Aqab,
Mahuqutah
> E Iq Balam,
Juntos com os Tamub
> E os Ilokab:
Tula,
> Zuyua,
Vuqub Peq (Sete Cavernas),
> Vuqub Zivan (Sete Gargantas) era o nome da cidade. 5.260
Então vieram
> Os portadores dos deuses.

LI

E todos chegaram a Tula.
> Milhares de pessoas chegaram,
Pois muitas caminharam juntas,
> E a vinda de seus deuses aconteceu em ordem.
Primeiramente Balam Kitze,
> Balam Aqab,
Mahuqutah
> E Iq Balam se alegraram. 5.270
"Essa é a nossa descoberta
> Que fizemos", eles disseram.
E o primeiro a vir foi Tohil (Tormenta),
> O nome do deus
Pendurado na mochila
> Que carregava Balam Kitze.
E o próximo a surgir foi Avilix (Senhor Jaguar),
> O nome do deus a quem Balam Aqab deu bebida.
Haka Vitz (Pico de Fogo) veio a seguir,
> O nome do deus que Mahuqutah venerou. 5.280
E Niqah Takah (Centro do Vale),
> O nome do deus que Iq Balam venerou.
E ainda havia o povo quiché associado.
> Os deuses foram trazidos para os Tamub.
Mas de fato era Tohil para os Tamub.
> Aquele era o nome do deus venerado
Pelo avô

    U qahav Tamub,
Ahavab
    K etam q'ut vakamik.   5.290
R ox chi q'ut Ilokab.
    Xa vi Tohil u bi kabavil x u qamov
Ki mam,
    Ki qahav
Ahavab
    Xa vi k etam vakamik.

LII

Kehe q'ut u biinam vi 'oxib chi K'iche,
    X ma x u tzoqopih vi r ib,
R umal xa hunam u bi kabavil:
    Tohil K'iche,   5.300
Tohil chi Tamub,
    Chi Ilokab.
Xa hun u bi 'u kabavil,
    Kehe q'u ma vi x u hach vi r ib r ox ichal K'iche.
Oxib ri qitzih nimaq ki q'oheyik:
    Tohil,
Avilix,
    Haka Vitz.
Ta x ok chi q'ut r onohel amaq':
    Rabinaleb,   5.310
Q'aq' Chekeleb,
    Ah Tz'ikina Haa,
R uq Yaqui vinaq,
    U bi vakamik.
Chiri q'ut x hal q'atih u ch'aabal ri 'amaq'.
    Halahoh ki ch'aabal x uxik.
Ma vi q'alah chik
    X ki tao chi k ibil k ib
Ta x e petik chi Tulan.
    Chiri q'ut x ki paxi vi k ib.   5.320
Q'o x be chila r elebal q'ih,
    Tzatz q'u ri x pe varal.
Xa q'u hu mah tz'um ki q'u.
    Ma ha bi ri 'utzilah tak q'uul tah.
Ki kohom xa 'u tz'umal chikop.
    Ki kaubal e meba.
Ma ha bi k ech.
    Xa 'e naval vinaq chi ki q'oheyik

        E pai dos Tamub
E pelos senhores
        Que são conhecidos hoje.   5.290
E o terceiro, eram os Ilokab.
        Apenas Tohil era o nome do deus venerado
Pelos seus avós,
        Por seus pais
E pelos senhores
        Que são ainda hoje conhecidos.

        LII

E assim foram chamados os Três Quichés,
        E nunca se separaram,
Porque o nome do deus deles era o mesmo:
        Tohil de Quiché,   5.300
Tohil também dos Tamub,
        E também dos Ilokab;
O nome do seu deus era o mesmo,
        E assim as três partes de Quiché nunca foram divididas.
As três tiveram de fato grandes espíritos:
        Tohil,
Avilix
        E Haka Vitz.
E assim também chegaram todas as Tribos:
        Rabinaleb,   5.310
Qaq Chekeleb,
        Tzikina Haa,
Juntas com o Yaqui,
        Como são chamadas hoje.
E então a língua das Tribos mudou;
        Sua palavra se tornou diferente.
Não mais claramente
        Podiam se compreender entre si
Quando vieram a Tula,
        E lá elas se separaram.   5.320
Houve os que foram para o oriente
        E muitos que vieram para cá.
E suas roupas eram só peles.
        Não tinham nenhuma roupa de boa qualidade para vestir.
Apenas vestiam as peles dos animais;
        Seus atavios eram pobres;
Eles não possuíam nada.
        Eram feiticeiros por disposição

Ta x e pe chila Tulan,
   Zuyua,   5.330
Vuqub Peq,
   Vuqub Zivan,
Ch'a
   Ch u pam oher tzih.
Tzatz ch u binik
   X opon chi Tulan.
Ma q'u ha bi q'aq'.
   Xa ki 'e q'o ri Tohil.
Are q'u ri 'u kabavil amaq'
   Nabe x vinaqir u q'aq'.   5.340
Ma vi q'alah u vinaqirik.
   Ka nikov chik ki q'aq'
Ta x k il ri Balam Kitze,
   Balam Aqab.
"Akarok, ma ha bi qa q'aq' mi x uxik,
   X k oh kam r umal tev,"
X e ch'a q'ut.
   Ta x ch'av q'ut ri Tohil:
"M ix bizonik.
   Q'o 'iv ech.   5.350
Chi zach ri q'aq'
   K i biih," x ch'a q'ut Tohil chi k e.
"Ma qitzih, at kabavil?
   At qa tzuquh?
At pu qa koon?
   At qa kabavil?"
X e ch'a chi r e ta x ki qamovah
   Ri x u biih Tohil.
"Utz ba la, qitzih in i kabavil, ta ch ux ok.
   In iv ahaval, ta ch ux ok,"   5.360
X e 'uch'ax ri 'ah q'ixib,
   Ah k'ahib r umal Tohil.
Are q'ut k e q'aq'al ri 'amaq'.
   K e kikotik r umal ki q'aq'.

LIII

Kate puch ta x tikarik nima hab.
   Are q'atil ok u q'aq' amaq'.
Tzatz q'ut chi zaq boch x qahik pa ki vi r onohel amaq',
   Ta x chup q'ut ki q'aq' r umal zaq boch.
Ma ha bi chik ki q'aq' x uxik.

Quando chegaram a Tula,
    Zuyua,   5.330
Vuqub Peq,
    Vuqub Zivan,
Conta-se
    Nas palavras antigas.
Foi uma longa caminhada
    Para chegar a Tula,
E lá não havia fogo.
    Apenas aqueles com Tohil o tinham,
E esta foi a tribo cujo deus primeiro
    Criou.   5.340
Sua criação não é clara.
    Seu fogo já estava ardendo
Quando Balam Quiché
    E Balam Aqab o viram.
"Ai de nós, se não conseguirmos o nosso fogo
    Vamos morrer de frio",
Eles disseram então.
    Assim então falou Tohil:
"Não fiquem tristes.
    Existe algum para vocês.   5.350
Esse fogo irá ser perdido,
    Esse que vocês mencionam", Tohil lhes disse então.
"Você é realmente um deus?
    É você o nosso nutridor,
É você o nosso sustentador?
    É você o nosso deus?",
Eles lhe disseram enquanto agradeciam
    Pelo que Tohil tinha dito.
"Está bem, na verdade sou seu deus: assim seja.
    Eu sou seu senhor; assim seja",   5.360
Aos sacrificadores foi dito,
    E aos veneradores disse Tohil.
E assim as tribos foram aquecidas.
    Elas se alegraram por causa do fogo.

    LIII

E assim então começou violenta tempestade com chuva.
    Foi o que apagou o fogo das Tribos.
E muito granizo caiu sobre todas as Tribos,
    E assim seus fogos foram extintos pelo granizo.
E assim sucedeu que seus fogos não existiam mais.

                Ta x ki tz'onoh chi q'ut ki q'aq'   5.370
Ri Balam Kitze,
        Balam Aqab:
"At Tohil,
        Qitzih k oh utzinik r umal tev,"
X e ch'a q'ut chi r Tohil.
        "Utz. M ix bizonik," x ch'a Tohil.
Kate ta x r elezah q'aq'.
        X u bak ulok ch u pam u xahab.
Kate q'ut x e kikot ri Balam Kitze,
        Balam Aqab,   5.380
Mahuq'utah,
        Iq'i Balam, kate q'ut x e miq'ik.
Are q'ut chupinak chik u q'aq' amaq'.
        K e 'utzin chik r umal tev.
Kate pu ki petik chik,
        E tz'onoy ki q'aq',
K uq ri Balam Kitze,
        Balam Aqab,
Mahuq'utah,
        Iq'i Balam.   5.390
Ma q'u ka ki ch'ih chik r umal tev,
        Zaq boch.
Xa k e lexelot chik;
        K e zikizot chi puch.
Ma ha bi 'e k'az chi vi.
        Ka koyokot chik
K aqan,
        Ki q'ab.
Ma vi k e chapon chik,
        Ta x e 'ulik.   5.400
"Ma k'i k oh q'ix na 'iv uq,
        Chi qa tz'onoh ta ve k'ok zkakin i q'aq',"
X e ch'a ta x e 'ulik;
        Ma q'u ha bi x e k'ulaxik.
Ta x k'oqon q'u ki k'ux ri 'amaq'.
        Halan chik ki ch'aabal
Ri Balam Kitze,
        Balam Aqab,
Mahuq'utah,
        Iq'i Balam.   5.410
"Akarok, a x qa kanah vi qa ch'aabal?
        Hu pa cha x qa bano?
Mi x oh zachik!

292

E então elas pediram seu fogo de novo, 5.370
Balam Kitze
 E Balam Aqab:
"Ó Tohil,
 Realmente estamos sendo mortos pela geada",
Eles disseram então a Tohil.
 "Está bem, não fiquem tristes", disse Tohil.
Pois ele havia guardado algum fogo,
 Com o qual enchera suas sandálias.
Assim então se alegraram Balam Kitze,
 Balam Aqab, 5.380
Mahuqutah
 E Iq Balam por estarem aquecidos.
Pois os fogos das Tribos ainda estavam extintos.
 Foram apagados pela geada.
E assim eles voltaram,
 Pedindo por seu fogo
A Balam Kitze,
 Balam Aqab,
Mahuqutah
 E Iq Balam, 5.390
Pois eles não podiam mais suportar a geada
 E o granizo.
Eles estavam ainda congelados
 E estavam ainda tremendo.
Não havia mais vida neles.
 Apenas tinham de ficar movendo
Suas pernas;
 E suas mãos
Não podiam mais agarrar nada
 Quando eles chegaram lá. 5.400
"Não estamos realmente envergonhados de vir
 Pedir um pouco do seu fogo",
Eles disseram quando chegaram.
 Mas não foram recebidos de modo algum.
E então os corações das Tribos amaldiçoaram.
 Já diferente era a língua
De Balam Kitze,
 Balam Aqab,
Mahuqutah
 E Iq Balam. 5.410
"Ai de nós, perdemos a nossa língua!
 Como fizemos isso?
Estamos perdidos!

    A pa x oh q'ax tokax vi?
Xa hun qa ch'aabal
    Ta x oh pe chila Tulan.
Xa pu hun qa tzuqibal,
    Qa vinaqiribal.
Ma vi 'utz x qa bano,"
    X e ch'a q'ut k onohel amaq'   5.420
Xe chee,
    Xe q'aam.
Ta x u k'ut q'u r ib
    Hun vinaq
Chi ki vach ri Balam Kitze,
    Balam Aqab,
Mahuq'utah,
    Iq'i Balam,
X ch'a q'u
    Ri 'u zamahel Xibalba: 5.430
"Qitzih chi 'are 'i kabavil ri.
    Are 'i tzuqun.
Are pu 'u k'ex vach,
    Natabal r e
Tzakol iv e,
    Bitol pu 'iv e.
M i ya q'u ki q'aq' ri 'amaq',
    Q'u na chi ki yao chi r e Tohil.
M iv ahavab chi ki ya ch iv e.
    Ch i tz'onoh na chi r ech Tohil chi r e na,   5.440
Chi pe vi
    Chi ki yao,
Qamobal q'aq',"
    X ch'a ri Xibalba,
Q'o 'u xik'
    Kehe ri 'u xik' zotz'.
"In zamahel k umal Tzakol iv e,
    Bitol iv e,"
X ch'a q'u
    Ri Xibalba.   5.450
X e kikot chi q'ut,
    X nimar chik chi ki k'ux
Ri Tohil,
    Avilix
Haka Vitz,
    Ta x ch'av ri Xibalba.
Libah chi q'ut x u zach r ib chi ki vach,

> Onde fomos enfeitiçados?
Nossa língua era exatamente a mesma
> Quando viemos para Tula,
E exatamente a mesma era a nossa dignidade
E origem.
Não é bom o que fizemos",
> Todas as Tribos disseram então 5.420
Sob as árvores,
> Sob os arbustos.
E então lá apareceu
> Um homem
Diante de Balam Kitze,
> Balam Aqab,
Mahuqutah
> E Iq Balam,
E falou
> Como mensageiro de Xibalba: 5.430
"Realmente estes aqui são seus deuses.
> Estas são suas origens,
E estes são os substitutos,
> A lembrança
De Tzakol para vocês,
> E de Bitol para vocês.
Não deem então às Tribos o fogo deles
> Até que elas ofereçam algo a Tohil.
Vocês não precisam receber nada delas;
> Vocês têm de pedir o que pertence a Tohil, 5.440
A ele tem de chegar
> O que eles dão
Para obter o fogo",
> Disse o homem de Xibalba,
Que tinha asas
> Como asas de um morcego.
"Eu sou um mensageiro de Tzakol
> E Bitol para vocês",
Ele disse então,
> O homem de Xibalba. 5.450
E assim eles continuaram felizes
> E continuaram a glorificar em seus corações
Tohil,
> Avilix
E Haka Vitz
> Como o homem de Xibalba havia dito.
E de repente ele desapareceu de seus olhos,

    Ma vi x mayinik.
Ta x e 'ul chi q'ut ri 'amaq.
    K e 'utzin chik r umal tev, 5.460
Tzatz chi zaq boch,
    Chi q'eqal hab,
Zaq bochom puch
    Ma vi 'ahilan tev.
Xa ki q'u la k e lukulutik.
    K e ch'akach'ot chik
R umal tev
    R onohel amaq'.
Ta x e 'ul chiri
    E q'o vi 5.470
Balam Kitze,
    Balam Aqab,
Mahuq'utah,
    Iq'i Balam.
Nim u q'atat
    Ki k'ux.
Chi ki mah ki chi;
    Chi ki mah ki vach.

LIV

Kate puch k ulik chik
    E 'eleq'om 5.480
Chi ki vach Balam Kitze,
    Balam Aqab,
Mahuq'utah,
    Iq'i Balam.
"Ma k'i ch i toq'obah qa vach?
    Ch i qa tz'onoh ta u k'ok zkakin i q'aq'?"
Ma vi x u q'ulu;
    Ma pu x u riqo.
"Ma pu xa hun q ochoch?
    Xa pu hun qa huyubal 5.490
Ta x ix tzakik,
    Ta x ix bitik?
Ch i toq'obah q'u qa vach,"
    X e ch'a q'ut.
"Naki la q'u chi k u yao chi q e
    Chi qa toq'obah q'u 'i vach?" x e 'uch'ax q'ut.
"Utz, chi qa ya puvaq ch iv e," x e ch'a q'u ri 'amaq'.
    "Ma vi ka q ah ri puvaq,"

    Sem mais demora.
Então as Tribos voltaram de novo.
    De novo estavam morrendo por causa da geada,   5.460
Da enorme quantidade de granizo
    E da chuva negra.
E o granizo
    Era muito frio,
Assim todas estavam apenas dobradas sobre si mesmas.
    Elas foram completamente subjugadas de novo
Pelo frio,
    Todas as Tribos,
Quando elas voltaram lá
    Onde eles estavam: 5.470
Balam Kitze,
    Balam Aqab,
Mahuqutah
    E Iq Balam.
Grande era a aflição
    Em seus corações.
Suas bocas estremeceram;
    Suas faces estremeceram.

    LIV

E assim eles voltaram,
    Esses ladrões,   5.480
Diante de Balam Kitze,
    Balam Aqab,
Mahuqutah
    E Iq Balam.
"Vocês não vão se compadecer de nossas faces?
    Dêem-nos um pouco do seu fogo."
Mas eles não o receberam,
    Eles não o encontraram.
"Não é a nossa casa a mesma?
    E não é a nossa montanha a mesma?   5.490
Onde foram vocês modelados?
    Onde foram vocês construídos?
Tenham piedade de nossas faces assim mesmo",
    Eles disseram então.
"E o que vocês vão nos dar
    Se nos apiedarmos de suas faces?", eles foram indagados a seguir.
"Bem, iremos lhes dar prata", as Tribos responderam.
    "Não queremos prata",

X e ch'a q'ut Balam Kitze,
   Balam Aqab   5.500
"Naki pa k'i ch iv ah?
   Xa ta ba chi qa tz'onoh," x e ch'a q'ut ri 'amaq'.
"Utz ba la, qa tz'onoh na chi r ech Tohil,
   Kate q'ut x chi qa biih ch iv e," x e 'uch'ax chik.
Kate puch x ki tz'onoh chi r e Tohil:
   "Naki pa chi ki ya ri 'amaq', at Tohil?
K ul
   Ki tz'onoh ri 'a q'aq',"
X e ch'a q'u ri Balam Kitze,
   Balam Aqab,   5.510
Mahuq'utah,
   Iq'i Balam.
"Utz ba la, ma chi k ah
   Ki tuunik
Xe ki toloq,
   Xe pu ki mezkel?
Ma ka r ah 'on ki k'ux
   K in ki q'aluh ri 'in Tohil?
Ta ma q'u chi r ah,
   Ma q'u ch in ya ki q'aq',   5.520
Ka ch'a Tohil,
   K ix ch'a chi k e.
Ka tikal na q'ut
   Ma na qamik tah x k in tuunik
Xe ki toloq,
   Ki mezkel.
Ka ch'a ch iv ech,
   K ix ch'a,"
X e 'uch'ax q'ut Balam Kitze,
   Balam Aqab,   5.530
Mahuq'utah,
   Iq'i Balam.
Ta x ki biih q'ut
   U tzih Tohil:
"Utz ba la, chi tuunik;
   Utz puch chi qa q'aluh,"
X e ch'a q'ut ta x ki chokobeh,
   X ki k'uluba puch u tzih Tohil.
Ma vi x ki k'iyalah chik.
   "Utz," xa hu zuq x e ch'a.   5.540
Ta x ki qam q'ut q'aq'
   Kate x e miq'ik.

Responderam Balam Kitze
    E Balam Aqab.   5.500
"Bem, o que vocês querem?
    Se podemos lhes perguntar", as Tribos retrucaram.
"Muito bem, agora iremos perguntar a Tohil.
    E então lhes diremos", foi-lhes dito em troca.
E assim eles perguntaram a Tohil:
    "O que as Tribos lhe darão, ó Tohil,
Aquelas que vieram
    Pedir seu fogo?",
Repetiram Balam Kitze,
    Balam Aqab,   5.510
Mahuqutah
    E Iq Balam.
"Muito bem, eles não desejam
    Ser sugados
Dos lados
    E sob seus braços?
Seus corações podem não desejar
    Abraçar-me, a mim, Tohil;
E se eles não desejarem isso,
    Então não lhes darei seu fogo,   5.520
Tohil diz,
    Diga-lhes.
Assim, logo mais
    Eles não o obterão, a menos que eu sugue
Dos seus lados,
    Sob seus braços,
Ele falou para vocês,
    Vocês devem dizer",
Assim foi dito a Balam Kitze,
    Balam Aqab,   5.530
Mahuqutah
    E Iq Balam.
Assim então eles disseram
    As palavras de Tohil.
"Está bem, deixe-o sugar,
    E será bom que nós o abracemos",
Eles disseram então quando se reuniram
    E receberam a palavra de Tohil.
Não havia muitos deles mais.
    "Está bem", eles disseram imediatamente.   5.540
E então eles tomaram o fogo
    E se aqueceram.

 Xa q'u hu ch'ob
  Ri xa x r eleq'ah ubik q'aq' pa zib.
Are ri Zotz'ila Haa.
  Chamal Qan u bi ki kabavil,
Q'aq' Chekeleb.
  Xa zotz' u vachibal.
Ta x e 'iq'o pa zib.
  Chi libilotix x e 'iq'ovik.   5.550
Ta x ul u qama q'aq'.
  Ma vi x u tz'onoh u q'aq' ri Q'aq' Chekeleb.
Ma vi x u ya r ib chi ch'akik,
  Xere x ch'akatah ri 'amaq'r onohel.
Ta x u ya ok u xe u toloq,
  U xe 'u mezkel
Chi tuuxik.
  Are q'ut u tuuxik ri x u biih Tohil.
Ta x puz r onohel amaq' ch u vach;
  Ta x k'otix ulok u k'ux   5.560
Ch u toloq,
  Ch u mezkel.
Ma ha chi tihov ok
  U banik
Ta x nik' vachixik r umal Tohil.
  U qamik puch
Q'aq'al,
  Tepeval
K umal ri Balam Kitze,
  Balam Aqab,   5.570
Mahuq'utah,
  Iq'i Balam,
Chila petinak vi Tulan,
  Zuyua.
Ma q'u k e va tah;
  Hunelik mevahik x ki bano.
Xere ki zela vachin ri 'u zaqirik,
  K ila vachin r elik ula q'ih.
K e halov k ib chi r ilik ri Nima Ch'umil,
  Iq'o Q'ih u bi.   5.580
Are nabe ch u vach q'ih;
  Ta ch alax ok ri q'ih.
Raxa 'Iq'o Q'ih.
  Amaq'el q'u chila q'o vi ki vach,
Chi r elebal q'ih,
  Ta x e q'ohe chila,

300

Mas houve um grupo
    Que apenas se apossou furtivamente do fogo no meio da fumaça:
Era Zotzila Haa (Casa do Morcego).
    Chamal Qan (Bela Serpente) era o nome do deus
Dos Qaq Chekeleb,
    Apenas Zotz (Morcego) era seu ídolo.
Quando atravessaram a fumaça,
    Eles se moveram furtivamente,   5.550
Eles seguiram adiante e tomaram o fogo.
    Os Qaq Chekeleb não pediram o fogo.
Eles não admitiram ser vencidos;
    Mas todas as outras tribos foram derrotadas.
Então elas deram espontaneamente ambos os lados
    E os sovacos
Para serem sugados.
    E era isso o sugar que Tohil nomeou.
Pois todas as tribos foram sacrificadas diante dele,
    E seus corações foram retirados   5.560
Pelo lado,
    Por baixo do braço.
Não se tinha ainda bebido
    Assim,
Quando isso foi profetizado por Tohil,
    Pois era a dádiva
De glória
    E majestade
Para Balam Kitze,
    Balam Aqab,   5.570
Mahuqutah
    E Iq Balam,
Que haviam chegado a Tula,
    Zuyua.
E eles não podiam comer;
    Eles estavam sempre jejuando.
De fato eles esperavam ansiosamente o amanhecer,
    Desejavam ver o Sol surgir.
Então começaram a se alternar para vigiar a Grande Estrela,
    Aquela que Ultrapassa o Sol.   5.580
Ela aparecia antes do Sol;
    Então o Sol nascia depois.
Nova era a Precursora do Sol.
    E permaneciam suas faces sempre
Voltadas para o oriente,
    Quando eles estavam lá

Tulan,
    Zuyua 'u bi.
X pe vi ki kabavil,
    Ma na xa ta ka varal tah.   5.590
X ki qam vi ki q'aq'al,
    K ahavarem puch,
Xa vi chila x ch'atah vi,
    X yoq'otah vi
Nima 'amaq',
    Ch'uti 'amaq'
Ta x puzik
    Ch u vach Tohil.
X u yao 'u kiq'el,
    U komahil,   5.600
U toloq,
    U mezkel r onohel vinaq.
Hu zuq chi Tulan x pe vi ki q'aq'al.
    Nima 'etamabal q'o k uq,
Chi q'equmal q'ut,
    Chi 'aqabal puch x ki bano.
X e pe chi q'ut
    X e boqotah chi 'ula chila.
X ki kanah chik
    R elebal q'ih.   5.610
"Ma vi 'are q ochoch va.
    Xa h o chi q il na k oh tiqe vi,"
X ch'a q'u ri Tohil.
    Qitzih chi ch'avik
Chi k ech Balam Kitze,
    Balam Aqab,
Mahuq'utah,
    Iq'i Balam:
"K ix qamovan na kan ok,
    Ch i t'aha na q'ut   5.620
U hutik i xikin,
    Ch i ziza 'i ch'uk.
K ix qahib ok.
    Are 'i qamovabal ch u vach kabavil."
"Utz ba la," x e ch'a q'ut.
    Ta x ki hut ki xikin.
X oq' q'ut ch u pan ki bix ki petik Tulan;
    X oq' ki k'ux ta x e petik,
Ta x k okotah kan ok Tulan.
    "Akarok, ma vi varal x chi q il vi 'u zaqirik,   5.630

Em Tula,
> Zuyua chamada.
Seus deuses vieram então,
> Mas nem então puderam eles dormir.   5.590
Eles receberam sua glória
> E seu governo,
Mas lá foram enfraquecidas então
> E insultadas então
A tribo grande
> E a tribo pequena,
Enquanto eles sacrificavam
> Diante de Tohil
Dando-lhe o sangue,
> O soro,   5.600
O lado
> E a axila de todas as pessoas.
Imediatamente em Tula surgiu sua glória;
> Grande sabedoria era a deles,
E na escuridão
> E na hora noturna eles a tiveram.
E eles prosseguiram
> E se separaram de lá à força.
Eles partiram
> Ao nascer do Sol.   5.610
"Esta aqui não é a nossa casa;
> Vamos agora, veremos se prosperaremos então",
Disse Tohil então.
> Ele realmente falou
Para Balam Kitze,
> Balam Aqab,
Mahuqutah
> E Iq Balam:
"Agora façam mais um agradecimento,
> Agora ordenem   5.620
Que perfurem suas orelhas,
> Que talhem seus cotovelos.
Sacrifiquem então.
> Essa é a prova de sua gratidão para com o deus."
"Está bem", eles responderam.
> Então eles perfuraram suas orelhas.
E em suas canções choraram por Tula;
> Seus corações choraram quando partiram,
Quando abandonaram Tula de novo:
> "Ai de nós, não é aqui que vamos ver o amanhecer,   5.630

Ta chalax ok ri q'ih,
    Zaqiray u vach ulev,"
X e ch'a q'ut,
    Ta x pe q'ut.
Xa q'u x u kanahibeh ri pa be;
    Xax q'o vi vinaq chi kanah chiri.
K e var vi huhun chi 'amaq',
    K e yakatah vi 'ulok,
Amaq'el q'ut chi k il ri ch'umil,
    E etal q'ih. 5.640
Are r etal u zaqirik chi ki k'ux,
    Ta x e petik chila r elebal q'ih.
Ki hunam vach
    X e 'iq'ov ula
Chila Nim,
    Xol, ka biixik vakamik.

LV

Ta x e 'ul puch chiri ch u vi hun huyub,
    Chiri x ki kuch vi k ib
K onohel K'iche vinaq
    R uq amaq'. 5.650
Chiri q'u x e popon vi k onohel;
    Ta x ki pixabah k ib.
U biinam huyub vakamik chi Pixab,
    U bi huyub
X e kuchu vi k ib;
    Chiri q'ut x ki kobizah vi k ib.
"In va:
    In K'iche vinaq;
At q'u ri:
    At Tamub; 5.660
Are 'a bi ch uxik,"
    X uch'ax ri Tamub.
X ch'a chi q'ut Ilokab:
    "At Ilokab;
Are ri 'a bi ri ch uxik.
    Ma vi zachel oxib chi K'iche;
Xa hunam qa tzih,"
    X e ch'a q'ut.
Ta x koh ki bi;

Quando o Sol nascer de novo,
    Clareando a face da Terra",
Eles disseram então.
    E foram para longe.
Apenas a viagem os fez parar;
    De fato houve pessoas que pararam lá,
E dormiram então, tribo após tribo,
    E se levantaram de novo do mesmo modo,
Assim sempre viam a Estrela,
    O sinal do Sol.   5.640
Era o sinal do amanhecer nos seus corações
    Quando vieram lá do oriente.
Eram todos iguais
    Quando passaram por
Lá, em Chila Nim (Honra)
    E Xol (Veneração), como é chamado hoje.

LV

E então foram ao topo de uma montanha.
    Eles se reuniram lá,
Todos os povos quichés
    E as Tribos,   5.650
E lá criaram um conselho
    Enquanto deliberavam juntos.
A montanha é hoje chamada Pixab (Alerta),
    O nome da montanha
Onde se reuniram,
    E lá eles se deram nomes.
"Aqui eu sou:
    Sou um Quiché;
E vocês aí:
    Vocês são Tamub;   5.660
Assim é que será seu nome",
    Aos Tamub foi dito.
E a seguir aos Ilokab foi falado.
    "Vocês são Ilokab;
Assim é que seu nome será.
    Os três quichés não devem ser perdidos;
Nossas palavras são exatamente essas",
    Eles disseram então,
Enquanto determinavam seus nomes.

LVI

    Ta x biinah chi q'u   5.670
Ri Q'aq' Chekeleb:
    Q'aq' Chekeleb u bi x uxik,
R uq chik Rabinaleb.
    Are chi q'ut u bi x uxik,
Ma vi zachinak vakamik.
    Are chi q'u ri 'Ah Tz'ikina Haa, 'u bi vakamik.
Are q'u ki bi
    Ri x ki biih chi k ibil k ib
Chiri na,
    X e popon vi   5.680
Xa chi k oyobeh na u zaqirik,
    Chi k ila vachih r elik ula ch'umil.
Are nabe,
    Ch u vach q'ih
Ta chavax ok,
    (Ta zaqir ok.)
"Chila x oh pe vi;
    Xa x oh paxin q ib,"
X e ch'a
    Chi k ibil k ib.   5.690
Are chi q'atatat vi ki k'ux
    Ri nima q'axiq'ol x e 'iq'ov vi ulok.
Ma ha bi va;
    Ma ha bi 'echa.
Xa 'u xe ki chamiy chi ki ziqo,
    Kehe ri k e vaik chi ki nao.
X ma k e va vi
    Ta x e petik.
Ma q'u q'alah
    Ki 'iq'ovik ulok pa palo.   5.700
Kehe ri ma ha bi palo x e 'iq'ov vi ulok;
    Xa ch u vi tak abah x e 'iq'ov vi ulok.
K'olehe 'ula ri 'abah pa zanayeb.
    Ta x ki binatizah q'ut.
Cholochik abah,
    Boqotahinaq Zanayeb u bi,
R umal ri x e 'iq'ov vi 'ulok ch u pam palo;
    U hachon r ib ha, x e 'iq'ov vi 'ulok.
Are q'ut chi q'atatat vi ki k'ux,
    Ta x e pixaban k ib   5.710
Chi ma ha bi ki va:

LVI

Então a seguir também foram nomeados os   5.670
Ri Qaq Chekeleb:
  Ri Qaq Chekeleb se chamaram.
E a seguir os Rabinaleb,
  É assim que seu nome se tornou.
Não se perdeu até hoje.
  E então a seguir os Ah Tzikina Haa, assim chamados hoje.
E estes foram seus nomes
  Que disseram uns aos outros
Lá então,
  Onde eles se reuniram   5.680
Enquanto esperavam apenas o amanhecer,
  Procurando ver lá a estrela
Que era a primeira a surgir
  Antes do Sol,
Quando começa a clarear,
  Quando amanhece.
"Viemos aqui,
  Mas nos dividimos",
Eles disseram
  Uns aos outros.   5.690
O que muito afligiu seus corações então
  Foi seu grande sofrimento lá.
Não tinham farinha de milho;
  Não tinham outra comida.
Só cheiravam a ponta de seus bastões,
  Como se houvesse nele algo para comer.
Mas eles não comeram
  Quando vieram.
E a passagem deles lá pelo mar
  Não está clara.   5.700
Eles passaram por lá como se não houvesse mar.
  Eles passaram lá apenas sobre muitas pedras.
As pedras foram amontoadas lá na areia,
  E então eles puderam caminhar sobre elas.
Havia muitas fileiras de pedras.
  De Boqotahinaq Zanayeb (Bancos de Areia Fendidos) foram chamadas.
Assim então eles puderam passar sobre o mar lá.
  A água se dividiu lá e eles atravessaram.
E o que muito afligiu seus corações
  Quando formaram um conselho   5.710
Foi não terem comida:

  Hu 'uq chi ki qumeh
Ri xa hun a 'ixim,
  Chiri q'ut eqal vi
Ch u vi huyub
  Chi Pixab u bi.
Xa vi q'u k u qam
  Ri Tohil,
Avilix,
  Haka Vitz.   5.720
Nima mevahik ka ki ban ri Balam Kitze
  R uq r ixoqil.
Kaha Palu Na
  U bi r ixoqil;
Xa vi kehe k u bano Balam Aqab
  R uq r ixoqil,
Chomi Haa
  U bi.
R uq chik Mahuq'utah nima mevahik q'o vi
  R uq r ixoqil,   5.730
Tz'ununi Haa
  U bi;
R uq Iq'i Balam.
  Kaqix Haa 'u bi r ixoqil.
Are q'ut e 'ah meva ri chi q'equmal,
  Chi aqabal.
Nim ki biz ta x e q'oheyik ch u vi huyub.
  Chi Pixab u bi vakamik.
X ch'a chi q'ut ki kabavil chiri.

  LVII

  Ta x ch'a q'ut r uq Tohil,   5.740
Avilix,
  Haka Vitz
Chi k ech ri Balam Kitze,
  Balam Aqab,
Mahuq'utah,
  Iq'i Balam.
"Xa ta k oh beek;
  Xa ta pu k oh yakatahik.
Ma ta varal k oh q'ohe vi;
  Chi 'eval tah k oh i ya vi.   5.750
Mi x yopih u zaqirik.
  Ma pa toq'ob i vach

Bebiam nas canecas deles
Apenas uma bebida de milho,
　　　Que haviam levado
Ao topo da montanha
　　　Pixab, assim chamada.
Mas eles tinham também trazido
　　　Tohil,
Avilix
　　　E Haka Vitz.　　　　　　　　　　　　　　　5.720
Assim Balam Kitze jejuou muito
　　　Com sua mulher.
Kaha Palu Na
　　　Era o nome da esposa dele.
E Balam Aqab fez o mesmo
　　　Com sua esposa,
Chomi Haa
　　　Chamada.
E Mahuqutah também fez muito jejum
　　　Com sua esposa,　　　　　　　　　　　　　5.730
Tzununi Haa
　　　Chamada;
E Iq Balam.
　　　O nome da esposa dele era Kaqix Haa.
E eles estavam jejuando então na escuridão,
　　　À noite.
Grande era sua tristeza quando estavam lá na montanha
　　　Chamada Pixab hoje.
E lá o deus deles falou de novo.

　　　LVII

　　　Então falou Tohil,　　　　　　　　　　　　5.740
Com Avilix
　　　E Haka Vitz,
Para Balam Kitze,
　　　Balam Aqab,
Mahuqutah
　　　E Iq Balam:
"Pois então vamos;
　　　Então vamos nos levantar.
Não é aqui que devíamos estar;
　　　Vocês deviam nos ocultar longe.　　　　　　5.750
O amanhecer está quase começando.
　　　Não ia ser uma desgraça para vocês

Ve k oh kanabixik r umal ah labal?
    Ch i tzak va 'oh q'o vi 'iv umal,
Ix ah q'ixib,
    Ah k'ahib.
Huhun ta q'ut
    K oh i ya vi,"
X e ch'a q'ut
    Ta x e ch'avik.   5.760
"Utz ba la, xa k oh boqotahik,
    Qa tzukuh tak ri k'icheelah," x e ch'a q'ut k onohel.
Kate puch x ki qam,
    Chi r eq'axik u kabavil huhun chi k ech.
Ta x ok q'ut Avilix pa zivan,
    U biinam Evabal Zivan,
Ch uch'ax k umal "pa nima zivan chi k'icheelah."
    Pa 'Avilix u bi vakamik.
Chiri x kanah vi;
    X k u kanah ok pa zivan r umal Balam Aqab.   5.770
Cholom u kanahik.
    U nabe ri.
X kanah chi q'ut Haka Vitz ch u vi hun nima kaq haa.
    Haka Vitz u bi huyub vakamik.
X ki tinamit q'u
    Ri x uxik chiri q'ut.
X q'ohe vi kabavil Haka Vitz u bi.
    Xa vi x kanah ri Mahuq'utah r uq u kabavil,
U kaab q'ut kabavil
    Ri x evax k umal.   5.780
Ma na pa k'icheelah x q'ohe vi Haka Vitz;
    Xa zaqi huyub x evax vi Haka Vitz.
Ta x pe chi q'ut Balam Kitze.
    X ul chiri pa nima k'icheelah.
X ul evax o vi Tohil r umal Balam Kitze.
    Pa Tohil ch uch'ax vakamik u bi huyub.
Ta x ki kobizah ri 'evabal zivan
    Kunabal Tohil.
Tzatz chi kumatz;
    Tzatz puch chi balam,   5.790
Zochoh,
    Q'na Ti
Chiri pa k'icheelah x e q'ohe vi,
    X evax vi
K umal ah q'ixib,
    Ah k'ahib.

Se os guerreiros nos aprisionassem?
    Deem-nos um lugar onde possamos ser de vocês,
Ó sacrificadores
    E veneradores.
Assim então a cada um de nós
    Deem-nos um lugar, separadamente",
Eles disseram então
    Quando falaram.   5.760
"Está bem, vamos sair agora
    E procurar pela floresta", todos disseram então.
E então eles os pegaram
    E os deuses foram levados.
E então Avilix foi para o desfiladeiro.
    O qual foi chamado de Evabal Zivan (Garganta Escondida).
Foi chamado por eles de "na grande garganta na floresta".
    Avilix é seu nome hoje.
Lá ele permaneceu então;
    Lá foi deixado num desfiladeiro por Balam Aqab.   5.770
Na ordem de sua colocação
    Ele foi o primeiro.
E depois Hak Vitz foi deixado junto de um grande rio vermelho.
    Haka Vitz é o nome da montanha hoje.
E eles fundaram uma cidade
    Que ainda está lá.
O deus chamado Haka Vitz estava lá,
    Apenas Mahuqutah ficou com seu deus,
E ele foi o segundo deus
    Escondido por eles.   5.780
Não foi na floresta que Hak Vitz ficou;
    Pois Haka Vitz estava escondido na montanha branca.
E então veio Balam Kitze desta vez;
    Ele chegou lá na grande floresta.
Tohil foi escondido lá por Balam Kitze.
    O nome da montanha é hoje Tohil.
Então eles chamaram o desfiladeiro secreto de
    Kunabal Tohil (Medicamento de Tormenta).
Muitas serpentes
    E muitos jaguares,   5.790
Cascavéis
    E víboras
Estavam lá na floresta,
    E ele foi escondido
Pelos Veneradores,
    Pelos Sacrificadores.

Xa q'u hun x e q'ohe vi Balam Kitze,
    Balam Aqab,
Mahuq'utah,
    Iq'i Balam.   5.800
Xa hun x k oyobeh vi u zaqirik
    Chiri ch u vi huyub Haka Vitz u bi.
Xa vi q'u k ok u xol
    Ri x q'ohe vi kabavil
Tamub
    R uq Ilokab.
Amaq' Tan u bi
    Ri x q'ohe vi
Ri 'u kabavil Tamub.
    Chiri x zaqir vi.   5.810
Amaq' Uk'in K'at u bi
    Ri x zaqirik vi ri 'Ilokab.
Chiri x q'ohe vi 'u kabavil Ilokab
    Xa k ok u xol huyub.
Xa vi chiri
    R onohel Rabinaleb,
Q'aq' Chekeleb,
    Ah Tz'ikina Haa,
R onohel ch'uti 'amaq',
    Nima 'amaq',   5.820
Xa hun x tak'atob vi,
    Xa pu hun zaqirik vi,
Xa hun x k oyobeh vi
    R elik ulok
Nima Ch'umil,
    Iq'o Q'ih u bi.
"Nabe ch el ulok
    Ch u vach q'ih
Ta zaqir ok,"
    X e ch'a.   5.830
Xa q'u hun
    X e q'ohe vi
Balam Kitze,
    Balam Aqab,
Mahuq'utah,
    Iq'i Balam.
Ma ha bi ki varam,
    Ki yakalem.
Nim r oq'eh ki k'ux,
    Ki pam   5.840

E eles continuaram os mesmos: Balam Kitze,
	Balam Aqab,
Mahuqutah
	E Iq Balam. 5.800
Juntos eles aguardaram o amanhecer
	Na montanha chamada Haka Vitz.
E assim eles vieram e ficaram
	Nos lugares dos deuses
Dos Tamub
	E dos Ilokab.
Amaq Tan (Cidade dos Ramos) era o nome
	Do lugar onde estava
O deus dos Tamub
	E onde eles amanheceram. 5.810
Amaq Ukin Kat (Cidade da Rede de Abóbora) era o nome
	Do lugar onde os Ilokab amanheceram,
E lá estava o deus dos Ilokab
	Que apenas foi entre as montanhas.
E lá então
	Estavam todos os Rabinaleb,
Qaq Chekeleb,
	Ah Tzikina Haa,
Todas as pequenos tribos
	E as grandes tribos 5.820
Afluíram juntas
	E amanheceram juntas.
Elas aguardaram juntas
	A vinda
Da Grande Estrela
	Chamada a Precursora do Sol.
"Ela virá primeiro,
	Antes do Sol,
Então amanhecerá",
	Eles disseram. 5.830
E juntos
	Foram então,
Balam Kitze,
	Balam Aqab,
Mahuqutah
	E Iq Balam.
Eles não dormiram
	Nem pararam.
Seus corações clamaram muito,
	E suas barrigas, 5.840

Chi r e 'u zaqirik,
    U pakatahik puch.
Xa vi chila x q'ixib vi 'u vach;
    X e pe vi
Nima biz,
    Nima mokem.
E chiqarinaq r umal u q'axiq'ol
    Xa 'e q'o vi 'ulok.
"Ma vi quz mi x oh pe vi.
    Akarok!   5.850
Oh ta x k oh ilovik r alaxik q'ih!
    Hu la cha x qa bano?
Hunam qa vach chi qa huyubal.
    Xa x q oq'otah q ib,"
K e ch'a,
    Ta k'i k e ch'avik chi k ibil k ib.
Ch u vi biz,
    Ch u vi mokem.
Ch u vi puch aq'eh,
    Zik', x e ch'av vi.   5.860
Ma ha q'ut chi kuubax ok ki k'ux chi r e 'u zaqirik;
    Are q'ut e kuubukuxinaq vi ri kabavil
Pa tak zivan,
    Pa tak k'icheelah.
Xa pa 'ek,
    Xa pa 'atz'iyaq e q'o vi.
Ma na pa tz'alam tah
    X e ya vi.
K e ch'av nabek
    Ri Tohil,   5.870
Avilix,
    Haka Vitz.
Nim ki q'ih,
    Nim puch k ab,
K uxilab
    Ch u vi r onohel kabavil amaq'.
Tzatz ki naval;
    Tzatz puch ki binibal,
Ki chakabal chi tevinik
    Chi xibinik ki q'oheyik   5.880
Chi k'ux amaq'.
    Kuubulik ki k'uxilal
K umal ri Balam Kitze,
    Balam Aqab,

Para que amanhecesse
   E clareasse.
Mas ali suas faces estavam envergonhadas
   E eles sentiram
Grande tristeza,
   Grande abatimento.
Estavam cheios de aflição
   Por estarem apenas ali.
"Não é agradável vir aqui.
   Ai de nós!   5.850
Quando vamos ver o Sol nascer?
   O que vamos fazer?
Nossas faces eram todas iguais nas nossas montanhas.
   Apenas nos exilamos",
Eles disseram
   Quando falaram entre si.
De tristeza,
   De desânimo
E de vontade de chorar
   E de gritar eles falaram então.   5.860
Pois seus corações estavam apreensivos quanto ao amanhecer,
   E aqueles que estavam inteiramente tranquilos eram os deuses
Nos desfiladeiros,
   Nas florestas.
Apenas nas ervas,
   Apenas nos musgos eles estavam;
Não em monumentos,
   Pois estes ainda não haviam sido dados a eles.
Primeiramente eles falaram:
   Tohil,   5.870
Avilix
   E Haka Vitz.
Grande era seu Sol
   E o poder de seu hálito,
De seu espírito
   Sobre todos os deuses tribais.
Muitos eram seus poderes
   E muitos seus caminhos.
A sua ocupação era enregelar;
   Assustar fazia parte da sua natureza   5.880
Nos corações das Tribos.
   Sua lembrança foi apaziguada
Por Balam Kitze,
   Balam Aqab,

Mahuq'utah,
 Iq'i Balam.
Ma na chilik,
 K'ayal ta ki k'ux
Chi r e ri kabavil k u qam,
 K e qam puch 5.890
X e pe chila Tulan,
 Zuyua,
Chila,
 R elebal q'ih.
Xa vi q'u chiri x e q'ohe vi
 Pa k'icheelah.
Are Zaqiribal
 Pa Tohil,
Pa 'Avilix,
 Pa Haka Vitz, k uch'axik vakamik. 5.900
Are q'ut x e chavax vi,
 X e zaqir vi
Qa mam,
 Qa qahav.
Va chi qa biih chik u zaqirik,
 U vachinik puch q'ih,
Ik',
 Ch'umil.

 LVIII

Vae q'ute 'u zaqirik,
 U vachinik puch q'ih, 5.910
Ik',
 Ch'umil.

 LIX

Nim q'ut x kikotik Balam Kitze,
 Balam Aqab,
Mahuq'utah,
 Iq'i Balam
Ta x r il ri 'Iq'o Q'ih.
 Nabe x el ulok,
Chi tilitotik u vach
 Ta x el ulok nabe q'ut ch u vach q'ih. 5.920
Kate q'ut ta x ki kir ki pom chila,
 Petenak vi r elebal q'ih.

Mahuqutah
    E Iq Balam,
Que não acreditaram
    No ressentimento em seus corações
Contra os deuses que eles haviam trazido.
    E eles os trouxeram,   5.890
E vieram de Tula,
    Zuyua,
De lá
    Do oriente,
E assim ali eles estavam
    Na floresta.
Aquele era o lugar do amanhecer:
    Tohil,
Avilix,
    Haka Vitz, como são chamados hoje.   5.900
E lá veio-lhes a claridade então,
    Veio-lhes o brilho então,
A nossos avós,
    A nossos pais.
Aqui contaremos o amanhecer
    E o aparecimento do Sol,
Da Lua
    E das Estrelas.

    LVIII

E assim este foi o amanhecer,
    E o aparecimento do Sol,   5.910
Da Lua
    E das Estrelas.

    LIX

E muito se alegraram Balam Kitze,
    Balam Aqab,
Mahuqutah
    E Iq Balam
Quando a Precursora do Sol foi vista.
    Ela veio primeiro,
Sua face cintilando
    Quando ela veio primeiro, antes do Sol.   5.920
E assim então eles desataram lá o incenso
    Que havia sido trazido do oriente.

Kate 'u ch'ak chi ki k'ux
  Ta x ki kir ok.
Ox ichal ki qamovabal
  Chi ki k'ux.
Mixtam Pom
  U bi pom r u qam Balam Kitze.
Cahuiztan Pom
  U bi pom r u qam Balam Aqab. 5.930
Kabavil Pom
  Ch uch'axik chik r u qam Mahuq'utah.
E 'oxib
  Q'o ki pom.
Are q'ut x ki k'ato.
  Ta x e zaq bizanik apanok
Chila
  R elebal q'ih.
Quz k e 'oq'ik
  Ta x e zaq bizanik. 5.940
X ki k'at ki pom,
  Loqolah pom.
Kate q'ut x k oq'eh ri ma vi x k ilo;
  Ma pu x ki vachih r alaxik q'ih.
Kate puch ta x el ulok q'ih
  X kikotik
Ch'uti chikop,
  Nima chikop.
X k'iz yakatah ulok pa be ya,
  Pa zivan. 5.950
X e q'oheyik
  Tzam tak huyub.
Xa hun x q'ixe vi ki vach chila,
  X el vi 'ulok q'ih.
Kate ta x e 'oq'ik koh,
  Balam.
Nabe q'ut x oq' ri tz'ikin
  K'eletzu 'u bi.
Qitzih chi x kikot r onohel chikop.
  X ki rip ki xik', 5.960
Kot,
  Zaq k'uch,
Ch'uti tz'ikin,
  Nima tz'ikin.
E q'u xukuxuxinak ri 'ah q'ixib,
  Ah k'ahib.

Assim foi uma vitória em seus corações
	Quando eles o desataram.
As três divisões tiveram seu reconhecimento
	Em seus corações.
Incenso do Norte
	Era o nome do incenso que Balam Kitze trouxe.
Incenso do Sul
	Era o nome do incenso que Balam Aqab trouxe. 5.930
Incenso Divino
	Era finalmente o nome daquele que Mahuqutah trouxe.
Havia três deles
	Com seu incenso.
E aquilo foi o que eles queimaram
	Quando fizeram sua dança
Lá
	Perante o nascer do Sol.
Eles choraram de prazer,
	Enquanto faziam sua dança. 5.940
Eles queimaram seu incenso,
	O mais precioso incenso.
E assim então eles gritaram que não podiam ver
	E que não podiam contemplar o nascer do Sol.
E assim quando o Sol apareceu
	Alegraram-se
Os pequenos animais,
	Os grandes animais.
Eles finalmente se levantaram do leito do rio
	No desfiladeiro; 5.950
Eles estavam esperando
	No topo das montanhas.
Suas faces coraram todas iguais ali
	Quando o Sol subiu,
Enquanto rugiam a pantera
	E o jaguar.
E o primeiro a gritar foi o pássaro
	Chamado Periquito.
Na verdade todos os animais se alegraram.
	Eles abriram suas asas: 5.960
Águia,
	Gavião Branco,
Os pássaros pequenos
	E os pássaros grandes.
E os sacrificadores tinham todos se inclinado,
	E os veneradores.

Nim k e kikotik r uq r ah q'ixib,
  R ah k'ahib
Tamub,
  Ilokab, 5.970
R uq Rabinaleb,
  Q'aq' Chekeleb,
Ah Tz'ikina Haa,
  R uq Tuhal Haa,
Uch'aba Haa,
  Qiba Haa,
Ah Batena,
  R uq Yaqui Tepev.
Ha rub pa chi 'amaq' q'o vakamik.
  Ma vi 'ahilan chi vinaq. 5.980
Xa hun x zaqir vi
  R onohel amaq'.
Kate puch x chaqihik u vach ulev r umal ri q'ih.
  Kehe ri hun chi vinaq ri q'ih ta x u k'ut r ib.
K'atan u vach.
  Are x chaqih vi.
Ri 'u vach ulev ma ha ch el ula q'ih chak'alik;
  Yitz'il puch u vach ulev ma ha ch ela 'ula q'ih.
Xa q'u x kaoh aqanok ri q'ih,
  Kehe ri hun chi vinaq. 5.990
Ma q'u x ch'ihitahik u k'atanal.
  Xa q'ut u k'utubal r ib ta x alaxik,
Xa chi q'ut u lemo ri x kanahik.
  Ma vi qitzih are chi q'ih ri ka vachinik,
X ch'a
  Ch u pam ki tzih.
Kate puch hu zuq x abahir
  Ri Tohil,
Avilix,
  Haka Vitz, 6.000
R uq u kabavil
  Al:
Koh,
  Balam,
Zochoh,
  Q'an Ti.
Zaqi Q'oxol xa x u chap chik
  U q'u r ib pa chee.
Ta x vachin q'ih
  Ik', 6.010

Muito se alegraram juntos com os sacrificadores,
    Os veneradores
Dos Tamub,
    Os Ilokab,   5.970
E os Rabinaleb,
    Qaq Chekeleb,
Ah Tzikina Haa
    E Tuhal Haa,
Uchaba Haa,
    Ah Qiba Haa,
Ah Batena Haa
    E Yaqui Tepev (Majestades Mexicanas),
Assim muitas Tribos estão lá hoje;
    Havia muitos povos.   5.980
Todos juntos eles amanheceram,
    Todas as Tribos,
E assim a face da Terra ficou seca por causa do Sol.
    O Sol era apenas como um homem quando se mostrou.
Sua face era quente,
    E aquilo a secou.
O que estava sobre a face da Terra era mole antes do Sol aparecer,
    E molhada era a face da Terra antes do Sol aparecer.
Apenas o Sol estava todo enfeitado
    Como um homem.   5.990
Mas o calor era muito intenso,
    Assim ele apenas se mostrou quando nasceu,
E apenas o reflexo dele permaneceu.
    Não é verdade que seja o próprio Sol o que se vê,
Conta-se
    Em suas palavras.
E assim então subitamente ele petrificou
    Tohil,
Avilix,
    Haka Vitz   6.000
E suas crianças
    Divinas:
Koh (Pantera),
    Balam (Jaguar),
Zochoh (Cobra cascavel)
    E Qan Ti (víbora).
Mas o Zaqi Qoxol (Demônio Branco) o enganou,
    Escondendo-se num árvore.
Quando o Sol apareceu,
    E a Lua,   6.010

Ch'umil,
    Hu mah abah u uxik r onohel.
Ma ta 'oh yakamarinak lo vakamik
    R umal ri tiyonel chikop:
Koh,
    Balam,
Zochoh,
    Q'an Ti.
Zaqi Q'oxol
    Ma ta ha bi.   6.020
Ka q'ih lo vakamik.
    Ma ta x abahir r uq u nabe chikop
R umal q'ih
    Ta x el ulok.
Nima kikotem
    X q'ohe vi ki k'ux
Balam Kitze,
    Balam Aqab,
Mahuq'utah,
    Iq'i Balam.   6.030
Nim k e kikotik
    Ta x zaqirik.
Ma na 'e ta k'iya vinaq chi ki q'oheyik;
    Xa 'e ch'utin ta x e q'ohe chiri
Ch u vi huyub
    Haka Vitz.
Chiri x e zaqir vi,
    Chiri puch x e k'aton vi.
X e zaqi bizan apan ok
    Chila chi r elebal q'ih x e pe vi.   6.040
Are ki huyubal,
    Ki tak'ahal.
Chila x e pe vi Balam Kitze,
    Balam Aqab,
Mahuq'utah,
    Iq'i Balam ki bi.
Chiri q'ute x e k'iyar vi ch u vi huyub,
    Are q'ut ki tinamit x uxik.
Chiri q'u q'o vi
    Ta k'i x vachin q'ih,   6.050
Ik',
    Ch'umil.
X zaqirik,
    X pakatahik

E as Estrelas,
    Tudo em todos os lugares se tornou pedra
Para que não fôssemos hoje destruídos
    Pelos animais vorazes:
Pantera,
    Jaguar,
Cobra cascavel
    E víbora.
O Zaqi Qoxol
    Não estava lá.   6.020
Ele decerto manda hoje.
    Ele não foi transformado em pedra com os primeiros animais
Pelo Sol,
    Quando ele apareceu.
Houve grande alegria então
    Nos corações
De Balam Kitze,
    Balam Aqab,
Mahuqutah
    E Iq Balam.   6.030
Eles se alegraram muito
    Quando amanheceu.
Não eram muitas pessoas que existiam;
    Havia só umas poucas quando eles estavam lá
No topo da montanha
    Haka Vitz.
Lá eles ficaram iluminados,
    E lá queimaram oferendas.
Eles dançaram para comemorar lá,
    Os que tinham vindo do oriente.   6.040
Estas eram suas montanhas,
    Seus vales,
E lá veio Balam Kitze,
    Balam Aqab,
Mahuqutah
    E Iq Balam, como são chamados.
E lá então eles cresceram no topo da montanha,
    E ela se tornou sua cidade.
E lá eles estavam
    Quando o Sol apareceu,   6.050
E a Lua,
    E as Estrelas.
Amanheceu;
    Ele surgiu

U vach ulev,
    R onohel xe kah.
Chiri q'ut x tikar vi ki bix
    "Ka Muqu" u bi.
X ki bixah,
    Xa r oq'eh 6.060
Ki k'ux,
    Ki pam.
X ki biih
    Ch u pam ki bix:
"Akarok! X oh zachik chi Tulan!
    X oh paxin vi q ib.
X e qa kanah chik q atz,
    Qa ch'ak'.
A vi mi x k il vi q'ih?
    A vi 'on 'e q'o vi ta mi x zaqirik?" 6.070
X e ch'a chi r e r ah q'ixib,
    R ah k'ahib Yaqui vinaq.
"Xa vi xere Tohil u bi
    U kabavil Yaqui vinaq.
Yolcoat,
    Quetzalcoat u bi.
X qa hach chila ch u Tulan,
    Chi Zuyua.
Are q ach' elik ulok,
    Are puch u tz'akat qa vach ta x oh petik," 6.080
X e ch'a chi k ibil k ib
    Ta x ki natah chi apanok
K atz,
    Ki ch'ak',
Ri Yaqui vinaq
    Ri x zaqirik chila
Mexico
    U biinam vakamik.
Q'o chi nay puch Chah Kar vinaq,
    X ki kanah chila e elebal q'ih. 6.090
Tepev,
    Oliman ki bi.
"X e qa kanah kan ok," x e ch'a.
    Nim u q'atat ki k'ux
Chiri,
    Ch u vi Haka Vitz.

Sobre a face da Terra
    E diante de tudo sob o Céu.
E lá eles começaram sua canção
    Chamada "Ka Muqu" ("Está escondido").
Eles cantaram
    Apenas o lamento   6.060
De seus corações,
    De suas barrigas.
Eles disseram
    Em sua canção:
"Ai de nós! Estávamos perdidos em Tula!
    Nós nos separamos.
Deixamos atrás novamente os nossos irmãos mais velhos,
    Os nossos irmãos mais novos.
Onde eles viram o Sol então?
    Onde podiam estar quando amanheceu?",   6.070
Eles disseram então aos sacrificadores,
    Aos veneradores do Yaqui.
"Mas na verdade Tohil era o nome
    Do deus do povo yaqui.
Yolcoat (Cobra cascavel),
    Quetzalcoat (Quetzal Serpente) era o nome dele.[1]
Nós nos separamos lá na sua Tula,
    Em Zuyua.
Eram nossos companheiros de viagem,
    E nossas faces estavam completas quando viemos de lá",   6.080
Eles disseram entre si
    Quando subitamente se lembraram de novo
De seus irmãos mais velhos,
    De seus irmãos mais novos,
O Yaqui
    Que amanheceu lá
No México,
    Como é chamado hoje.
E havia também o povo do Chah Kar (Criador do Peixe)
    Que ficou lá no oriente.   6.090
Tepev,
    Oliman eram seus nomes.
"Nós os deixamos para trás", eles disseram.
    Grande era a aflição que sentiam em seus corações
Lá
    No topo da montanha Haka Vitz.

---

[1] Para o quichés, conforme esta passagem deixa claro, Quetzalcoatl, Quq Kumatz e Tohil eram a mesma divindade sob diferentes nomes.

Xa vi kehe ka ki ban ri r ech Tamub,
    Ilokab.
Xa vi xere 'e q'o vi chiri pa k'icheelah,
    Amaq' T'an u bi,   6.100
X zaqir vi r ah q'ixib,
    R ah k'ahib
Tamub,
    R uq u kabavil.
Xa vi xere Tohil.
    Xa hun u bi
U kabavil r ox ch'ob ichal
    K'iche vinaq.
Xa vi q'u xere chik u bi
    U kabavil   6.110
Rabinaleb.
    X zkakin u hal q'at u bi.
Hun Toh ch uch'axik u bi
    U kabavil Rabinaleb.
Xa k u ch'a ri,
    Xa chi r ah hunamatah
Chi K'iche
    Chi 'u ch'aabal.
Are q'ut hal q'atahinak vi ch'aabal r uq Q'aq' Chekeleb
    R umal halan u bi 'u kabavil   6.120
Ta x pe chila Tulan,
    Zuyua.
Tzotz'i Haa,
    Chimal Qan u bi
U kabavil.
    Xa k u ch'a halan u ch'aabal vakamik.
R uq nay puch chi r ih u kabavil
    X qamon vi
U bi
    U chinamit: 6.130
Ah Po Zotz'il,
    Ah po Xa(hil) k e 'uch'axik.
Xa vi 'u kabavil x hal q'atih vi 'u ch'aabal
    Ta x ya 'ulok u kabavil ula Tulan.
Chiri 'abah x hal q'atih vi 'u ch'aabal
    Ta x pe Tulan chi q'equmal.
Xa q'u hun x avax vi r onohel amaq',
    Kolehe 'u bi
U kabavil

A mesma coisa eles fizeram aos Tamub
    E Ilokab,
Exceto que eles estavam de fato lá na floresta
    Chamada Amaq Tan (Cidade do Ramo),   6.100
Onde os sacrificadores amanheceram,
    E os veneradores
Dos Tamub
    Com seu deus.
Mas era realmente Tohil.
    Tinha o mesmo nome
O deus de cada uma das três partes
    Do povo quiché.
E também aquele era de fato o nome
    Do deus   6.110
Dos Rabinaleb.
    Seu nome foi um pouco modificado.
Hun Toh (Um Tormenta) era como se chamava
    O deus dos Rabinaleb.
Os Rabinaleb apenas falam dessa maneira,
    Mas se acreditava que era o mesmo
Em Quiché,
    Na sua língua.
Mas a língua era diferente da língua dos Qaq Chekeleb,
    Porque o nome de seu deus tinha sido mudado   6.120
Quando eles chegaram aqui vindos de Tula,
    Zuyua.
Pois Tzotzi Haa,
    Chimal Qan era o nome
De seu deus.
    E sua língua é apenas falada diferentemente hoje.
Assim de seu deus
    Tomou
O nome
    A sua família:[2]   6.130
Ah Po Zotzil (Conselheiro Morcego)
    E Ah Po Xa (Conselheiro Dançarino) são chamadas.
Mas seu deus mudou sua língua
    Quando seu deus lhes foi entregue lá em Tula.
Lá o ídolo modificou a língua deles
    Quando vieram de Tula na escuridão.
Pois as tribos foram separadas de modo igual,
    Cada uma com o nome
De seu deus

[2] Isto é, a linhagem.

  Ch u hu tak ch'obil.   6.140
Are q'ut x chi qa biih chik ki 'alubik,
  Ki bayatahik puch
Chiri
  Ch u vi huyub.
Xa hun x e q'ohe vi
  Ki kah ichal:
Balam Kitze,
  Balam Aqab,
Mahuq'utah,
  Iq'i Balam ki bi.   6.150
K oq' ki k'ux
  Chi r e ri Tohil,
Avilix,
  Haka Vitz.
Are q'o chik pa 'ek,
  Pa 'atz'iaq k umal.

  LX

Va q'ute ki k'atonik u xe che puch
  Kohobal r ech Tohil.
Ta x e be q'ut ch u vach Tohil,
  Avilix,   6.160
X e be k ila,
  X be pu q'ihila,
X e qamovan chik ch u vach
  Ch i r ech u zaqirik.
E q'u vonovoh chik
  Chi 'abahil
Chiri
  Pa k'icheelah.
Xa ki naval vach chik
  X ch'avik   6.170
Ta x e 'opon ri 'ah q'ixib,
  Ah k'ahib ch u vach ri Tohil.
Ma q'u nim ri k u qam
  Ki k'atoh puch.
Xa q'ol,
  Xa r achaq
Nooh
  R uq iya
X ki k'at ok
  Ch u vach ki kabavil,   6.180

       Segundo cada divisão.   6.140
E aqui vamos contar sua preocupação,
       E seu estada
Lá
       No topo da montanha.
Eram iguais então,
       As quatro partes:
Balam Kitze,
       Balam Aqab,
Mahuqutah
       E Iq Balam chamadas.   6.150
Seus corações choraram
       Diante de Tohil,
Avilix
       E Haka Vitz,
Que estavam lá nas ervas,
       No musgo deles.

       LX

E assim queimaram coisas sob ele lá de novo
       Como sinal de respeito por Tohil.
Quando chegaram perante Tohil
       E Avilix,   6.160
Eles foram para ver
       E foram venerar
E de novo agradecer diante dele
       Pelo amanhecer.
E se inclinaram
       Diante dos ídolos
Lá
       Na floresta.
E a estátua mágica deles
       Falou de novo   6.170
Quando os sacrificadores vieram
       E os veneradores diante de Tohil.
Mas o que eles trouxeram não era grande,
       E tampouco o que eles queimaram.
Apenas resina,
       Apenas pedaços
De incenso
       E anis selvagem
Eles queimaram
       Diante de seu deus,   6.180

Ta x ch'av q'ut ri Tohil
    Xa 'u naval chik.
Ta x ya 'ulok ki naoh ri 'e 'ah q'ixib,
    E 'ah k'ahib.
X e ch'a
    Ta x e ch'avik:
"Xa vi varal qa huyubal,
    Qa tak'ahal ch uxik.
Oh iv ech chik.
    Mi x uxik.   6.190
Nim qa q'ih,
    Nim puch q alaxik.
R umal r onohel vinaq iv ech,
    Ri ronohel amaq'.
Xa vi q'u 'oh iv ach'bil chi na,
    I tinamit.
Xa vi chi qa ya 'i naoh:
    M oh i k'ut ch u vach ri 'amaq'
Ta k oh k'aqanih
    R umal ri qitzih vi   6.200
Chi 'e k'i
    Chi ki q'oheyik.
Kehe q'u ma vi k oh i ralahobizah vi
    Xere q'ut ch i ya chi q ech
Ri r al k'im,
    R al torob,
Xere q'u ri x nam keh,
    X nam tz'ikin.
Ch ul ta 'i ya zkakin u kiq'el chi q ech.
    Toq'ob qa vach.   6.210
Chi kanah q'ut r izumal ri keh chi chahil.
    Are 'e ri 'u muq u vach
Chi mich kan ok,
    Are q'u keh ch uxik.
Are nay puch qa k'ex vach chi q'ut
    Ch u vach amaq'.
A pa q'o vi Tohil?
    Ta x ix uch'axik,
Are q'ut ch i k'ut ri q'u keh chi ki vach,
    Ta m i k'ut nay puch iv ib.   6.220
Q'o chi q'ut chi ban chik,
    Nim i q'oheyik ch uxik:
Chi ch'ak ri r onohel amaq',

E quando Tohil falou,
    Foi apenas sua magia de novo.
Então passou suas instruções aos sacrificadores,
    Aos veneradores.
Eles disseram[3]
    Quando eles falaram:
"Aqui apenas nossas montanhas,
    Nossos vales serão.
Ainda somos seus.
    Já está determinado assim. 6.190
Grande é o nosso dia,
    E grande o nosso nascimento.
Pois são seus todos os povos
    Que estão em todas as Tribos.
E continuaremos então sendo seus companheiros,
    Sua cidade.
Apenas lhes faremos uma recomendação:
    Não nos exponham às Tribos
Quando elas nos procurarem
    Em busca de felicidade, 6.200
Porque são muitas agora
    As que existem.
Assim então não permitam que elas nos cacem,
    É melhor dar-nos
Àqueles que são os filhos da grama,
    Os filhos das ervas daninhas,
E de fato a cria do veado,
    O filhote dos pássaros.
Venham então e deem-nos um pouco do sangue deles.
    Tenham piedade de nossa face. 6.210
E guardem com cuidado o Couro de Veado.
    São as coisas para esconder a face
E para enganar,
    E isso será o Couro de Veado,
E também isso será nosso substituto a partir de agora
    Diante das Tribos.
Quando elas lhes perguntarem:
    Onde está Tohil?
Apontem o couro de veado a elas,
    Mas vocês tampouco se mostrem. 6.220
E há algo mais que vocês podem fazer,
    E sua existência será grande:
Derrotem os que estão em todas as outras Tribos,

---

[3] No plural, são os três deuses falando juntos.

  Chi k uqah
U kiq'el,
  U komahil chi qa vach.
Ch ul vi,
  K oh ki q'aluh.
E q ech chik,"
  X ch'a q'u ri Tohil,   6.230
Avilix,
  Haka Vitz.
Q'aholal vach
  Chi ki vachibeh
Ta k e 'ilik,
  Ta ch opon puch
K'atoh chi ki vach.
  Ta x tikar q'ut u tzukuxik
Ri r al tak tz'ikin,
  R al keh,   6.240
Q'amob,
  Tzukuxik
K umal ri 'ah q'ixib,
  Ah k'ahib.
Are q'ut ta chi ki riq ri tz'ikin,
  Al keh
Kate q'ut chi be
  Ki q'ulu
Ri 'u kiq'el keh,
  Tz'ikin p u chi ri 'abah,   6.250
Ri Tohil,
  Avilix.
X uqa ri q'ut
  Uqah kiq' k umal kabavil.
Hu zuq chi ch'av ri 'abah
  Ta k e 'oponik,
Ri 'ah q'ixib,
  Ah k'ahib,
Ta chi be ki ya
  Ki k'atoh.   6.260
Xa vi kehe chik chi ki bano
  Ch u vach ri q'u keh:
Chi ki k'at q'ol,
  Chi ki k'at puch iya.
Holom oqox x q'ohe ki q'u keh
  Chi ki huhunal,
Chiri k ul vi k umal

E os deixem beber
Aquele sangue,
    Aquela substância diante de nós.
Deixem que venham então
    E nos abracem.
Eles ainda são nossos",
    Disse Tohil então,   6.230
Avilix
    E Haka Vitz.
Aparência jovem
    Eles tinham
Quando olharam,
    E quando chegaram
Para queimar coisas diante deles.
    E então começou a caça
Aos pássaros novos,
    Ao veado novo,   6.240
Que caíram na armadilha
    E foram pegos
Pelos sacrificadores,
    Pelos veneradores.
Era assim quando encontravam pássaros
    E veado novo.
Então eles puderam ir
    E depositaram
O sangue do veado
    E o do pássaro na boca do ídolo   6.250
De Tohil
    E Avilix.
E ele seria bebido;
    O sangue seria bebido pelos deuses.
E imediatamente a pedra falaria
    Quando eles chegassem,
Os sacrificadores
    E veneradores,
Quando eles viessem fazer oferendas
    E queimá-las.   6.260
E assim eles fizeram
    Diante de Couro de Veado:
Eles queimaram resina
    E queimaram anis.
Cogumelos estavam espalhados pelos couros de veado,
    Em cada um,
E foram levados por eles

Ch u vi huyub.
Ma vi ki laqaben
    Ri k ochoch chi q'ihil;   6.270
Xa pa tak huyub
    K e bin vi.
Are q'ut chi k echah ri xa r al vonon
    Xa r al zital,
Xa pu r al akah
    Chi ki tzukuh.
Ma na 'utzilah va,
    Utzilah a.
Ta puch ma vi q'alah u beel k ochoch.
    Ma vi q'alah q'o vi kan ok k ixoqila.   6.280
Are q'ut tzatz chik ri 'amaq',
    Huhun chi zepezoh vi.
Ki kuchun chi k ib
    Ri hu tak ch'ob ch 'amaq',
K e bolo chik pa tak be.
    Q'alah chi ki be.
Are q'u ri Balam Kitze,
    Balam Aqab,
Mahuq'utah,
    Iq'i Balam x ma q'alah e q'o vi.   6.290
Are q'ut ta chi k il ri 'amaq'
    Ch iq'ovik pa be,
Kate q'ut ta k e 'ok ulok
    Tzam tak huyub,
Xa r oq'ibal utiv,
    Xa pu r oq'ibal yak chi k oq'ibeh.
Xa pu r oq'ibal koh,
    Balam chi ki bano.
Ta chi k il ri 'amaq',
    K'i ch u binik.   6.300
"Xa 'utiv ri k oq'ik,
    Xa pu yak ri.
Xa koh,
    Xa balam," k e ch'a q'ut ri 'amaq'.
Kehe ri ma vinaq ch u k'ux ri r onohel 'amaq'.
    Xa q'u michibal k ech amaq'.
Ta chi ki bano q'o ka r ah ki k'ux.
    Ri ma na qitzih ta chi xibin ta r ib chi ki bano.
Q'o ka k ah chi r e r oq'ibal koh,
    R oq'ibal balam chi k oq'ibeh.   6.310
Ta chi k il q'u ri vinaq xa hun,

Para o topo da montanha.
Eles não se instalaram
    Em casas naquele tempo;   6.270
Apenas através das montanhas
    Eles perambularam então.
E o que eles comeram foi apenas filhotes de vespões,
    Apenas filhotes de vespas
E apenas larvas de colmeias,
    Que eles caçaram.
Não havia nenhuma comida realmente boa,
    Nem água realmente boa.
E então os caminhos para suas casas ainda não estavam evidentes.
    E suas esposas tampouco.   6.280
Havia muitas Tribos então,
    Cada uma já instalada.
Elas se reuniram,
    Cada divisão em sua tribo,
E desfilaram pelas suas estradas.
    Elas eram visíveis enquanto passavam.
E lá estava Balam Kitze,
    Balam Aqab,
Mahuqutah
    E Iq Balam, mas eles não estavam visíveis.   6.290
E assim quando perceberam as Tribos
    Que estavam passando pela estrada,
E mais tarde quando eles subiram
    Aos picos das montanhas,
Apenas o chamado do coiote
    E apenas o chamado do lince eles emitiram.
E apenas o chamado da pantera
    E o do jaguar eles deram.
Quando perceberam as Tribos,
    Muitas delas caminhando.   6.300
"É apenas o chamado do coiote;
    É apenas o lince lá.
Apenas a pantera,
    Apenas o jaguar", as Tribos disseram então.
Assim eles não eram então pessoas nos corações de todas as Tribos.
    E era apenas para enganar as Tribos.
Então eles fizeram o que mandou seus corações.
    E o fizeram de modo que não se assustassem realmente.
Havia algo que eles desejavam com os chamados da pantera,
    Os chamados do jaguar que estavam emitindo.   6.310
Pois quando eles viam uma pessoa sozinha,

Xa kaib ch u binik, chi k ah ki mayih ch k ech.
Hu tak q'ih ta k e 'ul chi q'ut chiri
    Chi k ochoch r uq k ixoqil.
Xa vi r al vonon,
    R al zital,
Xa pu r al akah q'u
    Ka qam chi ki yao chi r ech k ixoqil
Hu tak q'ih ta x e be chi q'ut
    Ch u vach Tohil,   6.320
Avilix,
    Haka Vitz.
X e ch'a q'ut
    Chi ki k'ux,
"Are ri Tohil,
    Avilix,
Haka Vitz,
    Xa 'u kiq'el
Keh,
    Tz'ikin ka qa ya chi r e.   6.330
Xa qa ziza qa xikin,
    Qa ch'uk,
Qa tz'onoh qa q'ovil,
    Q achihilal chi r e Tohil,
Avilix,
    Haka Vitz.
Naki tah chi k u chah ki kamik ri 'amaq'?
    Xa ta huhunal k e qa kamizah?"
X e ch'a chi k ibil k ib
    Ta x e be q'ut ch u vach Tohil,   6.340
Avilix,
    Haka Vitz.
Ta x ki ziz ki xikin,
    Ki ch'uk ch u vach kabavil.
X ki vaquh ri ki kiq'el.
    X ki hik q'oq p u chi ri 'abah.
Ma q'u qitzih ta chi 'abah ch uxik;
    Kehe ri 'e huhun chi q'aholab
Ta k e 'ulik
    X e kikot chik   6.350
Chi r ech ri ki kiq'el ah q'ixib,
    Ah k'ahib.
Ta x pe chi q'ut r etal
    Ki banoh ri:
"Chi ch'akonizah k'i he.

Ou duas caminhando, eles queriam acabar com elas.
E assim todos os dias eles voltavam lá
    Para suas casas e suas esposas.
Apenas filhotes de vespões,
    Filhotes de vespas,
E apenas larvas de colmeias então
    Eles traziam para suas esposas,
Todos os dias então quando eles voltavam
    Diante de Tohil,   6.320
Avilix
    E Haka Vitz.
Eles diziam então
    Em seus corações:
"Este é Tohil,
    Avilix,
Haka Vitz.
    Apenas sangue
De veado
    E de pássaros podemos lhes oferecer.   6.330
Mas vamos furar nossas orelhas,
    Nossos cotovelos,
Para rogar que eles nos dêem força
    E virilidade, Tohil,
Avilix
    E Haka Vitz.
Depois quem é que vai tomar conta da morte das Tribos?
    Iremos matá-los um por um então?",
Eles disseram uns aos outros.
    E então eles chegaram diante de Tohil,   6.340
Avilix,
    Haka Vitz.
Eles então perfuraram suas orelhas
    E seus cotovelos diante de seu deus.
Eles colheram seu sangue
    E esvaziaram a cabaça na boca do ídolo.
Mas ele de fato não parecia ser de pedra então;
    Eles eram como jovens
Quando eles vieram.
    Eles se alegraram de novo   6.350
Com o sangue dos sacrificadores
    E veneradores.
E então o sinal respondeu
    Ao que eles fizeram:
"Vocês vão tentar derrotar na verdade muitos.

  Are 'i kolobal iv ib
Chila x pe vi chi Tulan
  Ta x oh i qam ulok,"
X e 'uch'ax q'ut.
  Ta x ya 'ulok   6.360
Ri tz'um
  Pa Zilizib u bi.
R uq kiq' ch ok chi k ih,
  Ki hab r ib ri kiq'
X uxik u yaon
  Tohil,
R uq Avilix,
  Haka Vitz.

LXI

Vae 'u tikarik chik r eleq'axik vinaq,
  Amaq'   6.370
K umal Balam Kitze,
  Balam Aqab,
Mahuq'utah,
  Iq'i Balam.

LXII

Kate puch u kamizaxik amaq' ri.
  Are x ki kam ri.
Xa hun ch u binik;
  Xa kaib ch u binik,
Ma vi q'alah ta ch ki qamo.
  Kate q'ut ta chi be ki puzu   6.380
Ch u vach Tohil,
  Avilix.
Kate q'ut ta chi ki ya kiq' pa be,
  Q'oolik u holom chi ki k'oloba pa be.
K e ch'a q'ut ri 'amaq', "Balam mi x tiyovik."
  Xa k e ch'a,
R umal kehe ri r aqan balam,
  K aqan ta chi ki bano.
Ma vi chi ki k'ut k ib.
  Tzatz chi 'amaq' x k eleq'ah.   6.390
Q'a 'u naht q'ut
  X u na vi r ib amaq'.
"Ve. Are ri Tohil,

      Essa é a sua salvação
Que veio lá de Tula
      Quando vocês nos trouxeram para baixo",
Foi-lhes dito então.
      Então lhes foi dado   6.360
O couro
      No lugar chamado Zilizib (Trêmulo).
De sangue escorrendo pelas suas costas,
      E sangue se espalhando
Foi a oferenda
      Para Tohil,
Com Avilix
      E Haka Vitz juntos.

LXI

Vem daí então o roubo das pessoas
      E das Tribos   6.370
Iniciado por Balam Kitze,
      Balam Aqab,
Mahuqutah
      E Iq Balam.

LXII

E assim então foi a morte das Tribos.
      Isso foi o que as matou.
Se uma pessoa estava caminhando,
      Ou se duas estavam caminhando,
Não se sabe bem quando elas eram agarradas,
      E então elas eram sacrificadas   6.380
Perante Tohil
      E Avilix.
E então depois eles ofereciam sangue pela estrada,
      E a caveira ficava lá onde eles a tinham rolado pela estrada.
E as Tribos diziam: "Jaguar está comendo",
      Era tudo o que diziam,
Porque eram como patas de jaguar
      As pegadas que eles faziam.
Eles não se mostraram.
      Muitas foram as Tribos que eles roubaram.   6.390
Foi muito mais tarde
      Que as Tribos compreenderam.
"Sim. É Tohil

      Avilix k ok chi q e.
Xa k e qa tzukuh ri 'ah q'ixib,
      Ah k'ahib
Ta la q'o vi k ochoch.
      Chi qa taqeh ri k aqan,"
X e ch'a q'ut k onohel amaq'
      Ta x ki qam ki naoh chi k ibil k ib.   6.400
Kate q'ut x ki tikiba
      U taqexik k aqan
Ri 'ah q'ixib,
      Ah k'ahib.
Ma q'u q'alah, xa r aqan keh,
      Xa r aqan balam chi k ilo.
Ma vi q'alah k aqan;
      X ma q'o vi q'alah vi.
Are nabe k aqan ri xa ki pich,
      Kehe ri k aqan xa zachobal.   6.410
R e k umal
      Ma vi q'alah ki be.
Xa chi vinaqir zutz';
      Xa chi vinaqir q'eqal hab;
Xa chi vinaqir xoq'ol;
      Xa chi vinaqir muzumul hab
Chi k ilo.
      Chi ki vach amaq',
Xa q'u chi koz ki k'ux chi ki tzukuxik,
      Ta chi k okotah puch.   6.420
R umal nim u q'oheyik
      Ri Tohil,
Avilix,
      Haka Vitz.
Naht q'u x ki ban chiri ch u vi huyub,
      Ch u xikin ri 'amaq'.
X ki kamizah.
      Are ta x vinaqir ri 'eleq'ik.
E ch'alamik q'at.
      Ta chi ki kam ri 'amaq' pa tak be   6.430
Chi ki puz
      Ch u vach ri Tohil,
Avilix,
      Haka Vitz.
X kol ok q'ut ki q'ahol chiri
      Ch u vi huyub.
Are Tohil,

           E Avilix que estão vindo no meio da gente!
Vamos apenas procurar os sacrificadores,
           Os veneradores,
Onde quer que as suas casas possam estar.
           Vamos seguir suas pegadas",
Todas as Tribos disseram então.
           Quando eles se reuniram para discutir,   6.400
E assim eles começaram
           A seguir as pegadas
Dos sacrificadores,
           Dos veneradores.
E elas não estavam claras; apenas as pegadas dos veados,
           Apenas as pegadas do jaguar podiam ser vistas.
Suas pegadas não estavam claras.
           Não havia nada que fosse claro.
Onde começavam suas pegadas havia só as dos animais,
           Como se suas pegadas tivessem agora desaparecido,   6.410
De maneira que para eles
           O seu caminho não estava claro.
Uma tormenta começou;
           Uma chuva negra começou;
E a lama se formou.
           Uma tormenta de granizo começou,
Que eles viram,
           Que as Tribos contemplaram,
E seus corações apenas se cansaram de buscá-los,
           E assim eles desistiram.   6.420
Porque grande era a existência
           De Tohil,
Avilix
           E Haka Vitz.
E por muito tempo eles fizeram aquilo lá no topo da montanha,
           Nos flancos das Tribos.
Eles mataram.
           Aquilo foi quando eles começaram a capturar.
Eles estavam esfolando e cortando.
           Então eles mataram as Tribos nas estradas,   6.430
E as sacrificaram
           Diante de Tohil,
Avilix
           E Haka Vitz.
E eles mantiveram seus filhos lá,
           No topo da montanha.
Eles eram Tohil,

  Avilix,
Haka Vitz,
  Oxib chi q'aholab.   6.440
Ki vachibal k e binik;
  Xa 'u naval ru 'abah.
X q'ohe hun ha;
  Are k e 'atin vi,
Chiri
  Ch u chi ha,
Xa ki k'utubal k ib
  X u biinah q'ut.
Chi r Atinibal Tohil
  U bi ha x uxik.   6.450
K'iya mul q'ut chi k ilo 'amaq',
  Libah chi chi ki zachix tah k ib.
Ta k e 'ilik
  R umal amaq'
Ta x ux tah u tzihel
  Ri 'e q'o vi
Ri Balam Kitze,
  Balam Aqab,
Mahuq'utah,
  Iq'i Balam.   6.460
Are q'u va 'u qamik u naoh amaq'
  Chi r ech u kamizaxik tah.

LXIII

Nabe q'ut x r ah ki naohih amaq'
  U ch'akik Tohil,
Avilix,
  Haka Vitz.
X e ch'a r onohel ri 'ah q'ixib,
  Ah k'ahib ch u vach amaq'.
X k e heek k ib,
  X k e taq pu k ib k onohel.   6.470
Ma ha bi hu ch'ob,
  Ka ch'ob ta chik x kanah chi k e.
K onohel x e kuchu k ib,
  X e taqo pu k ib.
Ta x qam ki naoh, x e ch'a q'ut
  Ta x ki tz'onobeh k ib:
"Naki pa chi k u chah
  Ki ch'akik

                Avilix
E Haka Vitz,
        Os três filhos.   6.440
Suas imagens caminhavam,
        Os ídolos eram apenas seus espíritos.
Havia um rio.
        Foi lá que eles se banharam,
Lá
        Na margem do rio,
E porque eles se mostraram
        Este foi chamado assim então.
Banho de Tohil
        Tornou-se o nome do rio.   6.450
E muitas vezes as Tribos os viram,
        E eles subitamente desapareciam.
Quando eles foram vistos
        Por todas as Tribos.
Então chegaram notícias
        De que eram
Balam Kitze,
        Balam Aqab,
Mahuqutah
        E Iq Balam.   6.460
E foi isso que revelou às Tribos
        Como elas estavam morrendo.

        LXIII

Assim mais tarde as Tribos se perguntaram
        Como podiam derrotar Tohil,
Avilix
        E Haka Vitz.
Todos os sacrificadores falaram,
        E os veneradores falaram diante das Tribos.
Eles haviam se reunido
        E tinham procurado ficar todos juntos,   6.470
Assim não houve sequer uma divisão
        Ou duas entre eles.
Todos se reuniram
        E chamaram os outros.
Quando tinham deliberado disseram então,
        Incitando uns aos outros:
"Quem vai se encarregar da
        Destruição

Ri Qavek
    K'iche vinaq?   6.480
R umal mi x k'iz q al
    Q'ahol
Ma vi q'alah
    U zachik vinaq k umal.
Ve k oh k'izik
    Chi 'eleq'axik, ta ch ux ok!
Ve are nim
    U q'aq'al ri Tohil,
Avilix,
    Haka Vitz,   6.490
Are ta q'ut qa kabavil
    Ri Tohil ch uxik!
Chi kanabih tah,
    Ma vi ch utzinik k oh ki ch'ako!
Ma puch oh k'iya vinaq chi qa q'oheyik,
    Are q'u ri Qavek ma vi ha rub chi ki q'oheyik?"
X e ch'a q'ut
    Ta x e 'oponik k onohel.
X e ch'a chik Chah Kar
    Chi k ech ri 'amaq' ta x e ch'avik: 6.500
"A pa chi na ri lo k e 'atin
    Ch u chi ya hu tak q'ih?
Ve. Are
    Tohil,
Avilix,
    Haka Vitz.
Are ta k e qa ch'ak na nabe,
    Chiri ta q'ut chi tikar vi ki ch'akatahik
Ri e' ah q'ixib,
    Ah k'ahib."   6.510
X e ch'a chi q'ut Chah Kar chik
    Ta x e ch'avik:
"Naki la q'ut chi qa ch'akobeh k ech?"
    X e ch'a chi q'ut, "Are ta qa ch'akobal k ech ch uxik:
R umal ri 'e q'aholab k e vachinik
    Ta k e 'ilitah chi 'a,
K e be ta q'ute kaib q'apohib.
    Are ta ri qitzih chi 'e chaom,
E ta zaq loloh chi q'apohib
    Chi be ta k'ut ki rayibal chi r e,"
        x e ch'a q'ut.   6.520
"Utz ba la, xa ba k e qa tzukuh e ta kaib

Do Povo
> Quiché de Qavek? 6.480

Pois as nossas crianças nascidas estão se acabando
> E as nossas crianças engendradas.

Não está claro como é
> Que eles destroem a gente.

Se continuarem assim
> Esses raptos, eles acabarão com a gente!

Se essa é a grandeza,
> A glória de Tohil,

Avilix
> E Haka Vitz, 6.490

Então que nosso deus
> Seja Tohil.

Vamos capturá-los,
> Pois eles vão nos destruir!

Pois não somos muitas pessoas vivendo?
> E há os Quichés, mas quantos deles não estão mais vivendo?",

Eles disseram então,
> Quando todos chegaram.

E os Chah Kar (Protetores do Peixe) disseram depois
> Às Tribos quando falaram: 6.500

"Quem mais poderia estar se banhando
> Na margem da água todos os dias?

Sim, é
> Tohil,

Avilix
> E Haka Vitz!

Lá é que poderemos derrotá-los logo,
> E lá é que vai começar a humilhação

Daqueles que são sacrificadores
> E veneradores." 6.510

Os Chah Kar então disseram depois
> Quando falaram:

"E o que vamos usar para derrotá-los?"
> E então eles disseram: "Este então será o nosso recurso para derrotá-los:

Como eles parecem jovens
> Quando aparecem no rio,

Então vamos deixar duas mocinhas irem lá.
> Existem as realmente belas,

Que são de verdade virgens radiantes.
> Assim então vamos deixá-las ir lá e exibir o desejo que sentem por eles",
>> eles disseram então. 6.520

"Está bem, apenas deixem a gente encontrar duas então

>   *Chi 'utzilah tak q'apohib,"* x e ch'a q'ut.
> *Ta x ki tzukuh q'ut ki meal.*
>   *Are ri qitzih e zaqilah tak q'apohib.*
> *Ta x ki pixabah q'ut ri q'apohib:*
>   *"K ix beek, ix qa mial,*
> *Oh i ch'aha ri q'uul chi ya.*
>   *Ve q'ut ta k e 'iv il ri 'e oxib q'aholab*
> *Chi zonoba q'u' iv ib chi ki vach.*
>   *Ve q'ut chi rayin ki k'ux ch iv e*   6.530
> *K ix chok o k oh opon ta ch iv ih,*
>   *Ta k e ch'a ch iv ech,*
> *Ve, k ix ch'a q'ut,*
>   *Ta k ix tz'onox q'ut*
> *A pa k ix pe vi,*
>   *A pa 'ah choq' mial,*
> *Ta k e ch'a, Oh ki mial ahavab,*
>   *K ix ch'a q'ut chi k e,*
> *Chi pe q'u r etal iv umal.*
>   *Ta naki la chi ki ya ch iv e.*   6.540
> *Tazek chi ki rayih i vach,*
>   *Qitzih ch i ya 'iv ib chi k ech.*
> *Ve q'ut ta ma vi ch i ya 'iv ib,*
>   *K ix qa kamizah q'ut.*
> *Kate 'utz qa k'ux*
>   *Ta q'o r etal chi qam ulok,*
> *Are q'u r etal chi qa k'ux*
>   *Ta k e 'opon ch iv ih,"*
> *X e ch'a q'u ri 'ahavab*
>   *Ta x e pixabax ri q'apohib,*   6.550
> *E kaib.*
>   *Are ki bi va:*
> *X Tah u bi hun q'apoh;*
>   *X Puch chi q'ut u bi hun chik.*
> *E pu kaib, X Tah,*
>   *X Puch ki bi*
> *X e taq ubik chi ya*
>   *Chi r Atinibal Tohil,*
> *Avilix,*
>   *Haka Vitz.*   6.560
> *Are ki naoh r onohel amaq' ri.*
>
>   LXIV
>
>   *Kate puch x e beek.*

Que sejam virgens de verdade", eles disseram então.
E assim eles procuraram suas filhas.
Havia algumas que eram realmente moças muito atraentes.
E então eles ordenaram às moças:
"Vocês devem ir, minhas filhas.
Vão e lavem roupas no rio.
E se vocês virem aqueles três filhos
Então se dispam diante deles,
E se eles desejarem vocês, 6.530
Vocês devem deixá-los excitados para que nós possamos seguir vocês.
Quando eles pedirem a vocês,
Sim, vocês digam então,
E quando vocês forem perguntadas:
Para onde estão indo?
Ou filhas de quem são?,
Quando eles falarem, *Nós somos as filhas dos senhores*,
Digam então a eles,
Venha, então, um sinal de vocês.
Então eles vão lhes dar alguma coisa. 6.540
Apenas se eles desejaram suas faces,
Se entreguem realmente a eles,
Porque se vocês não se entregarem,
Então nós vamos matá-las.
Então nossos corações ficarão contentes,
Se houver um sinal trazido de volta.
E será em nossos corações um sinal
De que eles seguem vocês",
Os senhores disseram então
Quando instruíram as moças, 6.550
Duas delas.
E estes eram seus nomes:
X Tah (Moça) era o nome de uma delas,
E X Puch (Mocinha) era o nome da outra,
E as duas, X Tah
E X Puch, como eram chamadas,
Foram enviadas ao rio,
Ao banho de Tohil
E àquele de Avilix
E de Haka Vitz. 6.560
Essa foi a decisão de todas as Tribos.

LXIV

E assim elas foram.

X e kavuxik;
  Qitzih vi chi hebelik chi vachinik.
Ta x e beek chila
  Ch atin vi Tohil.
K'i ka r il ok on q'u
  Ri ki ch'ahon ta x e beek.
K e kikot chik q'u ri 'ahavab
  K umal ri 'e kaib ki mial x ki taq ubik.   6.570
Ta x e 'opon q'ut chi ya
  Kate x ki tikiba ch'ahonik.
X ki zonoba k ib ki kaab ichal,
  E chakachaxinak ch u vach tak abah.
Ta x e q'ulun q'u
  Ri Tohil,
Avilix,
  Haka Vitz.
X e 'opon chila ch u chi ya,
  Xa q'u zkakin x r okobeh ki vach   6.580
Ri 'e kaib q'apohib k e ch'ahonik.
  Are q'u ri q'apohib xa hu zuq x e q'ixibik.
Ta x e 'opon ri Tohil,
  Ma q'u ha bi x be ki rayibal ri Tohil
Chi r ech ri
  E kaib q'apohib.
Ta x e tz'onox q'ut:
  "A pa k ix pe vi?"
X e 'uch'axik:
  "Naki pa k iv ah   6.590
K ix ul varal
  Ch u chi qa 'a?"
X e 'uch'ax q'ut.
  "Oh be taqon ulok k umal ahavab,
Ta x oh petik.
  Chi be
Iv ila
  Ki vach ri Tohil.
K ix ch'av k uq,
  X e ch'a 'ahavab chi q e.   6.600
Kehe q'ut chi pe vi r etal
  Qitzih ve ch iv il ki vach,
X oh oh uch'axik,"
  X e' ch'a q'u ri
E' kaib q'apohib
  Ta x ki zuquba ki takikil.

Elas estavam bem vestidas
    E ficaram realmente belas.
Assim elas foram lá
    Onde Tohil se banhava,
E de fato deve ter parecido mesmo
    Que era para lavar que elas tinham ido lá.
E os Senhores se alegraram de novo
    Por causa de suas duas filhas que enviaram para baixo.   6.570
E quando chegaram ao rio,
    Elas então começaram a lavar.
As duas se despiram,
    E começavam a espalhar água sobre as pedras
Quando encontraram
    Tohil,
Avilix
    E Haka Vitz,
Que haviam se aproximado da margem do rio.
    E seu olhar rápido e dissimulado se voltou   6.580
Para as duas moças que estavam lavando.
    E as moças logo ficaram envergonhadas.
Assim os deuses de Tohil chegaram,
    Mas o desejo dos deuses de Tohil não foi despertado
Pelas
    Duas moças.
E então elas foram interrogadas:
    "De onde vocês vêm?"
Elas foram indagadas:
    "O que desejam,   6.590
Vindo aqui
    À nossa margem do rio?",
Assim lhes foi perguntado.
    "Bem, fomos enviadas aqui pelos senhores,
Assim tivemos de vir.
    Vão lá
E vejam
    As faces dos deuses de Tohil.
Falem com eles,
    Os senhores nos disseram,   6.600
E assim voltem com um sinal,
    Se virem realmente suas faces,
Foi-nos dito",
    Elas disseram então,
As duas moças,
    Ao explicar sua tarefa.

Are ta q'u x k ah ri 'amaq'
    X e hox ta ri q'apohib
R umal ri ki naval Tohil.
    X e ch'a q'u ri Tohil, 6.610
Avilix,
    Haka Vitz
Ta x e' ch'av chik chi k ech ri X Tah,
    X Puch,
Ki bi ri
    E kaib q'apohib,
"Utz, ch i beek r etal qa tzih iv uq.
    Ch iv oyobeh na chi ya apanok chi k ech ahavab,"
X e' uch'ax q'ut
    Kate puch ki naohinik chik 6.620
Ri 'ah q'ixib,
    Ah k'ahib.
X e' uch'ax ri Balam Kitze,
    Balam Aqab,
Mahuq'utah,
    Iq'i Balam:
"K ix tz'iban ok oxib q'uul;
    Ch i tz'ibah r etal i q'oheyik,
Ch opon k uq amaq',
    Chi be k uq ri 'e kaib q'apohib 6.630
K e ch'ahonik
    Chi ya 'ubik chi k e,"
X e 'uch'ax q'ut
    Balam Kitze,
Balam Aqab,
    Mahuq'utah.

    LXV

Kate q'ut x e tz'ibanik k ox ichal.
    Nabe x tz'iban ri Balam Kitze.
Balam u vachibal x uxik.
    X u tz'ibah ch u vach q'uul. 6.640
Are q'u ri chi Balam Aqab.
    Kot chik u vachibal.
X u tz'ibah ch u vach q'uul.
    Ta x tz'iban chi q'u ri Mahuq'utah.
Hu mah vonon,

E o que as Tribos desejavam
    Era que as moças fossem violadas
Pelos espíritos dos deuses de Tohil.[4]
    Então falou Tohil,   6.610
Avilix
    E Haka Vitz.
Então eles falaram de novo a X Tah
    E X Puch,
Os nomes
    Das duas mocinhas:
"Bem, vocês devem levar um sinal da nossa conversa.
    Esperem um pouco e depois o entreguem aos senhores",
Foi-lhes dito então.
    E assim então eles pensaram mais,   6.620
Os sacrificadores
    E veneradores,
E disseram a Balam Kitze,
    Balam Aqab,
Mahuqutah
    E Iq Balam:
"Pintem então três mantos
    Com o sinal de suas existências,
Para entregarmos às Tribos,
    Para serem levados pelas duas mocinhas   6.630
Que estão indo e
    Que irão entregá-los então",
Eles disseram então
    A Balam Kitze,
Balam Aqab
    E Mahuqutah.

LXV

E assim então eles pintaram suas três divisões.
    Balam Kitze pintou primeiro.
Sua imagem se tornou um jaguar.
    Ele o pintou no manto.[5]   6.640
Então foi a vez de Balam Aqab.
    Águia foi sua imagem,
E ele a pintou no manto.
    E então foi Mahuqutah que pintou.
Vespões em toda a parte,

---

[4] Esta passagem esclarece que as duas moças não viram os próprios deuses, mas os espíritos associados aos mesmos.
[5] Trata-se de tecido bordado e enfeitado com desenhos em relevo.

    Hu mah zital
U vachibal,
        U tz'ib
X u tz'ibah
        Ch u vach q'uul. 6.650
X utzin q'ut ki tz'ib k ox ichal,
        Ox buzah x ki tz'ibah.
Kate q'ut ta x e be
        Ki ya q'uul
Ri X Tah,
        X Puch ki bi.
X e ch'a q'u
        Ri Balam Kitze,
Balam Aqab,
        Mahuq'utah. 6.660
"Vae r etal i tzih
        K ix oponik chi ki vach ahavab.
Qitzih x ch'av ri Tohil chi q ech, k ix ch'a.
        Vae q'u r etal x qa qam ulok, k ix ch'a chi k e.
Chi ki q'uuh q'u
        Ri q'uul ch i ya chi k e,"
X e' uch'ax q'ut ri q'apohib
        Ta x ki pixabah ubik.
Ta x e' opon q'ut,
        X k u qah ubi ri tz'iban q'uul. 6.670
Ta x e' opon q'ut
        Hu zuq q'u x e' kikot ri 'ahavab
Ta x il
        Ki vach
Xeq'el u q'a
        Tz'onoxik ri q'apohib.
"Ma x iv il u vach ri Tohil?" x e 'uch'axik.
        "X q il ba la," x e ch'a q'u
Ri X tah,
        X puch. 6.680
"Utz ba la, naki pa r etal x i qam ulok?
        Ma qitzih?" x e' ch'av ri 'ahavab.
"Kehe ri ba ri r etal k i makunik?
        X ki na ri' ahavab?"
Ta x ki riqotah q'u
        Ri tz'iban q'uul k umal q'apohib.
Hu mah balam,
        Hu mah kot,

        Vespas em toda a parte
Foi a imagem,
        O desenho
Que ele pintou
        No seu manto.   6.650
E então eles terminaram de pintar suas três partes.
        Eles pintaram as três vestes,
E assim então eles foram
        E deram os mantos
A X Tah
        E a X Puch, como elas eram chamadas.
E então disseram
        Balam Kitze,
Balam Aqab
        E Mahuqutah:[6]   6.660
"Aqui estão os sinais de sua palavra
        Que devem levar perante os senhores.
Realmente Tohil falou conosco, vocês digam;
        E este é o sinal que trouxemos, digam.
E deixem que eles vistam
        Os mantos que vocês lhes entregarão",
Foi dito às moças então
        Quando elas foram instruídas lá.
E então elas se foram,
        Levando para casa os mantos pintados.   6.670
E então elas chegaram,
        E imediatamente os senhores se alegraram
Quando olharam
        E viram
Pendente de seus braços
        O que tinham pedido às moças.
"Viram então a face de Tohil?", eles lhes perguntaram.
        "Sim, nós a vimos", disseram então
X Tah
        E X Puch.   6.680
"Muito bem, vocês trouxeram de volta um sinal?
        Não é verdade?", os senhores disseram,
"Qual é o sinal de que pecaram?
        De que foram capazes de conhecer os senhores?"
Então foram mostrados os mantos,
        Os trajes pintados, trazidos pelas moças.
Em toda a parte jaguares,
        Em toda a parte águias,

---

[6] Aqui fica explícito que os ancestrais personificavam os deuses.

Hu mah nay puch vonon,
  Zital 6.690
U tz'ibal u pam q'uul
  Chi yulinik u vach.
Ta x ki rayih q'ut u vach q'uul.
  X ki koh chi k ih.
Ma q'u ha bi x u ban ri balam,
  U tz'ibal nabe ok chi r ih ahav.
Ta x u koh chi q'ut ahav ri 'u kaab tz'iban q'uul.
  Kot u tz'ibal.
Xa 'utz x u na 'ahav ch u pam.
  Xa vi ka zolovik chi k vach. 6.700
Ka tz'onon u q'uuxik
  Chi ki vach k onohel.
Ta x ok chi q'ut
  R ox tz'ibam q'uul chi r ih ahav.
Are ri vonon,
  Zital u pam.
X u koh q'u chi r ih,
  Kate puch ta x tiyik u tiyohil
R umal vonon,
  Zital. 6.710
Ma vi x ch'ihitahik,
  Ma pu x kuyutah ki tiyobal chikop.
Ta q'u x u raquh q'ut u chi 'ahav
  R umal chikop
Xa tz'ibam ki vachibal
  Ch u pam q'uul.
U tz'ib Mahuq'utah q'u,
  R ox tz'ib.
Ta x e ch'akatah vi
  Kate puch ki yahi 6.720
Q'apohib ri
  R umal ahavab,
Ri X Tah,
  X Puch ki bi:
"Naki pa chi qulul,
  Ri 'iv uqam ulok?
A pa x be 'i qama vi,
  Ix q'ax tok?"
X e 'uch'ax ri q'apohib
  Ta x e yahik. 6.730
Ki ch'akatahik chi q'u
  Ri r onohel amaq' r umal Tohil.

E em toda a parte vespões
    E vespas   6.690
Estavam pintados nas faces dos mantos,
    Assim suas faces brilhavam.
E então eles cobiçaram a face dos mantos
    E os vestiram.
Mas nada foi feito pelo jaguar,
    A primeira pintura que os senhores vestiram.
E então um senhor tomou o segundo manto pintado,
    A pintura da águia.
O senhor apenas se sentiu bem nele.
    O senhor apenas se exibiu diante deles.   6.700
Ele apenas pediu para usá-lo
    Diante de todos.
E assim então veio
    O terceiro manto pintado para um senhor.
Esse tinha vespões
    E vespas,
E ele o vestiu
    E então começou a ser picado
Pelos vespões
    E pelas vespas.   6.710
Ele não podia suportar aquilo,
    Não podia aguentar as picadas dos insetos.
E assim então o senhor gritou alto
    Por causa dos insetos
Pintados
    No manto,
E era a pintura de Mahuqutah,
    A terceira pintura.
Assim eles foram derrotados então,
    E as moças   6.720
Foram repreendidas
    Pelos senhores,
X Tah
    E X Puch:
"O que foi que vocês escolheram
    Para trazer?
De onde vocês pegaram isso,
    Seus demônios?",
As moças foram indagadas
    Quando estavam sendo repreendidas.   6.730
E assim foram conquistadas de novo
    Todas as Tribos por Tohil.

Are ta x k ah
    X be taq chibal ri Tohil
Chi k ih X Tah,
    X Puch.
E ta hoxol ch'eq x e 'uxik
    Ch u k'ux amaq' taq chibal ta k e x uxik.
Ma q'u x banatahik
    Ki ch'akatahik   6.740
R umal e naval vinaq
    Ri Balam Kitze,
Balam Aqab,
    Mahuq'utah.
Ta x e naohin chi q'ut
    R onohel amaq':
"Naki pa k e qa ch'ak?
    Qitzih nim ki q'oheyik ta ch ux ok,"
X e ch'a q'ut
    Ta x ki kuch chik ki naoh.   6.750
"Xa ta k e q okibeh
    K e qa kamizah.
Chi qa viq q ib chi ch'ab,
    Chi pokob.
Ma pa 'oh k'iy?
    Ma ha bi
Hun,
    Kaib chik chi qa kanah chi k e,"
X e ch'a q'ut
    Ta x qam ki naoh.   6.760
Xa x u viq r ib r onohel amaq' tzatz chi kamizanel;
    Ta x e molotahik r onohel amaq' e kamizanel.
Are q'ut e q'o ri Balam Kitze,
    Balam Aqab,
Mahuq'utah,
    Iq'i Balam.
Are 'e q'o ch u vi huyub.
    Haka Vitz u bi huyub e q'o vi.
X kol ok q'ut ki q'ahol chiri
    Ch u vi huyub.   6.770
Ma vi 'e ta k'iya vinaq.
    Ma na kehe ta
Ki k'iyal ri
    U k'iyal amaq'.
Xa zkakin u vi huyub
    Ki qalem.

Isso foi quando eles quiseram
    Tentar Tohil
Para que ele seguisse X Tah
    E X Puch.
Então seria essa a profissão delas;
    As Tribos para sempre as considerariam sedutoras.
Mas isso não aconteceu,
    Sua destruição,   6.740
Porque eles eram pessoas de espírito,
    Balam Kitze,
Balam Aqab,
    E Mahuqutah.
E então elas se reuniram de novo,
    Todas as Tribos:
"Como vamos derrotá-los?
    De fato eles vão se tornar grandes!",
Eles disseram então
    Quando se reuniram para discutir.   6.750
"Vamos perfurá-los
    E matá-los.
Vamos nos munir de lanças
    E escudos.
Não somos muitos?
    Não ficará
Um
    Ou dois de fora",
Eles disseram então
    Quando discutiram.   6.760
Todas as Tribos logo armaram muitos guerreiros;
    Então todas as Tribos reuniram os seus guerreiros,
E lá estavam Balam Kitze,
    Balam Aqab,
Mahuqutah
    E Iq Balam.
Eles estavam no topo da montanha.
    Haka Vitz era o nome dessa montanha.
E tinham mantido seus filhos lá
    No topo da montanha.   6.770
Não eram muitos;
    Não eram tantos
Em número
    Como os guerreiros das Tribos.
Só uma parte do topo da montanha
    Era a área de seu santuário.

Xa k u ch'a
 Ta x naohix ki kamizaxik r umal amaq'.
Ta x ki kuch k ib k onohel;
 X e poponik.   6.780
X e taq ok k ib k onohel.

LXVI

 Vae q'ute ki molovik k ib k onohel amaq'.
E kautal chik chi ch'ab,
 Chi pokob k onohel.
Ma vi 'ahilan chi puvaq ki kaubal.
 Hebehoh ki vachibal
K onohel ahavab,
 Achihab.
Qitzih banoh ki tzih k onohel;
 Qitzih e q alabil ch uxik.   6.790
"Are q'u ri Tohil
 Are kabavil.
Are pu chi qa q'ihila.
 Xere ta chi qa kanabih," x e ch'a chi k ibil k ib.
Xa vi q'u ka r etamah ri Tohil,
 Ka k etamah nay pu ri Balam Kitze,
Balam Aqab,
 Mahuq'utah.
Ka ki tao.
 Ta ka naohixik r umal.   6.800
Ma ha bi ki varam,
 Ki yakalem.
X e kautah q'ut r onohel cha 'ah labal,
 Kate q'ut x e yakatahik r onohel ah labal
Ch aqab tah
 X k okibeh chi ki k'ux.
Ta x e beek,
 Ma q'u x e 'oponik.
Xa pa be x e varah vi
 K onohel ri 'ah labal.   6.810
Kate puch ki ch'akatahik chik
 K umal ri Balam Kitze,
Balam Aqab,
 Mahuq'utah.
Xa huhun x e varah vi pa be.
 Ma ha bi chik x ki na chi k ib.
X e k'iz varik k onohel.

E então se reuniu o conselho
   Enquanto sua morte era planejada pelas Tribos.
Então todos eles se reuniram
   E discutiram.   6.780
Eles pediram que todos ficassem juntos.

   LXVI

   Isso foi quando se reuniram todas as Tribos.
Eles estavam de novo munidos de lanças
   E escudos, todos eles.
Seus ornamentos estavam cobertos de muita prata.
   Sua aparência era grandiosa,
A de todos os senhores
   E a de todos os guerreiros.
Na verdade todos eles diziam apenas lorotas;
   Na verdade eles iriam se tornar nossos prisioneiros.   6.790
"Assim este Tohil
   É um deus.
Então vamos venerá-lo!
   De fato então vamos capturá-lo", eles falaram entre si.
Contudo, Tohil sabia disso,
   E também sabia disso Balam Kitze,
Balam Aqab
   E Mahuqutah.
Eles ouviram
   Quando isso era planejado.   6.800
Eles não dormiram
   Nem descansaram,
Pois os soldados estavam todos armados
   E haviam sido incitados, todos os guerreiros,
A sair à noite
   E perfurar seus corações.
Assim eles vieram,
   Mas não chegaram.
Eles apenas adormeceram na estrada,
   Todos os guerreiros.   6.810
E assim então foram derrotados
   Por Balam Kitze,
Balam Aqab
   E Mahuqutah.
Pois cada um adormeceu na estrada,
   E nenhum jamais chegou.
Todos eles adormeceram enfim.

    Kate q'ut u tikarik
U mich'ik ki muk u vach r umal
    R uq k izuma chi.   6.820
Ta x kir q'u ri puvaq
    Chi ki qul,
R uq ki yach vach,
    R uq puch ki chachal.
Are q'u ri 'u qul ki chamiy
    Xere x ki qam ri puvaq
Qahizabal ki vach.
    Xa pu mich'obal k ech
X banik r etal
    U nimal K'iche vinaq.   6.830
Kate puch x e k'azatahik.
    Hu zuq x ki chapala
Ki yach vach
    R uq u qul ki chamiy.
Ma ha bi chi puvaq chi qul
    R uq ki yach vach.
"Naki pa mi x oh qamovik?
    A 'on chi nak mi x oh mich'ovik?
A pa mi x pe vi
    Mi x eleq'an qa puvaq?"   6.840
X e ch'a q'ut
    K onohel ah labal.
"Are nay be ri lo 'e q'ax tok
    K e 'eleq'an vinaq.
Ma q'u ch utzinik
    Chi qa xibih ta q ib chi k e.
K'i vi chi q okibeh ki tinamit.
    Xa vi xere chi q il u vach ri qa puvaq
Chi qa ban q ech,"
    X e ch'a q'ut k onohel amaq'.   6.850
Xa vi xere banoh tzih k onohel.
    Xa vi q'u kubul ki k'ux
Ri 'ah q'ixib,
    Ah k'ahib e q'o ch u vi huyub.
Xa vi xere nima naoh
    Ka ki bano
Ri Balam Kitze,
    Balam Aqab,
Mahuq'utah,
    Iq'i Balam.   6.860
Ta x e naohin q'ut Balam Kitze,

E assim foi então que começou
A remoção de suas sobrancelhas
    E de suas barbas.   6.820
Então soltaram a prata
    Ao redor de suas nucas,
E seus enfeites de cabeça,
    E também suas golas,
E até o punho de seus bastões.
    Eles pegaram a prata
Como uma punição contra suas faces.
    E a pilhagem
Foi feita como um sinal
    Da grandeza do povo quiché.   6.830
E assim então eles despertaram.
    Imediatamente buscaram a esmo
Seus adornos de cabeça
    E os punhos de seus bastões.
Não havia mais prata nos seus punhos
    Ou seus adornos de cabeça.
"Quem nos enganou?
    Quem poderia ter-nos roubado?
Quem veio aqui
    E roubou nossa prata?",   6.840
Eles disseram então,
    Todos os guerreiros.
"Podem ter sido aqueles demônios
    Que roubam pessoas.
Mas não vamos agora
    Ficar com medo deles.
Vamos ao contrário entrar na sua cidade.
    Então veremos a face da nossa prata de novo.
E a faremos nossa",
    Todas as Tribos disseram então.   6.850
Mas eram de fato contadores de lorotas,
    E seus corações estavam apenas tranquilos —
Os corações dos sacrificadores
    E adoradores que estavam no topo da montanha.
Mas realmente uma decisão importante
    Tomaram
Balam Kitze,
    Balam Aqab,
Mahuqutah
    E Iq Balam,   6.860
E depois que discutiram — Balam Kitze,

  Balam Aqab,
Mahuq'utah,
  Iq'i Balam.
X ki ban q'ox tun
  Ch u chi ki tinamit.
Xa tz'alam,
  Xa chut
X chi kehobeh
  R ih ki tinamit.   6.870
Kate x ki ban ri poy.
  Kehe ri vinaq x uxik k umal.
Kate x ki chol chiri
  Ch u vi q'ox tun.
Xa vi xere q'o ki pokob.
  Q'o pu ki ch'ab.
X e kauxik.
  X ok ri yach vach puvaq pa ki vi,
X ok pu q'u xa poy,
  Xa puch aham chee.   6.880
X kohov ri puvaq r ech amaq'
  Ri x be ki qama pa be.
Are x u kaubeh poy k umal.
  X e kotokomihik chi r ih tinamit.
Kate puch ta x ki tz'onoh
  Chi ki naoh chi r ech Tohil.
"Ve k oh kamik,
  Ve puch k oh ch'akatahik?"
X e ch'aax ok ki k'ux
  Ch u vach ri Tohil.   6.890
"Ma ix bizonik.
  In q'oolik.
Are q'ut ch i koh va chi k ech.
  M i xibih iv ib."
X e 'uch'ax ri balam Kitze,
  Balam Aqab,
Mahuq'utah,
  Iq'i Balam.
Ta x ya 'ulok ri vonon,
  Zital.   6.900
Are q'ut x be ki qama,
  K u qam ta x e petik.
Kate q'ut x ki yao ch u pam kahib nimaq kokob.
  Kahib x q'ohe vi chi r ih tinamit.
X ki tz'apih vi ri vonon,

    Balam Aqab,
Mahuqutah
    E Iq Balam —,
Eles apenas fizeram uma proteção
    Na extremidade da sua cidade,
Apenas com pranchas,
    Apenas com taquaras
Fortificaram
    A parte de trás da sua cidade.   6.870
Então eles fizeram bonecos;
    Eles os fizeram como homens.
Então se alinharam lá
    No topo da proteção da cidade.
E de fato tinham escudos
    E lanças.
Eles estavam bem vestidos;
    Tinham adornos de prata na cabeça.
Mas eram apenas bonecos,
    Apenas entalhados em madeira.   6.880
Eles puseram neles a prata das Tribos
    Que haviam ido pegar na estrada.
Isso foi o que eles vestiram nos bonecos.
    Eles os colocaram em toda a parte atrás de sua cidade.
E assim então eles pediram
    Que Tohil os aconselhasse.
"Vamos morrer
    Ou conquistar?",
Seus corações se manifestaram então
    Diante de Tohil.   6.890
"Não se aflijam.
    Eu estou aqui.
E isto é o que vocês deveriam dar a eles.
    Nunca temam",
Foi dito a Balam Kitze,
    Balam Aqab,
Mahuqutah
    E Iq Balam.
Então vespões foram distribuídos
    E vespas.   6.900
E assim então eles foram procurá-los,
    Capturaram os insetos e retornaram.
E então lhes deram estes em quatro grandes jarros,
    E os quatro estavam atrás da cidade.
Eles deixaram os vespões presos

Zital ch u pam kokob.
Are k'ulelabal
    R ech amaq' k umal.
X e nik' vachix q'ut
    X e muq cheex q'ut   6.910
X nik'ox ki tinamit
    R umal u zamahel amaq'.
"Ma vi 'e ha rub,"
    X e ch'a q'ut.
Xere q'ut x ul k ila ri poy
    Aham chee.
K e zilaheyik
    K u kala 'on
Ki ch'ab,
    Ki pokob.   6.920
Qitzih vinaq k e vachinik.
    Qitzih chi 'e kamizanel
K e vachinik.
    Ta x k il amaq'.
K e kikot q'ut r onohel amaq'.
    Ma vi ha nik x k ilo.
Tzatz ri 'amaq' ch u q'oheyik.
    Ma vi 'ahilan chi vinaq.
E 'ah labal,
    E pu kamizanel.   6.930
E kamizay
    R ech ri Balam Kitze,
Balam Aqab,
    Mahuq'utah.
Are q'o ch u vi huyub.
    Haka Vitz u bi 'e q'o vi.
Are q'ut k okibexik va
    X chi qa biih chik.

LXVII

Are q'ut e q'o chiri Balam Kitze,
    Balam Aqab,   6.940
Mahuq'utah,
    Iq'i Balam.
Xa hun e q'o vi
    Ch u vi huyub
R uq k ixoqil,
    K alquval.

                E as vespas nos jarros.
Essas eram suas armas
                Contra as Tribos.
E eles eram vigiados à distância,
                E eram secretamente observados.   6.910
Sua cidade foi sondada
                Pelos mensageiros das Tribos.
"Eles não são muitos",
                Eles disseram então.
Pois realmente viram os bonecos
                Esculpidos em madeira.
Eles estavam se movendo para cá, para lá.
                Pareciam trocar
Suas lanças,
                Seus escudos.   6.920
Eles pareciam pessoas de verdade.
                De fato com guerreiros
Eles se pareciam
                Quando as Tribos os viram.
E todas as Tribos se alegraram
                Quando não viram muitos deles,
Pois as Tribos eram muitas.
                Numerosos
Eram os soldados,
                Eram os guerreiros,   6.930
Eram os assassinos
                De Balam Kitze,
Balam Aqab
                E Mahuqutah.
No topo da montanha
                Chamada Haka Vitz eles estavam então.
E eles foram lá
                Tal como vamos contar.

        LXVII

E estavam lá Balam Kitze,
                Balam Aqab,   6.940
Mahuqutah
                E Iq Balam.
Todos juntos estavam
                No topo da montanha
Com suas esposas
                E filhos.

Ta x e pe q'ut r onohel ah labal,
  E kamizanel.
Ma vi xa ka chuy,
  Ox chuy chi'amaq'   6.950
X kotokomih
  Chi r ih tinamit.
K e 'omonik;
  E viqitalik
Chi ch'ab,
  Chi pokob.
Chi ki q'ozih ki chi;
  K e lulutik;
K e ch'aninik;
  Chi 'ominik   6.960
Ki yuyub;
  Ki xul q'ab.
Xa x e 'ok ch u xe tinamit.
  Ma q'u ha bi ka ki xibih k ib
Ri 'ah q'ixib,
  Ah k'ahib.
Xa k e kay ulok ch u chi q'ox tun.
  E cholon ulok
R uq k ixoqil,
  K alquval.   6.970
Xa k ul ki k'ux banoh
  K u zuy tzih ri 'amaq'.
Ta x e 'aqan q'ut ch u vach huyub.
  Xa q'u zkakin chik
Ma vi k e tzakonik ch u chi tinamit.
  Kate puch ta x haq u vi
Ri kokob,
  Kahib q'o vi chi tinamit.
Ta x e 'el q'u ri vonon,
  Zital.   6.980
Kehe ri zib
  Ta x el ch u pam ri huhun chi kokob.
K utzin q'u ri 'ah labal
  R umal chikop.
Tak'atoh ch u baq' ki vach;
  Tak'atoh puch chi ki tzam,
Chi ki chi,
  (Chi ki vach,)
Chi k aqan,
  Chi ki q'ab.   6.990

E então vieram todos os soldados,
    Os guerreiros das Tribos.
Não eram apenas dezesseis mil
    Nem vinte e quatro mil,   6.950
Cercando
    As costas da cidade.
Eles gritaram.
    E estavam todos armados
Com lanças,
    Com escudos.
A plenos pulmões
    Eles urraram,
Vociferaram,
    Gritaram,   6.960
Olharam com triunfante satisfação,
    Sopraram entre as mãos assobiando.
Eles apenas vieram sob a cidade,
    Mas nada atemorizou
Os sacrificadores,
    Os veneradores.
Eles apenas olharam para a extremidade da fortaleza;
    Eles estavam organizados lá
Com suas esposas,
    Seus filhos.   6.970
Seus corações apenas ansiavam por feitos
    E palavras para afligir as Tribos
Que escalavam a face da montanha,
    E apenas um pouco mais faltava
Para que atingissem a extremidade da cidade.
    E assim então eles abriram
Os jarros,
    Havia quatro na cidade,
E então os vespões saíram,
    E as vespas.   6.980
Eram como fumaça
    Enquanto saíam dos jarros.
E os guerreiros foram mortos
    Pelos insetos,
Que pousavam nos seus olhos,
    E pousavam nos seus narizes,
Nas suas bocas,
    Nas suas faces,
Nas suas pernas,
    Nos seus braços.   6.990

A q'o vi x chi be ki chapa;
    A 'on q'o vi x chi be ki maha.
R onohel q'o vi vonon,
    Zital.
Tak'atoh ch u tiyomal u baq' u vach,
    X chi k ilih ch u buch.
A he tak chikop
    Chi r ih ri huhun chi vinaq.
X e q'abarik r umal vonon,
    Zital. 7.000
Ma vi x chapatah chik ki ch'ab,
    Ki pokob.
K e von q'oyeheyik ch u vach tak ulev.
    K e lahahik.
X e qahik ch u vach huyub.
    Are q'ut ma vi ka ki na chik.
Ta x e qiyaq chi ch'ab.
    X e ch'oy chi 'ikah.
Xa bolah chee
    X ki koh chik 7.010
Balam Kitze,
    Balam Aqab.
Xa 'e k ixoqil,
    E kamizanel.
Xa vi q'u x e tzalih ri Chah Kar chik.
    Xa x el chik chi k aqan r onohel amaq'.
Are ki riq k'i
    Nabe x e 'utzinik x e kamizaxik.
Ma na xa zkakin chi vinaq x kamik.
    Ma vi 'are x kam vi 7.020
Ri x ki tz'ayih chi ki k'ux,
    Xa q'u chikop x ok chi k e.
Ma na q'u la 'achihilal tah
    X ki bano.
Ma vi ch'ab,
    Ma vi pokob tah x e kam vi.
Ta x e yoq'otahik r onohel amaq'.
    Xa q'u x e 'elah chik ri 'amaq'
Chi ki vach
    Ri Balam Kitze, 7.030
Balam Aqab,
    Mahuq'utah.
"Toq'ob qa vach.
    Ma ta k oh kamik,"

Onde quer que estivessem, os insetos os picavam,
    Onde quer que pudessem ir, eles os alcançavam.
Tudo eram vespões
    E vespas,
Pousando e ferroando seus olhos,
    Tiveram de encarar assim enxames deles.
De fato eram tantos insetos
    Atrás de cada homem
Que eles ficaram atordoados com os vespões
    E as vespas.   7.000
Eles não podiam mais segurar suas lanças
    E seus escudos.
Estavam inchados e caíram no chão.
    Eles se dispersaram completamente.
Desmoronaram da montanha
    E já não estavam conscientes.
Então foram envenenados com a ponta das lanças,
    Foram golpeados com machados.
Apenas cepos de madeira
    Eles arremessaram contra eles enfim,   7.010
Balam Kitze
    E Balam Aqab.
Até mesmo suas esposas
    Eram guerreiras.
E eles apenas voltaram a ser Chah Kar de novo,
    E as Tribos apenas fugiram.
O que muitos deles alcançaram
    Foi apenas morrer mais tarde.
Não morreram apenas umas poucas pessoas,
    E os que não morreram,   7.020
Se era alguém que eles queriam atacar,
    Então os insetos o pegaram.
Não houve mais bravatas
    Que eles pudessem tentar.
Nem lanças
    Nem escudos eles carregavam.
Então todas as Tribos foram derrotadas,
    E as Tribos apenas se submeteram de novo
A eles:
    Balam Kitze,   7.030
Balam Aqab
    E Mahuqutah.
"Tenham pena da nossa face.
    Não nos matem",

X e ch'a.
    "Utz ba la,
Xax ix vi kamel ch uxik,
    Ix ah patan
Chi be q'ih,
    Chi be zaq," x e 'uch'axik.   7.040
Kehe q'ut u ch'akatahik
    R onohel amaq' ri
K umal qa nabe chuch,
    Qahav.
Chiri x ban vi ch u vi huyub,
    Haka Vitz u biinam vakamik.
Are nabe x e tiqe vi
    Chiri.
X e poq' vi;
    X e k'iyaritah vi.   7.050
X e mialanik;
    X e q'aholanik ch u vi Haka Vitz.
K e kikot chik ta
    X ki ch'ako.
R onohel amaq' chiri,
    Ch'akatahinak vi ch u vi huyub.
Kehe q'ut x ki ban ri.
    X ki ch'ak na
Amaq',
    R onohel amaq'.   7.060
Kate q'ut x kube ki k'ux.
    X e tzihon chi r e ki q'ahol
X naqah ok
    K e kam ok.
Ta k'i x e r ah kamizaxik.
    Are chik vi x chi qa biih chik ki kamik
Balam Kitze,
    Balam Aqab,
Mahuq'utah,
    Iq'i Balam ki bi.   7.070

    LXVIII

X ki na q'ut ki kamik,
    Ki zachik
Ta x e pixabik
    Chi r ech ki q'ahol.
Ma na 'e ta yab,

Eles disseram.
    "Está bem.
Na verdade vocês deviam ter sido mortos.
    Vocês serão servidores
Na estrada do dia,
    Na estrada da luz", foi-lhes dito.   7.040
E assim foram derrotados
    Todas as Tribos
Pelas nossas primeiras mães
    E pelos nossos primeiros pais.
Isso aconteceu no topo da montanha
    Chamada hoje Haka Vitz.
Assim mais tarde eles prosperaram
    Lá.
Eles cresceram;
    Eles se multiplicaram.   7.050
Tiveram filhas,
    Tiveram filhos no topo da montanha Haka Vitz.
Eles se alegraram de novo
    Porque tinham ganho.
Todas as Tribos foram derrotadas lá
    No topo da montanha.
E assim tinham conseguido,
    Tinham derrotado
As Tribos,
    Todas as Tribos.   7.060
E assim então seus corações estavam tranquilos.
    Eles disseram então a seus filhos
Que se aproximava a hora
    De sua morte,
Pois eles desejavam muito morrer.
    Assim a seguir contaremos a morte
De Balam Kitze,
    Balam Aqab,
Mahuqutah
    E Iq Balam, como eram chamados.   7.070

    LXVIII

Pois eles sabiam de sua morte,
    Sua desaparição,
Assim eles disseram adeus
    A seus filhos.
Eles não estavam doentes

    Ma pu k e hilovik.
K e polov tah,
    Ta x kanah ki tzih chi r e ki q'ahol.
Are ki bi ki q'ahol va,
    E kaib x u q'aholah Balam Kitze.   7.080
Qo Kaib u bi nabeyal;
    Qo Kavib chik u bi 'u kaabal,
U q'ahol
    Balam Kitze,
U mam,
    U qahav Qavekib.
E chiri q'u kaib chik x u q'aholah Balam Aqab.
    Are ki bi va:
Qo Acul u bi u nabe u q'ahol;
    Qo Acutec ch u ch'ax chik u kaab u q'ahol   7.090
Balam Aqab
    R ech Ni Hayibab.
Xa q'u hun x u q'aholah Mahuq'utah.
    Qo Ahav u bi.
E 'oxib x e q'aholanik.
    Ma ha bi 'u q'ahol ri 'Iq'i Balam.
Qitzih ah q'ixib,
    Ak k'ahib.
Are q'ut ki bi ki q'ahol ri.
    Are x ki pixabah kan ok.   7.100
Xa hun e q'o vi
    Ki kah ichal.
X e bixanik.
    Chi q'atat ki k'ux.
Ch oq' pu ki k'ux
    Ch u pam ki bixik.
"Ka Muqu" u bi ki bix,
    X ki bixah.
Ta x e pixab q'ut chi r e ki q'ahol:
    "Ix qa q'ahol,   7.110
K oh beek,
    K oh tzalih puch.
Zaqil tzih,
    Zaqil pixab qa pixab ch iv e."
"Mi q'u x ix ul
    Q'a ka naht chi huyubal,
Ix q ixoqil,"
    X e ch'a

        Nem se moveram.
Eles apenas expiraram,
        Deixando sua palavra a seus filhos.
Estes são os nomes de seus filhos:
        Dois foram engendrados por Jaguar Quiché.   7.080
Qo⁷ Kaib (Chefe Dois) era o nome do primeiro.
        Qo Kavib (Chefe Parentela) era o nome do segundo nascido,
Os filhos
        De Balam Kitze,
O avô
        E pai dos Qavekib.
E então novamente foram mais dois engendrados por Balam Aqab.
        Estes são seus nomes:
Qo Acul (Chefe Acul) era o nome de seu primeiro filho;
        Qo Acutec (Chefe Acutec) era o segundo filho   7.090
De Balam Aqab
        Dos Ni-Hayibab.
E Mahuqutah engendrou apenas um.
        Qo Ahav (Chefe Senhor) era seu nome.
E os três engendraram filhos.
        Não teve filhos Iq Balam.
Realmente eles eram sacrificadores
        E veneradores,
E esses são os nomes de seus filhos.
        Lá eles se despediram antigamente.   7.100
Eles eram apenas um só,
        As quatro divisões.
Eles se sentiram tristes,
        Seus corações estavam oprimidos.
Eles choraram em seus corações
        E em seu canto.
"Ka Muqu" era o nome de seu canto.
        Eles cantaram.
Quando se despediram de seus filhos:
        "Ó nossos filhos,   7.110
Nós estamos indo,
        Mas retornaremos.
Palavras distintas,
        Regras distintas são a nossa despedida."
"E vocês foram
        Muito longe no meio das montanhas,
Ó nossas esposas,"
        Eles disseram

---

⁷ O prefixo honorífico *Qo*, que se acrescenta a nomes de senhores importantes, será sempre traduzido por "chefe".

Chi r e k ixoqil,
    Chi ki huhunal,   7.120
X e pixabik.
    "K oh be chi q amaq'.
Cholan chik q Ahaval Keh
    Leman chi kah.
Xa tzalihem
    X chi qa bano.
Mi x banatahik qa patan.
    Mi x tz'aqat qa q'ih.
K oh i na q'ut.
    M oh i zacho.   7.130
M oh i mez kutah puch.
    Ch iv il na
'Iv ochoch,
    I huyubal puch
K ix tiqe vi.
    Ta ch ux ok.
K ix be q'ut.
    Ch i be
Iv ila chik
    X oh pe vi,"   7.140
X ch'a q'u
    Ki tzih.
Ta x e pixabik,
    Ta x kanah q'ut
R etal,
    U q'oheyik ri Balam Kitze.
"Are 'i tanabal v ech.
    Va x ch in kanah iv uq.
Are 'i q'aq'al.
    Vae.   7.150
Mi x nu pixabah.
    X nu bizoh,"
X ch'a q'ut
    Ta x u kanah
Ri r etal,
    U q'oheyik.
Pizom Q'aq'al
    Ch uch'axik.
Ma vi q'alah u vach;
    X u viqi pizilik.   7.160
X ma vi kiron vi.
    Ma vi q'alah t'izobal r e

Para suas esposas,
    Cada um,   7.120
Despedindo-se delas.
    "Estamos indo para a nossa cidade.
Já a volta do nosso Ahaval Keh (Senhor Veado)
    Está refletida no Céu.
É só o regresso
    Que devemos empreender.
Nossa missão está cumprida.
    Nosso Sol está completo
E vocês nos conhecem.
    Vocês não nos esquecerão,   7.130
Nem vão deixar de nos respeitar.
    Agora procurem
Sua casa
    E sua montanha,
E vocês prosperarão.
    Assim seja.
Vão agora.
    Voltem
E olhem para o lugar de onde
    Viemos",   7.140
A palavra deles
    Disse então.
Assim eles se despediram
    E lá permaneceu atrás deles
O sinal,
    A natureza de Balam Kitze.
"Este é o seu talismã que me diz respeito,
    O qual deixarei com vocês.
É sua glória.
    Este, aqui.   7.150
Agora eu digo adeus
    E estou triste",
Ele disse então
    Enquanto deixava
Seu sinal,
    Sua natureza,
Pizom Qaqal (Glória Coberta)
    Como é chamada.
Sua face não é clara.
    Ele a enrolou e dobrou.   7.160
Nunca foi desenrolada.
    A costura nela não é clara,

R umal ma hi x ilovik
    Ta x pizik.
Kehe q'ut ki pixabik ri
    Ta x e zach q'ut
Chiri
    Ch u vi huyub Haka Vitz.
Ma na x e muq tah r umal k ixoqil,
    K alquval.   7.170
Ma vi q'alah ki zachik,
    Ta x e zachik.
Xere q'alah ri ki pixabik.
    Loq q'u ri Pizom chi k ech x uxik.
Are nababal r ech ki qahav.
    Xa hu zuq x e k'aton
Ch u vach ki nababal
    R ech ki qahav.
Are ta x vinaqir vi
    Vinaq k umal ahavab   7.180
Ta x e kam
    Chi r ih Balam Kitze tikarinak vi
U mam,
    U qahav Qavekib.
X maku vi q'ut
    X ki zach vi ri 'u q'ahol,
Ri Qo Kaib,
    Qo Kavib ki bi.
Kehe q'ut ki kamik
    Ri ki kah ichal,   7.190
E nabe qa mam,
    Qa qahav.
Ta x e zachik,
    Ta x kanah chik ki q'ahol
Chiri
    Ch u vi huyub Haka Vitz.
X e yaluh chi vi ki q'ahol
    Chiri.
Qahinak chik,
    Yoq'otahinak chi puch   7.200
Ki q'ih k onohel amaq'.
    Ma ha bi chik ki q'aq'al.
Xaq'i 'e q'o chik
    Xa vi k u qam k ib k onohel hu tak q'ih
Chi ki nabah ki qahav.
    Nim u q'ih ri Pizom chi k e.

Porque não pode ser vista,
> Está bem coberta.

E assim eles se despediram
> E então se foram

De lá,
> Do topo da montanha Haka Vitz.

Eles não foram mais vistos por suas esposas
> E filhos. 7.170

O desaparecimento deles não é claro,
> Quando eles sumiram,

Mas sua despedida é muito clara.
> E Pizom (Coberta) se tornou sagrada para eles.

Foi a lembrança do pai deles.
> Assim imediatamente eles queimaram oferendas

Diante da lembrança
> Do pai deles.

Isso foi quando começou lá
> A geração de pessoas para os senhores. 7.180

Quando teve origem
> A família de Balam Kitze,

O avô
> E pai dos Qavekib.

E seus filhos
> Não foram perdidos,

Qo Kaib
> E Qo Kavib eram seus nomes.

E assim morreram
> Aqueles que eram as quatro divisões. 7.190

Eles eram os nossos primeiros avós,
> Nossos pais.

Então eles se foram,
> Mas seus filhos ainda ficaram

Lá
> No topo da montanha Haka Vitz.

Seus filhos ainda ficaram
> Lá.

E tristes
> E desprezíveis 7.200

Foram os dias de todas as Tribos.
> Elas não mais tiveram sua glória.

Estavam ainda subjugadas.
> Assim elas se reuniam todos os dias

Para recordar seu pai.
> Grande era o dia da Pizom para elas.

Ma vi chi ki kiro.
  Xa vi pizilik chiri k uq.
"Pizom Q'aq'al" ch uch'axik k umal.
  Ta x q'ohik. 7.210
X biinah puch ki Q'uun.
  X ya kan ok r umal ki qahav.
Xa r etal k'i,
  Ki q'oheyik ta x ki bano.
Kehe q'u ki zachik,
  Ki mayixik
Balam Kitze,
  Balam Aqab,
Mahuq'utah,
  Iq'i Balam, 7.220
E nabe vinaq
  X e pe chila,
Ch aqa palo
  Chi r elebal q'ih.
Oher ok k e 'ul varal.
  Ta x e kamik e rih chik,
E 'ah q'ixib,
  Ah k'ahib ki biinam.

LXIX

Kate puch ta x ki k'uxilah
  Ki bik 7.230
Chila
  R elebal q'ih.
Are ki k'uxilan ri
  U pixab ki qahav.
Ma vi x ki zachox oher ok
  K e qam ok ki qahav.
X ya k ixoqil amaq'.
  X ki hi'ah.
Ta x e choqo 'ixoq e 'oxib.
  X e ch'a q'ut ta x e beek: 7.240
"K oh be chila r elebal q'ih.
  Chila x e pe vi qa qahav,"
X e ch'a ta x ki qam ki be
  E 'oxib chi q'aholaxel.
Qo Kaib
  U bi hun,
U q'ahol Balam Kitze,

Mas não a desenrolaram.
 Ela estava apenas enrolada lá com eles.
"Pizom Qaqal" foi o nome
 Que eles lhe deram, 7.210
E foi chamada de seu Quun (Segredo),
 Nome dado antes por seu pai.
Era de fato apenas o sinal
 Da natureza deles quando eles o fizeram.
E assim foi a perda
 E o fim
De Balam Kitze,
 Balam Aqab,
Mahuqutah
 E Iq Balam. 7.220
Eles foram os primeiros homens
 A vir de lá,
Através do mar,
 Do oriente.
Faz muito tempo então que vieram aqui,
 Quando morreram já estavam velhos,
E de sacrificadores
 E veneradores foram chamados.

LXIX

E assim mais tarde quando eles recordaram
 Seus sofrimentos 7.230
Lá
 No oriente,
Recordaram então
 As regras de seus pais.
Eles não esqueceram aquilo que seus pais
 Disseram antigamente para os persuadir.
As Tribos lhes deram suas esposas
 E eles se tornaram parentes por causa do casamento.
Então os três tomaram suas esposas.
 E então eles disseram enquanto saíam: 7.240
"Nós vamos para o oriente,
 De onde nossos pais vieram",
Assim eles falaram enquanto pegavam a estrada.
 Eram três filhos honrados.
Qo Kaib
 Era o nome de um,
Filho de Balam Kitze

    R ech r onohel Qavekib.
Qo Acutec
    U bi   7.250
Q'ahol Balam Aqab
    Xa r ech Ni-Hayibab.
Qo 'Ahav
    U bi hun chik
U q'ahol Mahuq'utah
    R ech Ahav K'iche.
Are q'u ki bi
    Ri x e be chila ch aqa palo.
E 'oxib
    Ta x e beek.   7.260
Xa vi q'o ki naoh,
    Q'o pu k etamabal.
Ma na xa 'e ta vinaq ki q'oheyik.
    X ki pixabah kan ok
R onohel k atz,
    Ki ch'ak'.
K e kikotik
    X e beek.
"Ma vi k oh kamik,
    K oh ulik,"   7.270
X e ch'a
    Ta x beek e 'oxib.
Xa vi xere x e 'iq'ovik ch u vi palo
    Ta x e 'opon q'ut chila r elebal q'ih.
Ta x be ki qama ri 'ahavarem.
    Are q'ut u bi 'ahav va,
R ahaval
    Ah r elebal q'ih.
X e 'opon vi.

LXX

    Ta x e 'opon q'ut   7.280
Ch u vach ahav.
    Nacxit u bi nima 'ahav.
Xa hu q'atol tzih
    Tzatz r ahavarem.
Are q'ut x ya 'ulok r etal ahavarem,
    R onohel u vachinel.
Ta x petik r etal ah popol,
    Ah pop qam hayil.

De todos os Qavekib.
Qo Acutec
    Era o nome   7.250
Do filho de Balam Aqab,
    Só dos Ni-Hayibab.
Qo Ahav
    Era o nome do outro,
Filho de Mahuqutah
    Do Ahav Kiche,
E estes são os nomes
    Daqueles que foram lá através do mar.
Eles eram três
    Enquanto iam,   7.260
Mas tinham sabedoria
    E entendimento.
Eles não tinham apenas a natureza de homens comuns.
    Eles já haviam se despedido
De todos os seus irmãos mais velhos
    E irmãos mais novos.
Eles se alegraram
    Porque estavam indo.
"Nós não morreremos;
    Nós voltaremos",   7.270
Eles disseram
    Quando todos os três saíram.
Realmente eles cruzaram o mar,
    E então chegaram lá no oriente.
Eles foram para receber seu poder.
    E este é o nome do senhor de lá,
O governante
    Do povo do oriente.
Eles chegaram então.

   LXX

    E quando eles chegaram   7.280
Diante do senhor,
    Nacxit era o nome do grande senhor,
O único juiz
    De um grande domínio.
E foi ele quem distribuiu os sinais de autoridade,
    Todas as insígnias.
Então veio o sinal de Ah Pop (Conselheiro)
    E Ah Pop Qam Haa (Conselheiro da Casa de Recepção).

Ta x pe q'ut r etal u q'aq'al,
    R ahavarem puch: 7.290
Ah Pop,
    Ah Pop Qam Haa.
X k'iz u ya 'ulok Nacxit
    U vachinel r ahavarem.
Are tak u bi va; muh,
    Q'alibal,
Za baq,
    Cham cham,
Tatil,
    Q'an abah, 7.300
Tzikovil koh,
    Tzikovil balam,
Holom pich,
    Keh,
Macutax,
    T'ot' tatam,
Q'uz,
    Buz,
Kax e,
    On, 7.310
Chiyom,
    Aztapulul.
R onohel q'u k e qam ri x e petik
    Ta x ki qam ula ri ch aqa palo
U tz'ibal Tulan,
    U tz'ibal.
X e ch'a chi r e k okinak ch u pam
    Ch u pam ki tzih.

LXXI

Kate puch ta x e 'ulik chiri
    Ch u vi ki tinamit Haka Vitz u bi. 7.320
Chiri q'ut x e kuch vi r onohel Tamub,
    Ilokab x e kuchu k ib.
R onohel amaq' x e kikotik
    Ta x e 'ulik Qo Kaib,
Qo Acutec,
    Qo Ahav.
Xa vi chiri chik
    X ki qam vi k ahavarem amaq'.
X e kikotik

382

Então veio o sinal do poder
    E autoridade   7.290
De Ah Pop
    E Ah Pop Qam Pop.
Depois Nacxit distribuiu
    A insígnia de poder.
Estes são seus nomes: Muh (Dossel),
    E Qalibal (Trono),
Za Baq (Osso de Nariz)
    E Cham Cham (Brinco),
Tatil (Botoque de Jade),
    E Qan Abah (Contas de Ouro),   7.300
Tzikovil Koh (Garras de Pantera)
    E Tzikovil Balam (Garras de Jaguar),
Holom Pich (Caveira de Coruja)
    E Keh (Veado),
Macutax (Braçadeira de Pedras Preciosas)
    E Tot Tatam (Bracelete de Concha de Caracol),
Quz (Reverenciando)
    E Buz (Saudando),
Kax E (Dentes Obturados)
    E On (Incrustação),   7.310
Chiyom (Crista de Pena de Papagaio)
    E Aztapulul (Penacho de Garça Real).
E assim eles as tomaram e voltaram;
    Então eles trouxeram de volta através do mar
A Escrita de Tula,
    A Escrita.
Nela eles falaram sobre a sua chegada,
    Em suas palavras.

LXXI

E assim então eles voltaram para casa,
    Subindo à sua cidade chamada Haka Vitz,   7.320
E ali todos os Tamub se juntaram,
    Os Ilokab se reuniram.
Todas as Tribos se alegraram
    Com a volta de Qo Kaib,
Qo Acutec
    E Qo Ahav.
Mal eles chegaram lá,
    Assumiram realmente a liderança das Tribos.
Lá se alegraram

      E Rabinaleb,   7.330
E Q'aq' Chekeleb,
      Ah Tz'ikina Haa.
Xa r etal x k'utun
      Chi ki vach ri
U nimal ahavarem.
      Nim chik ki q'oheyik
Ch uxik amaq'.
      Ma nabe x k'iz
Ta ki k'ut k ahavarem.
      Are   7.340
E q'o chiri
      Haka Vitz.
Xa q'o k uq r onohel ri x pe r elebal q'ih.
      Naht chi q'ut x ki ban
Chiri
      Ch u vi huyub.
E k'i chik
      Chi k onohel.
Chiri q'ut x e kam vi k ixoqil
      Balam Kitze,   7.350
Balam Aqab,
      Mahuq'utah.
Ta x e petik,
      X k okotah chi kan ok
Ri ki huyubal
      Hun chi huyub x ki tzukuh.
Are k e tiqe vi.
      Ma vi 'ahilan huyub x e tiqe vi.
Ta x e q'obik,
      Ta x e biinah puch   7.360
Chiri x e molomanik,
      X e ch'ihomanik
E nabe qa chuch,
      E nabe qa qahav.
X e ch'a oher tak vinaq
      Ta x ki tzihoh,
Ta x ki toloba pu
      Kanah ok
Nabe ki tinamit,
      Haka Vitz u bi.   7.370
Ta x e 'ul chi q'u chiri
      X ki tikilibeh chik
Hun tinamik

		Os Rabinaleb, 7.330
Qaq Chekeleb,
		Ah Tzikina Haa,
Logo que os sinais foram exibidos
		Para que os vissem,
A grandeza do poder.
		E de novo grande foi a natureza deles.
Foi duradoura.
		Não cessou
Depois que eles mostraram o poder.
		E isso foi 7.340
Quando eles estavam lá
		Na montanha Haka Vitz.
Mas com eles estavam todos aqueles que foram ao oriente.
		E então por longo tempo eles trabalharam
Lá,
		No topo da montanha.
Eram muitos de novo,
		Todos eles.
E lá morreram as esposas
		De Balam Kitze, 7.350
Balam Aqab
		E Mahuqutah.
Então eles foram embora.
		Eles abandonaram de novo
Sua montanha;
		Outra montanha procuraram.
Lá eles prosperaram.
		Incontáveis são as montanhas onde prosperaram.
Então eles a escolheram
		E então lhe deram um nome. 7.360
Lá eles se juntaram
		E perseveraram,
Aquelas nossas primeiras mães,
		Aqueles nossos primeiros pais,
Como as pessoas antigas disseram
		Quando contaram isso.
Assim eles deixaram
		E abandonaram
Sua primeira cidade
		Chamada Haka Vitz. 7.370
E eles prosseguiram
		E fundaram de novo
Uma cidade

     Chi Q'ix u bi.
Naht chi x ki ban chiri
     Ch u vi hu ch'ob tinamit.
K e mialanik,
     K e q'aholanik puch.
Chiri k'iy e q'o tak vi.
     Are tak kahi huyub va.   7.380
Xa hun x ch ok vi
     U bi ri ki tinamit.
X ki q'uluba ki mial,
     Ki q'ahol xa k'i chi ki zipah.
Xa toq'obanik,
     Xa pu mayihanik chi ki bano.
R ahil ki mial chi ki qamo.
     Xa 'utz ki q'oheyik x ki bano.
Ta x e 'iq'ov chiri ch u vi
     Hu tak ch'ob chi tinamit.   7.390
Va tak
     U bi:
E chi Q'ix,
     Chi Chaq,
Humeta Ha,
     Kuluba,
Kavinal,
     U bi huyub x e yaluh vi.
Are q'ut ka ki nik' vachih ri huyub,
     Ki tinamit puch.   7.400
Ulah huyub ka ki tzukuh
     E q'u k'i chik chi k onohel.
Xa q'u kaminak ok
     Ri qamol ahavarem r elebal q'ih
E mamaxel chik x e 'ul chiri
     Ch u vi huhun tinamit.
Ma na x u qam ki vach
     Ri x e 'iq'ov vi.
He tak vi 'ulok q'axiqol,
     Rayil x ki bano.   7.410
Q'a 'u naht x ki riq vi
     Ki tinamit
E mamaxel
     E pu qahavixel.
Va q'u 'u bi tinamit
     X e 'ul vi.

Chamada Chi Qix (Espinhos).
Por largo tempo ficaram lá,
   Numa divisão da cidade.
Eles tiveram filhas
   E tiveram filhos.
Lá eles se tornaram muitos então.
   Havia quatro montanhas lá,   7.380
Mas foi uma
   O nome de sua cidade.
Eles casaram suas filhas.
   Seus filhos eles apenas deram,
Apenas como um obséquio,
   E apenas por respeito eles o fizeram.
O pagamento de suas filhas eles receberam,
   Mas era boa sua existência enquanto faziam assim.
Então eles passaram pelas
   Divisões de sua cidade.   7.390
Estes então
   São seus nomes:
Chi Qix,
   Chi Chaq (Seco),
Humeta Ha (Rio da Casca),
   Kuluba (Fronteira),
Kavinal (Vazio),
   Os nomes das montanhas onde se estabeleceram.
E lá eles olharam para além da montanha
   E da sua cidade,   7.400
Para tomar posse da montanha que eles buscavam.
   E lá eles eram mais numerosos no total.
Mas então lá morreram
   Aqueles que haviam trazido o poder do oriente.
Eles já eram avós respeitáveis quando foram lá
   Para as cidades separadas.
A face deles não foi recebida,
   Assim eles passaram.
Na verdade muitos lá eram demônios,
   Com ciúmes do que eles haviam feito.   7.410
Depois de muito tempo então eles descobriram
   Sua cidade,
Os reverenciados avós
   E os reverenciados pais,
E este é o nome da cidade
   Para onde eles foram.

LXXII

Chi 'Izuma Chi q'ut
    U bi huyub ki tinamit x e q'ohe vi.
Chi nay puch x e 'amaq'elab vi,
    Chiri q'ut x ki tih vi q'aq'al.   7.420
X q'ah ki chun,
    Ki zahkab
Ch u kah le 'ok ahavab
    X e ch'a q'u ri Qo Nache
X u Beleheb Keh
    R uq puch Q'alel Ahav.
Ta x ahavar q'ut Ahav Qo Tuha
    R uq Iztayol ki bi,
Ah pop,
    Ah pop qam haa.   7.430
X e 'ahavar chiri
    Chi 'Izuma Chi.
Utzilah tinamit x uxik,
    X ki bano.
Xa q'u 'oxib ri nim haa x ux chiri
    Chi 'Izuma Chi.
Ma ha bi 'ok ri hu vinaq kahib chi nim haa;
    Xa 'oxib ok ki nim haa.
Xa hun u nim haa
    Qavekib.   7.440
Xa q'u hun nim haa
    Ch u vach Ni-Hayibab.
Xa nay pu hun
    R ech Ahav K'iche.
Xa ki kaib chi q'u matzil nim haa
    Ri ka ch'ob chi tinamit.
Are 'e q'o chi 'Izuma Chi
    Xa hun ki k'ux.
Ma ha bi k itzelal,
    Ma pu ha bi ki k'ayeval.   7.450
Xa liyanik
    Ahavarem.
Ma ha bi ki ch'aoh,
    Ki yuhuh puch.
Xa zaq,
    Xa 'amaq' q'o chi ki k'ux.
Ma ha bi mox vachinik,
    Ma pu ha bi kaq vachinik

LXXII

Chi Izuma Chi (Barba) é o nome da montanha,
    Da cidade deles onde agora estavam.
E lá se instalaram
    E lá experimentaram sua glória.   7.420
Estabeleceram sua cal
    E seu gesso
Na quarta geração de senhores.
    E eram chamados de Qo Nache (Chefe Imitador)
E Beleheb Keh,
    Com Qalel Ahav (Capitão dos Senhores).
E então governou Ahav Qo Tuha (Senhor Chefe Banho de Vapor)
    Com Iztayol (Vida Branca), os nomes
Do Ah Pop
    E Ah Pop Qam Haa.   7.430
Eles governaram lá
    Em Chi Izuma Chi.
Uma cidade perfeita ela se tornou,
    Que eles fizeram,
Mas só havia três casas-grandes lá
    Em Chi Izuma Chi.
Não havia ainda as vinte e quatro casas-grandes;
    Eles então tinham só três casas-grandes.
Apenas uma das casas-grandes
    Era a dos Qavekib,   7.440
E apenas uma casa-grande
    Perante os Ni-Hayibab,
E de novo apenas uma
    Para o Ahav Quiché.
Mas só havia então dois grupos aceitos de casas-grandes,
    As duas divisões da cidade.
Isso foi quando eles estavam em Chi Izuma Chi
    E seus corações eram apenas um.
Eles não tinham feitiçaria.
    E não estavam magoados.   7.450
O governo
    Era apenas pacífico.
Eles não tinham lutas,
    Ou rixas.
Havia apenas luz
    E tranquilidade em seus corações.
Não havia nenhum olhar sinistro;
    Nenhum olhar de ódio

X ki bano.
> Q'a ch'utin ok ki q'aq'al. 7.460

Ma ha k'i ka nuq' mayih ok,
> Ma ha pu ka nimar ok.

Ta x ki tih q'ut
> X k iq'ovizah pokob

Chiri
> Chi 'Izuma Chi.

X r etal q'ut k ahavarem ri
> Ta x ki bano.

X r etal ki q'aq'al
> R etal nay pu ki nimal. 7.470

Ta x il q'ut r umal Ilokab,
> Ta x vinaqir labal r umal Ilokab.

X r ah ul kamizax ok ri 'Ahav Qo Tuha.
> Xa q'u hun ahav x r ah q'u k ib.

Are ri 'Ahav Iztayol x r ah ki tihoh.
> X r ah tihox k umal Ilokab chi kamizanik.

Ma q'u x el apan ok
> Ki mox vachibal chi r ih Ahav Qo Tuha.

Xa chi k ih x qah vi.
> Ma nabe x kam ta ri 'ahav r umal Ilokab. 7.480

Kehe q'ut u xenahik yuhuh
> Ch'ak'imal labal puch.

X k okibeh nabe tinamit
> X e beek e kamizanel.

Are ta q'u x k ah
> Ri zach ta 'u vach K'iche.

Xa ta ki tukel x ahavarik chi ki k'ux,
> Xa q'u 'are x e 'ul kam ok.

X e telecheexik,
> X e kanabix puch. 7.490

Ma vi ha rub chik
> X kolotah chi k e.

Ta x tiker q'ut puzunik.
> X e puz ri 'Ilokab ch u vach kabavil.

Are chik tohobal ki mak x uxik
> R umal Ahav Qo Tuha.

K'i chi q'ut x ok chi munil;
> X e 'alabilaxik

X e vinaqix puch
> Xa x be ki ya k ib 7.500

Chi ch'akix
> R umal ki nuk'ubal labal

Entre eles.
    Na verdade sua glória foi pequena. 7.460
Poucas vezes se reuniram para destruir então,
    E não cresceram orgulhosos.
Mas então tentaram se distinguir dos demais
    Por seus escudos
Lá
    Em Chi Izuma Chi.
E uma avaliação de sua autoridade
    Foi o que fizeram.
Assinalou sua glória
    E marcou sua grandeza. 7.470
E quando isso foi visto pelos Ilokab,
    Então a guerra foi iniciada pelos Ilokab.
Eles tentaram matar o Ahav Qo Tuha,
    E queriam como aliado outro senhor.
Foi o senhor Ahav Iztayol que eles quiseram persuadir.
    Ele desejava aprender com os Ilokab a matar.
Mas não saiu conforme o esperado,
    O plano sinistro deles contra o Ahav Qo Tuha.
Só mais tarde isso aconteceu.
    No início o senhor não foi morto pelos Ilokab. 7.480
E assim começaram as rixas
    E as guerras de ciúme.
Eles invadiram a primeira cidade.
    Os guerreiros vieram
E então o que desejavam
    Era destruir a face de Quiché.
Governar era o único desejo de seus corações,
    E foi só por isso que vieram matar.
Eles foram feitos prisioneiros,
    Foram capturados. 7.490
Poucos
    Foram poupados.
E então começou o sacrifício.
    Eles sacrificaram os Ilokab aos deuses.
Esse então se tornou o pagamento de seus pecados
    Segundo o Ahav Qo Tuha.
E muitos outros conheceram a escravidão.
    Eles foram escravizados,
Eles se tornaram escravos
    E apenas foram se entregar 7.500
E ser vencidos
    Por causa de sua guerra planejada

Chi r ih ahav,
    Chi r ih Zivan Tinamit.
X mayixik,
    X q'utux ta 'u vach r ahaval K'iche
X r ah ki k'ux.
    Ma q'u x banatahik.
Kehe q'ut u vinaqirik
    U puzik vinaq ch u vach kabavil.   7.510
Ta x ban ri pokob
    Labal
U xe
    Ta x tikarik u pokobaxik
Tinamit
    Chi 'Izuma Chi.
Chila x tikar vi
    U xenahik
Q'aq'al
    R umal ri xax nim vi   7.520
R ahavarem
    K'iche 'ahav.
Hu mah e naval
    Ahavab.
X ma q'o vi ki yoq'otah vi,
    X ma q'o vi a la chi nak ch ok chi k e
Xa vi banol r ech nimal
    Ahavarem.
Chiri xenahinak vi chi 'Izuma Chi,
    Chiri x nimar vi 'u q'ixik kabavil   7.530
Chi xibin chik
    X u xibih pu r ib r onohel amaq',
Ch'uti 'amaq',
    Nima 'amaq'.
X ki vachih r okik
    Teleche vinaq
X ki puzu
    X ki kamizah
R umal ki q'aq'al,
    Ki tepeval   7.540
Ri 'Ahav Qo Tuha
    Ahav Iztayol
R uq Ni-Hayibab
    Ahav K'iche.
Xa 'ox ch'ob chi tinamit x q'ohe
    Chiri chi 'Izuma Chi u bi tinamit

Contra o senhor
    E contra a Zivan Tinamit.
Ter destruído
    E esmagado a face dos governantes quichés
Era tudo o que almejava seus corações.
    Mas isso não aconteceu.
E assim foi que começou
    O sacrifício de homens perante os deuses,   7.510
Então foram feitos escudos
    E armas,
O início
    Da inauguração da defesa
Da cidade
    Em Chi Izuma Chi.
Foi lá o começo
    Da consolidação
Da glória,
    Porque era de fato grande
O poder   7.520
    Do Ahav Quiché.
Eram senhores
    De espírito especial.
Não havia nada que os rebaixasse,
    Não havia nada que eles fizessem
Que não fosse um motivo para a grandeza
    De seu poder.
Ficou consolidado lá em Chi Izuma Chi;
    Lá floresceu o sacrifício aos deuses.   7.530
Este se conservou ameaçador,
    E todas as Tribos estavam amedrontadas.
As pequenas Tribos,
    As grandes Tribos
Assistiram à chegada
    Dos cativos.
Que eles sacrificaram
    E mataram
Para sua glória,
    Sua majestade,   7.540
Ahav Qo Tuha
    E Ahav Iztayol,
Com os Ni-Hayibab
    E o Ahav Quiché.
Havia só três divisões
    Lá em Chi Izuma Chi, como a cidade era chamada.

Q'a chiri chi nay puch x ki tikiba vi vaim
    U qaha chi r ech ki mial.
Ta x ki ziih ulok.
    Are ki kuchubal k ib   7.550
Ri 'oxib chi nim haa
    U bi k umal,
Chiri q'ut chi k uqah vi k uqia
    Chiri puch chi ki veeh vi ki va
R ahil k anab
    R ahil pu mial.
Xa kikotem chi ki k'ux
    Ta x ki bano.
X e vaik
    X e 'echa ch u pam ki nim haa.   7.560
"Xa qa qamovabal
    Xa pu qa pakubal
Chi r ech q etal
    Qa tzihel
R etal
    Qa tzih
Ch u vi 'ixoq al
    Achih al," x e ch'a.
Chila x q'ob vi 'ulok
    Chila puch x ki biih vi   7.570
Ki chinamit k ib
    U kamaq' k ib
Ki tikpan k ib
    "Qa k'ulel q ib
Oh Qavikib,
    Oh Ni-Hayib
Oh puch Ahav K'iche,"
    X e ch'a
Oxib tinamit,
    Oxib pu nim haa.   7.580
Naht q'ut x ki ban chiri
    Chi 'Izuma Chi.
Ta x ki riq chik
    Ta x k il puch
Hun chik tinamit.
    X k okotah chi vi ri chi 'Izuma Chi.
Kate puch ta x e yakatah chi 'ulok
    X e 'ul chiri pa tinamit
Q'umarik Ah u bi
    K umal K'iche ch uch'axik.   7.590

Então lá fizeram novamente festas
    Em honra de suas filhas.
Então eles cortaram lenha.
    Esse foi o ponto de encontro   7.550
Das três grandes-casas,
    Quando elas foram chamadas por eles.
Assim lá eles beberam suas bebidas
    E comeram sua comida
Como pagamento de suas irmãs
    E pagamento de suas filhas.
Havia apenas felicidade em seus corações
    Quando o fizeram.
Eles comeram;
    Eles festejaram em suas casas-grandes.   7.560
"É apenas nossa gratidão,
    E apenas a purificação
De nosso sinal,
    De nossa palavra,
O sinal
    De nossa palavra
Sobre as fêmeas nascidas
    E os machos nascidos", eles disseram.
Lá foram designadas então,
    E lá deram nomes a   7.570
Famílias para eles mesmos,
    E a Tribos para eles mesmos,
A cidades para eles mesmos.
    "Nossos companheiros para nós mesmos!
Nós, Qavikib,
    Nós, Ni-Hayib,
E nós, Ahav Quiché",
    Eles disseram,
As três cidades
    E as três casas-grandes.   7.580
E por longo tempo eles fizeram assim
    Em Chi Izuma Chi.
Então eles descobriram a seguir,
    E então viram
Outra cidade.
    Eles abandonaram em troca aquela em Chi Izuma Chi.
E assim eles saíram de lá
    E vieram para a cidade daqui.
De Qumarik Ah (Cana Podre) ela foi
    Chamada pelo Quiché.   7.590

Ta x e 'ul chik ahavab
    Qo Tuha
R uq Q'uq' Kumatz,
    R uq puch r onohel ahavab
X r oq'ex ok.
    X r o le 'a puch vinaq
U xe zaq
    U xe 'amaq'
U xe k'azilem
    Vinaqirem. 7.600
Chiri q'ut k'i x ki ban vi k ochoch.
    Chiri nay puch x ki ban vi r ochoch kabavil.
Ch u niq'ahal
    U vi tinamit x ki ya vi.
Ta x e 'ulik
    Ta x ki tiqilibeh puch.
Kate puch u nimarik chik
    K ahavarem
E k'i chik,
    E pu tzatz chik 7.610
Ta x ki naohih chik,
    K'i nim haa.
X e moloxik,
    X e hachahox puch
R umal x vinaqir ki ch'aoh.
    X e kaq vachin chi k ib
Ch u vi r ahil k anab
    R ahil ki mial,
R umal xa ma vi chi tzaqon
    K uqia chi ki vach 7.620
Are chi q'ut u xe chik
    Ki hachovik k ib.
Ta x ki tzolobeh k ib
    Tzol k'ak'abeh
Baq
    U holom kaminak
X ki k'ak'abeh k ib.
    Ta x ki pax
Ri beleh tak chi tinamit
    X banom ok u ch'aohil 7.630
Anab
    Mial.
Ta x ban u naohixik ahavarem
    Hu vinaq kahib chi nim haa x uxik.

Então por sua vez vieram os senhores,
    Ahav Qo Tuha
E Quq Kumatz,
    Com todos os senhores
Que eram lamentados,
    Eram a quinta geração de homens
Sob a luz,
    Sob a unidade,
Sob a vida
    E a criação.   7.600
E lá eles construíram suas casas,
    E lá também construíram a casa dos deuses.
No meio
    Da parte alta da cidade eles a ergueram.
Então eles vieram
    E então se detiveram de repente.
E então de novo aumentou
    Seu poder.
Eles eram muitos;
    Eram em grande número,   7.610
Pois criaram mais:
    Muitas casas-grandes.
Eles estavam reunidos,
    E foram divididos,
Porque suas lutas começaram;
    Olhavam furiosos uns para os outros
Por causa do preço de suas irmãs,
    Do preço de suas filhas,
E porque não tinham tido iguarias
    E bebidas diante deles.   7.620
E assim essa foi a razão
    Para se dividirem de novo,
Pois eles se atacaram,
    Eles passaram furiosos
Sobre os ossos
    E as caveiras dos mortos.
Eles ficaram furiosos uns com os outros.
    Assim eles se dividiram
Em nove na cidade,
    E ainda discutiram   7.630
Por causa das irmãs
    E filhas.
Quando a decisão sobre o poder foi tomada,
    Passaram a existir lá vinte casas-grandes.

X oher ok k e 'ulik k onohel chiri
    Ch u vi ki tinamit.
Ta x e tz'aqat
    Hu vinaq kahib nim haa
Chiri
    Pa tinamit Q'umarik Ah.   7.640
X utzirizaxik
    R umal Señor Obispo
Ri tinamit
    Q'a x tole kan ok.
X e q'aq'ar chiri
    X nuk' mayihinak ok.
Ki tem
    Ki ch'akat
X hachahox ki vach
    Hu tak vi chi q'aq'.   7.650
Huhun chi 'ahavab
    Beleheb tak chi chinamit x u k'olela r ib:
Beleheb chi 'ahavab Qavekib
    Beleheb chi 'ahavab Ni-Hayibab
Kahib chi 'ahav Ahav K'iche
    Kaib chi 'ahav Zaq Iq'ib.
K'iya tak x uxik
    K'i chi nay puch chi r ih huhun ahavab.
Xa u nabe ri q'o chi vi r al
    U q'ahol.   7.660
Tzatz
    Tzatz u chinamital huhun chi 'ahavab.
Chi qa biih
    Ki be ri 'ahavab
Ch u huhunal,
    Huhun u nim haa.

LXXIII

Vae q'ute ki bi 'ahavab ch u vach Qavekib.
    Are nabe 'ahav va:
Ah Pop,
    Ah Pop Qam Haa,   7.670
Ah Tohil,
    Ah Q'uq' Kumatz,
Nim Ch'okoh Qavek,
    Popol Vinaq chi T'uy,

Antigamente então eles costumavam vir aqui
> Para representar suas cidades.

Então eles completaram
> Vinte quatro casas-grandes

Aqui
> Na cidade de Qumarik Ah. 7.640

Ela foi abençoada
> Pelo Senhor Bispo,[8]

A cidade,
> Depois que foi abandonada.

Eles a queimaram,
> E ela foi devastada.

Seus bancos,
> Seus travesseiros

Foram espalhados
> Sobre todos os lados no incêndio. 7.650

Cada um dos senhores
> Das nove famílias se estabeleceu em volta:

Nove senhores dos Qavekib,
> Nove senhores dos Ni-Hayibab,

Quatro senhores do Ahav Quiché,
> E dois senhores dos Zaq Iqib (Ventos Brancos).

Eles se tornaram muitos,
> E aumentaram mais sob cada senhor.

Mas o primeiro foi aquele que havia nascido
> E engendrado filhos. 7.660

Muitas,
> Muitas foram as famílias de cada um dos senhores.

Vamos dizer
> Os nomes dos senhores,

Um por um,
> E de cada casa-grande.

LXXIII

Estes então são os nomes dos senhores perante os Qavekib;
> Este é o primeiro senhor então:

Ah Pop,
> Ah Pop Qam Haa, 7.670

Ah Tohil (O sacerdote de Tempestade),
> Ah Quq Kumatz (O sacerdote de Quetzal Serpente),

Nim Chokoh Qavek (O Grande Chefe de Kavek),
> Popol Vinaq chi Tuy (O Conselheiro na Chefia),

---

[8] Francisco Marroquín (1499-1563), primeiro bispo da Guatemala.

Lol Met Keh Nay,
    Popol Vinaq pa Hom Tzalatz,
U Chuch Qam Haa.

LXXIV

    Are q'ut ahavab ri ch u vach Qavekib:
Beleheb chi 'ahavab k'olohe 'u nim haa ch u huhunal,
    Kate chik chi vachin u vach.   7.680

LXXV

Are chi q'u 'ahavab va ch u vach Ni-Hayibab;
    Are nabe 'ahav va:
Ahav Q'alel,
    Ahav ah Tzik Vinaq,
Q'alel Qam Haa,
    Nima Qam Haa,
U Chuch Qam Haa,
    Nim Ch'okoh Ni-Hayibab,
Avilix,
    Yakolatam u Tzam Pop Zaq Latol,   7.690

Nima Lol Met Yeol Tux.
    Beleheb q'ut chi 'ahavab ch u vach Ni-Hayibab.

LXXVI

Are chi q'ut Ahav K'iche va;
    Vae ki bi 'ahavab:
Ah Tzik Vinaq,
    Ahav Lol Met,
Ahav Nim Ch'okoh Ahav (K'iche),
    Ahav Haka Vitz.
Kahib ahavab ch u vach Ahav K'icheeb
    K'olehe 'u nim haa.   7.700

LXXVII

Kaib chinamit chi nay puch,
    Zaq Iq'ib ahavab:
Tz'utu Haa,
    Q'alel Zaq Iq'.
Xa hun chi nim haa

Lol Met Keh Nay (O Inspetor de Algodão e Estoques de Feijão),
    Popol Vinaq pa Hom Tzalatz (O Conselheiro nas Fortificações do Campo de Jogo),
U Chuch Qam Haa (A Mãe da Casa de Recepção).

LXXIV

Estes são os senhores que estavam perante os Qavekib:
Nove senhores com suas várias casas-grandes dispostas ao redor,
    Cuja face ainda pode ser vista.   7.680

LXXV

E estes a seguir são os senhores diante dos Ni-Hayibab;
    Este é o primeiro senhor então:
Ahav Qalel (Senhor Capitão),
    Ahav Ah Tzik Vinaq (Senhor Nobre),
Qalel Qam Haa (Capitão da Casa de Recepção),
    Nima Qam Haa (Grande Casa de Recepção),
U Chuch Qam Haa,
    Nim Chokoh Ni-Hayibab (Grande Chefe dos Casas-Grandes),
Avilix,
    Yakolatam u Tzam Pop Zaq Latol (Diretor dos Chefes de   7.690
        Linhagens da Nobreza),
Nima Lol Met Yeol Tux (O Grande Fiscal de Algodão e Doador de Flores).
    Nove senhores então perante os Ni-Hayibab.

LXXVI

E estes a seguir são o Ahav Quiché então;
    Estes são os nomes dos senhores:
Ah Tzik Vinaq (Nobre),
    Ahav Lol Met (Senhor Inspetor de Algodão),
Ahav Nim Chokoh Ahav (Senhor Grande Chefe dos Senhores),
    Ahav Haka Vitz (Senhor Pico de Fogo).
Quatro senhores perante os Ahav Quichés,
    Com suas grandes casas dispostas ao redor.   7.700

LXXVII

E havia mais duas famílias também,
    Os senhores de Zaq Iqib:
Tzutu Haa (Casa Alagada)
    E Qalel Zaq Iq (Capitão Vento Branco).
Havia apenas uma casa-grande

E kaib chi 'ahavab

LXXVIII

Kehe q'ut x tz'akat vi hu vinaq kahib chi 'ahavab
    Hu vinaq kahib nay puch chi nim haa x uxik.
Ta x nimarik q'aq'al
    Tepeval pa K'iche.   7.710
Ta x q'aq'arik,
    Ta x tepevarik
U nimal
    R alal K'iche.
Ta x chunaxik
    Ta x zahkabix puch Zivan Tinamit.
Nima 'amaq', q'o q'ut u bi 'ahav.
    X ul ch'uti 'amaq'
X nimarizan K'iche
    Ta x vinaqirik   7.720
Q'aq'al
    Tepeval.
Ta x vinaqirik r ochoch kabavil
    K ochoch nay pu 'ahavab.
Ma nay pu 'are x e banovik;
    Ma vi x e chakun tah
Ma pu x ki ban ta k ochoch,
    Ma nay pu xa ta x ki ban r ochoch ki kabavil
Xa r umal x e q'irik k al
    Ki q'ahol.   7.730
Ma na xa ki bochi
    Xa ta pu k eleq'
Ki q'upun ta puch.
    Qitzih vi chi k ech ahavab chi ki huhunal.
Tzatz nay puch k atz
    Ki ch'ak' x uxik.
X molomoxik u q'oheyik
    X molomox nay puch u t'aabal u tzih hun chi 'ahavab.
Qitzih vi chi 'e loq
    Qitzih puch chi nim ki q'alem ahavab.   7.740
Nimatalik
    Kovatal puch
U q'ih
    R alaxik ahavab
R umal r al
    U q'ahol.

Para esses dois senhores.

LXXVIII

Assim pois estão completos os vinte e quatro senhores,
    E vinte e quatro também eram as casas-grandes.
Então cresceu a glória
    E majestade em Quiché. 7.710
Então foi glorificada;
    Então foi exaltada
A grandeza,
    A importância de Quiché.
Então foi construída com cal
    E gesso a Zivan Tinamit.
As pequenas Tribos vieram
    E as grandes Tribos, e o senhor tinha um nome.
Quiché cresceu orgulhoso
    Quando lá foram criadas 7.720
Glória
    E Majestade.
Então foi criada a casa dos deuses
    E também as casas dos senhores,
Mas não foram eles que a fizeram;
    Eles não trabalharam,
Eles não construíram suas casas,
    E não construíram suas casa dos deuses
Porque haviam oprimido seus filhos nascidos
    E engendrados. 7.730
Então não tinham que lhes pedir auxílio;
    Nem roubá-los
E raptá-los.
    De fato eles pertenciam aos senhores um por um.
E muitos eram seus irmãos mais velhos
    E irmãos mais novos.
A vida estava realmente sob controle,
    E sob controle também estavam as palavras de comando de cada senhor.
Realmente eles eram adorados então,
    Realmente grande era a posição dos senhores. 7.740
Foi exaltado
    E respeitado
O dia,
    O nascimento dos senhores
Pelos seus filhos nascidos
    E engendrados.

Ta x k'iyarik ah zivan
    Ah tinamit r uq nay puch.
Ma na xa ta k'i
    Kehe x ul ki ya k ib r onohel amaq'.   7.750
Q'a labal q'ut
    X qah vi
U zivan
    U tinamit
Q'a r umal ki naval
    Ahavab x e q'aq'arik,
Ri 'Ahav Q'uq' Kumatz
    Ahav Qo Tuha.
Qitzih chi naval ahav
    Ri Q'uq' Kumatz x uxik.   7.760
Hu vuq ch aqan chi kah,
    Hu vuq q'ut chi be 'u bana qah ok chi Xibalba,
Hu vuq chi q'ut chi q'ohe chi kumatzil.
    Qitzih chi kumatz ch uxik.
Hu vuq chi nay puch ch u ban ok chi kotal,
    Hu vuq chik chi balamil.
Qitzih vi chi kot,
    Chi balam u vachibal ch uxik.
Hu vuq chik chi r emeyik chi kiq'el.
    U tukel r emanik kiq' ch uxik.   7.770
Qitzih chi naval
    Ahav u q'oheyik.
Xibix ib ch u vach r umal r onohel ahavab
    X paxin r ib
U t'aik
    X u t'a
R onohel ahavab
    Amaq'.
U q'oheyik
    Naval ahav.   7.780
Are q'ut u tikarik
    U nimarik puch K'iche
Ta x u ban Ahav
    Q'uq' Kumatz
R etal
    Nimal.
X ma zachel u vach u mam
    U q'ahol ch u k'ux.
Ma ha bi'a ta la x ban vi
    Ri x q'ohe.   7.790

404

Assim os moradores do desfiladeiro cresceram,
   E os moradores da cidade também.
Não apenas eles eram muitos ali então,
   Mas todas as Tribos vieram para se entregar.   7.750
E quando a guerra
   Começou
No desfiladeiro,
   Na cidade,
Então com sua mágica
   Os senhores triunfaram,
Ahav Quq Kumatz
   E Ahav Qo Tuha.
Na verdade foi num senhor de espírito
   Que Quq Kumatz se transformou.   7.760
Pois durante uma semana ele subia ao Céu,
   E durante outra semana descia a Xibalba,
E de novo durante uma semana ele virava serpente;
   Realmente ele se transformava numa serpente.
E de novo durante uma semana ele virava uma águia;
   E durante uma semana virava um jaguar.
De fato, como a de uma águia
   Ou de um jaguar se tornou sua aparência.
Durante uma semana de novo ele virava uma poça de sangue;
   Sozinho ele se transformava num charco de sangue.   7.770
Realmente, sua natureza era
   A de um senhor de espírito.
Sentiram medo diante dele todos os senhores;
   Eles estavam amedrontados
Pelas ordens
   Que ele dava
A todos os senhores
   E a todas as Tribos.
Sua natureza
   Era a de um senhor de espírito.   7.780
E isso foi o começo
   E o crescimento de Quiché
Quando Ahav
   Quq Kumatz o fez
Como um sinal
   De grandeza.
Não foi esquecida a face de seu neto
   Ou de seu filho no seu coração.
O que ele fez talvez não
   Fosse real.   7.790

Ta hun ahav
    Naval ta
U q'oheyik.
    Xa yoq'obal r ech r onohel amaq'
Ta x u bano.
    Xa 'u k'utubal r ib
R umal xere hu k'izik
    U holom amaq' x uxik.
U kah le 'ahav
    Ri naval ahav   7.800
Q'uq' Kumatz u bi.
    Xa vi xere
Ah Pop
    Ah Pop Qam Haa.
X kanah chi q'ut k etal
    Ki tzihel.
X e q'aq'arik
    X e tepevar puch.
Ta x e q'aholan chi q'ut
    K'iya ki q'ahol q'ut.   7.810
Tzatz chik x u bano.
    X q'aholax
Ri Tepepul
    Iztayol.
Xa ki 'ahavarem x u bano
    R o le 'ahav x uxik.
Xa vi x e q'aholanik
    Hu tak le chi 'ahavab.

    LXXIX

Va chi q'ute ki bi chik
    U vaq le 'ahav.   7.820
E kaib chi nimaq ahavab,
    E q'aq'.
Kiq'ab u bi hun ahav,
    Cahuizimah u bi hun chik,
Are q'ut tzatz chik x u ban ri Kiq'ab
    Cahuizimah.
Are chi nimarizan
    K'iche,
R umal qitzih naval
    U q'oheyik.   7.830
Are q'ahovik

Para um senhor
>Magia então
Era sua natureza.
>Ele foi apenas uma humilhação para todas as Tribos
Quando fez o que fez.
>Foi apenas para se revelar,
E a consequência foi que realmente
>Ele se tornou o chefe das Tribos.
A quarta geração de senhores
>Foi o senhor de espírito   7.800
Chamado Quq Kumatz.
>E apenas sozinho
Ele foi Ah Pop
>E Ah Pop Qam Haa.
E lá permaneceram seus sinais,
>Suas palavras.
Eles foram glorificados
>E exaltados,
E quando depois eles engendraram filhos,
>Muitos foram então seus filhos.   7.810
Assim muitos outros foram feitos.
>E ali foram engendrados
Tepepul (Príncipe da Montanha)
>E Ahav Iztayol,
Eles então exerceram o poder
>E se tornaram a quinta geração de senhores.
Só eles engendraram
>Outra geração de senhores.

LXXIX

Assim estes são os próximos nomes
>Da sexta geração de senhores.   7.820
Os dois eram grandes senhores;
>Eram ilustres.
Kiqab (Sangue) era o nome de um senhor;
>Cahuizimah (Oito Macaco) era o nome do outro.
E foram muitos os feitos de Kiqab
>E Cahuizimah
Que orgulharam
>O Quiché.
Porque realmente de espírito
>Era a natureza deles,   7.830
A qual destruiu

    Are puch x paxinik
U zivan
    U tinamit
Ch'uti 'amaq'
    Nima 'amaq'.
Naqah tak u xol
    Q'o vi tinamit oher.
Are
    U huyubal Q'aq' Chekeleb   7.840
Ri ch u vi La vakamik,
    U huyubal chi nay pu Rabinaleb,
Ri pa Maq' A,
    U huyub q'u Qavokeb,
Ri Zahkaba Haa,
    U tinamit chi q'ut Zaq Ulevab,
Ch u vi Miq'in A,
    Xe Lahuh,
Ch u va Tzaq,
    Tzoloh Chee.   7.850
Are x r ixovah Kiq'ab
    X u ban labal.
Qitzih vi x qahik
    X paxik
U zivan,
    U tinamit Rabinaleb,
Q'aq' Chekeleb,
    Zaq Ulevab.
X uleyik
    X paqayik r onohel amaq'.   7.860
Q'a x toq'e
    Chi naht u kamizah Kiq'ab.
Hu ch'ob,
    Ka ch'ob ta chik
Ma vi k u qam u patan chi r ech r onohel.
    X qah u tinamit x u qam u patan
Ch u vach Kiq'ab
    Cauizimah.
X e 'ok chinamit x e lotz'ik,
    X e kaq'ik chi chee.   7.870
Ma ha bi ki q'ih
    Ma ha bi k alaxik x uxik.
Xa cha
    Mi q'ohe paxibal tinamit.
Hu zuq chi hixitahik

       E despedaçou
O desfiladeiro,
    A cidade,
As pequenas Tribos
    E as grandes Tribos.
Bem perto, lá no meio deles,
    Havia antigamente cidades,
Eram:
    A montanha dos Qaq Chekeleb   7.840
Que é hoje Chu u vi La (Urtiga),
    E também a montanha dos Rabinaleb
Que está em Pa Maq A (Rio Torrencial),
    E uma montanha dos Qavokeb (Chuvas)
Que é Zahkaba Haa (Rio da Casa de Gesso),
    E as cidades dos Zaq Ulevab (Terras Brancas):
Acima, Ch u vi Miqin A (Fontes Quentes),
    Embaixo, Xe Lahuh (Dez Veado),
À frente Tzaq (Forte)
    E Tzooh Chee (Árvore Salgueiro).   7.850
Elas odiavam Kiqab
    E guerrearam com ele.
Ele realmente destruiu
    E despedaçou
Os desfiladeiros,
    As cidades dos Rabinaleb,
Qaq Chekeleb
    E Zaq Ulevab,
E elas estavam caindo
    E se submetendo, todas as Tribos.   7.860
Para conseguir que o apoiassem
    Kiqab quase as matou.
Só uma divisão
    Ou duas divisões mais,
E todas teriam se rendido.
    As cidades caíram e se sujeitaram
Diante de Kiqab
    E Cauhizimah.
As famílias foram oprimidas,
    Foram batidas com bastões.   7.870
O dia delas,
    O nascimento delas se tornou nada.
Só a faca de obsidiana
    É que quebrava as cidades.
Logo começaria a se abrir

       U chi 'ulev
Kehe ri chi q'ozin ka kulaha
       Ch u paxih abah.
Chi xibinik
       Libah chi ch elah amaq'   7.880
Ch u vach q'ol chee
       R etal tinamit
R umal vakamik
       Hun huyub abah.
X zkakin chik
       Ma vi x q'atatahik
Kehe ri x choy
       Chi 'ikah r umal.
Chila q'o vi pa tak'ah
       Petatayub u bi.   7.890
Q'alah vakamik.
       Ka r il r onohel vinaq k e 'iq'ovik
R etal
       R achihilal Kiq'ab.
Ma ha bi x kam vi
       Ma pu ha bi x ch'akatah vi.
Qitzih vi chi 'achih.
       X u qam q'ut u patan r onohel amaq'.
Ta x e naohin q'ut ahavab k onohel
       Ta x beek q'atey   7.900
R ih zivan
       R ih tinamit.
X qahinak ok u tinamit
       R onohel amaq'.

       LXXX

Kate q'ut ta r elik varanel,
       Ilol ah labal.
Ta x ki ban q'ut u vachinel chinamit
       Laqabey huyub.
"Ve chi pe chik
       Ta ch ul u laqabeh   7.910
U tinamit
       Amaq'," x e ch'a
Ta x ki kuch ki naoh k onohel ahavab
       Ta x el ki vaban.
"Kehe ri qa kehoh
       Kehe pu q'aq'a chinamit

O canto da Terra,
Como uma ação do raio
    Que fende rochas.
No seu pavor
    As Tribos se abaixaram imediatamente   7.880
Diante da árvore de incenso
    No marcador da cidade,
Assim lá hoje
    Existe uma montanha de pedras.
Algumas bem cortadas,
    Outras
Como talhadas
    Por um machado.
Existe um lugar lá sobre a costa
    Chamado Petatayub (Capachos).   7.890
É visível hoje.
    Todas as pessoas que passam podem ver
O marcador,
    A virilidade de Kiqab.
Nada o matou,
    E nada o derrotou.
Realmente ele foi um herói.
    E todas as Tribos se sujeitaram.
E então quando todos os senhores haviam discutido,
    Eles saíram para obstruir   7.900
Os lados do desfiladeiro,
    As costas da cidade.
Caídas então estavam as cidades
    De todas as Tribos.

LXXX

E então vieram guardas,
    Sentinelas,
Quando escolheram vigias das famílias
    Para viver nas colinas.
"Se eles voltarem,
    Vão entrar então para viver   7.910
No lugar,
    Na cidade", eles disseram.
Quando todos os senhores chegaram a um acordo,
    Então eles assumiram seus postos.
"Como uma muralha
    E como uma família ciumenta,

Kehe nay pu qa tz'alam
    Qa q'ox tun ch uxik.
Are chik q oyoval
    Q achihalal ta ch ux ok,"   7.920
Xe ch'a k onohel ahavab.
    Ta x e 'elik u vaban
Huhun
    Chi chinamit
K'ulelay
    R ech ah labal.
Ta x e pixabax q'ut
    Ta x e be puch
Vaban
    Laqabey u huyubal amaq'.   7.930
"Ch i beek r umal qa huyubal chik.
    M i xibih iv ib.
Ve q'o chik ah labal
    Ch ul chik iv uq
Ta x kamizay iv e
    Anim ch ulibih chi be nu ka kamizah,"
X ch'a q'ut Kiq'ab chi k ech
    Ta x e pixabaxik k onohel vach
R uq Q'alel
    Ah Tzik Vinaq.   7.940
Ta x beyiheyik ri 'u chi cha
    U chi q'aam ch u ch'axik.
Ta x paxin r ib u mam
    U qahav ri
R onohel K'iche vinaq.
    Q'o pa huhun chi huyub
Xa chahal huyub
    Xa pu chahal
Cha,
    Q'aam,   7.950
Chahal
    Labal puch ta x beek.
Ma na hun ta zaqir vi
    Ma nay puch hun ta 'u kabavil.
Xa q'atey r ih tinamit.
    Ta x elik r onohel:
Ah u vi La,
    Ah ch Ulimal,
Zaqi Ya,

Assim também nossa defesa,
  Nossa fortaleza será.
Assim então nossa coragem,
  Nossa força será",   7.920
Disseram todos os senhores.
  Então assumiram seus postos,
Cada um
  Na sua família,
Como rivais
  Dos soldados.
E então eles se despediram
  E saíram
Como sentinelas
  Para viver nas montanhas das Tribos.   7.930
"Vocês irão por causa das nossas montanhas novamente.
  Não tenham receio.
Se houver ainda soldados
  Que os persigam,
Que os matem,
  Então me chamem que irei matá-los",
Kiqab então lhes disse.
  Quando todas suas faces haviam sido instruídas
Por Qalel
  E Ah Tzik Vinaq,   7.940
Então eles foram pela extremidade da faca,
  Pela extremidade da corda, como é seu nome.
Então se espalharam, os avós
  E pais
De todo o povo quiché.
  Eles estavam em cada montanha,
Apenas como guardas da montanha
  E apenas como guardas
Da faca
  E da corda;   7.950
Como vigias
  E soldados eram quando se foram.
Nenhum devia ter seu despertar
  E nenhum devia ter seus deuses.[9]
Eles estavam apenas obstruindo as costas da cidade.
  Então todos vieram:
O povo de Ah u vi La,
  O povo das Ah Ch Ulimal (Correntezas),
Zaqi Ya (Rio Branco),

---

[9] Nenhuma separação seria tolerada, especialmente religiosa.

    Xahobal Keh,   7.960
Chi Temah,
    Vahxaq Lahuh,
R uq chik Ah Kaab r Aqan,
    Ch'abi Q'aq' chi Hun Ah Pu,
R uq Ah maq' A,
    Ah Xoy Abah,
Ah Zahkaba Ha,
    Ah Ziya Ha,
Ah Miq'in A,
    Ah xe Lahuh,   7.970
Tak'ahal
    Huyub.
Ri x elik varay labal
    Chahal ulev
Ta x beek r umal Kiq'ab
    Cahuizimah
Ah Pop
    Ah Pop Qam Haa
Q'alel
    Ah Tzik Vinaq.   7.980
E kahib chi 'ahavab x e taqonik
    X e varan puch ah labal.
Kiq'ab
    Cahuizimah u bi
Ahav ch u vach Qavekib.
    E kaib.
Keema 'u bi
    Ahav ch u vach Ni-Hayib,
Achaq Iboy q'ut u bi
    Ahav ch u vach Ahav K'iche.   7.990
Are q'ut ki bi
    Ahav ri
X e taqonik
    X e zamahelan puch
Ta x e beek k al
    Ki q'ahol
Pa huyub,
    Pa huhun chi huyub.
X be na q'u nabe x ul na kanab
    X ul na pu teleche   8.000
Ch u vach Kiq'ab
    Cahuizimah
Q'alel

      Xahobal Keh (Dança do Veado),   7.960
Chi Temah (Prancha),
      Vahxaq Lahuh (Dezoito),
E o povo de Kaab r Aqan,
      Chabi Qaq (Fogo de Obsidiana) em Hun Ah Pu,
E Ah Maq A (Rio Torrencial),
      O povo do Xoy Abah (Pedra Xoy),
O povo do Zahkaba Ha (Rio de Gesso),
O povo do Ziya Ha (Rio de Lenha),
O povo das Miqin A (Fontes Quentes),
      O povo de Xe Lahuh (Sob Dez),   7.970
Takahal (Vales)
      E Huyub (Montanhas),
Eles vieram olhar os soldados,
      Guardas da Terra,
Quando foram enviados por Kiqab
      E Cahuizimah,
Ah Pop
      E Ah Pop Qam Haa,
E Qalel
      E Ah Tzik Vinaq.   7.980
E quatro senhores eles mandaram,
      E eles olharam os soldados.
E Kiqab
      E Cahuizimah eram os nomes
Dos Senhores perante os Kaveks.
      Havia dois.
Keema (Morte) era o nome
      Do senhor perante os Ni-Hayib,
E Achaq Iboy (Gorduras do Tatu) era o nome
      Do senhor do Ahav Quiché.   7.990
E esses são os nomes
      Dos senhores
Que foram chamados
      E a quem mandaram mensagens
Quando seus filhos nascidos,
      Seus filhos engendrados foram
Às montanhas,
      Cada um à sua montanha.
E então mais tarde ali chegaram os cativos
      E vieram os prisioneiros   8.000
Perante Kiqab
      E Cahuizimah
E Qalel

    Ah Tzik Vinaq.
X ki ban chi vi labal ri 'u chi cha
    U chi q'aam.
X e kanab chik,
    X e telechen chik.
E 'achih x e 'ux chik
    Ri 'e vaban x e yaik,   8.010
X e k'iyar q'ut
    K'i chi q'ut ki k'uxilal k umal ahavab.
Ta ch ul ki ya ki kanab
    Ki teleche r onohel.
Kate q'ut ta x kuch naoh
    K umal ahavab
Ah Pop
    Ah Pop Qam Haa
Q'alel
    Ah Tzik Vinaq,   8.020
Ta x el
    K u naoh.
"Xa qa chapa
    K'i nabe chi q'ohe
Ta q eqalem
    Vachinel chinamit ch ok vi."
"In Ah Pop.
    In Ah Pop Qam Haa,
Ah Pop chi r eqaleh vi
    Ch ok chi q'ut av ech.   8.030
At Ahav Q'alel
    Q'alel r eqalem x ch uxik,"
X e ch'a q'ut r onohel ahavab
    Ta x qam ki naoh.
Xa vi q'u kehe x u ban ok Tamub
    Ilokab.
Hunam vach
    Ox ch'ob chi K'iche.
Ta x ban chaponik
    X ki q'obizah   8.040
U nabe k al
    Ki q'ahol.
Kehe q'ut u qamik naoh
    Ma q'u chiri

416

E Ah Tzik Vinaq.
Eles guerrearam de novo na extremidade da faca,
    Na extremidade da corda.
Eles foram capturados de novo,
    Foram aprisionados de novo.
Eles foram heróis de novo,
    Aqueles que vigiavam e que os entregaram,   8.010
E eles cresceram
    E foram muito lembrados pelos senhores
Quando vieram para passar seus cativos
    E todos os prisioneiros.
E isso foi quando houve acordo
    Entre os senhores
Ah Pop,
    Ah Pop Qam Haa,
Qalel
    E Ah Tzik Vinaq,   8.020
E então veio
    A decisão:
"Tomem apenas
    Os primeiros dos que houver,
Cuja posição
    Alcance a de guardião de família."
"Eu sou Ah Pop;
    Eu sou Ah Pop Qam Haa,
As posições de conselheiro.
    E vindo a seguir estão vocês,   8.030
Vocês são Ahav Qalel,
    Sua posição será essa",
Todos os senhores disseram então
    Quando eles decidiram.
E assim também fizeram os Tamub
    E Ilokab.
Semelhantes em sua aparência
    Eram as três divisões de Quiché.
Quando faziam a captura,
    Eles davam um título[10]   8.040
Aos primeiros de seus filhos nascidos,
    De seus filhos engendrados.
E assim foi a decisão tomada,
    Mas eles não foram

---

[10] Aqui se esclarece a ideia por trás desta passagem obscura. Às "crianças nascidas" e aos "filhos engendrados" — neste contexto, dos povos auxiliares — eram dados títulos no sistema quiché, a posição do cativo sendo cuidadosamente igualada àquela do conquistador.

X chap vi K'iche,
  Q'o 'u bi huyub x chap vi.
U nabe 'al
  Q'ahol
Ta x e taq q'ut r onohel q'o pa huhun chi huyub
  Xa hun x e kuch vi. 8.050

LXXXI

Xe Balax
  Xe Qamaq' u bi huyub x e chap vi,
Ta x ok ki qalem
  Chiri ch Ulimal x ban vi.

LXXXII

Va q'ute ki q'obik ki chapik
  K etaxik puch:
Hu vinaq Q'alel
  Hu vinaq Ah Pop,
X chapik r umal Ah Pop,
  Ah Pop Qam Haa, 8.060
R umal puch Q'alel,
  Ah Tzik Vinaq.
X ok k eqalem r onohel Q'alel
  Ah Pop,
Hu lahuh
  Nim Ch'okoh,
Q'alel Ahav,
  Q'alel Zaq Iq',
U Q'alel Achih,
  R Ah Pop Achih, 8.070
R Ah Tz'alam Achih,
  U Tzam Achih,
Ki bi 'achihab x okik
  Ta x e q'obik.
X e biinah puch ch u vi ki tem,
  Ch u vi ki ch'akat.
E 'u nabe r al
  U q'ahol K'iche vinaq,
Ilol r ech
  Ta'ol r ech 8.080
U chi cha
  U chi q'aam,

Elevados em Quiché,
    As montanhas onde foram empossados têm nome.
Seus primeiros filhos nascidos
    E filhos engendrados.
E então foram todos chamados de suas várias montanhas,
    Para reuni-los num só lugar.   8.050

LXXXI

Xe Balax (Sob Balax),
    Xe Qamaq (Sob Qamaq) é o nome da montanha que eles tomaram
Quando assumiram suas posições.
    Lá nas Ch Ulimal isso foi feito.

LXXXII

Estes então são os títulos que eles assumiram,
    E eles são conhecidos:
Hu Vinaq Qalel (Vinte Capitães),
    Hu Vinaq Ah Pop (Vinte Conselheiros)
Foram assumidos por Ah Pop
    E Ah Pop Qam Haa,   8.060
E por Qalel
    E Ah Tzik Vinaq.
Todos os capitães assumiram suas posições
    E os conselheiros,
Onze
    Nim Chokoh (Grandes Chefes),
Qalel Ahav,
    Qalel Zaq Iq,
U Qalel Achih (Capitão dos Fidalgos),
    R Ah Pop Achih (Conselheiro dos Fidalgos),   8.070
R Ah Tzalam Achih (Pedreiro das Fidalgos),
    U Tzam Achih (Chefe dos Fidalgos),
Os nomes que os senhores assumiram
    Quando receberam títulos.
E foram nomeados sobre seus bancos,
    Sobre seus travesseiros.
Eram as crianças primogênitas
    E os filhos gerados do povo quiché,
Os que espreitam
    E os que ouvem sobre   8.080
A extremidade da faca,
    A extremidade da corda,

Kehoh tz'apib tz'alam
    Q'ox tun chi r ih K'iche.
Xa vi q'u kehe x u ban ok Tamub,
    Ilokab.
X u chapo
    X u q'obizah puch
U nabe r al
    U q'ahol,   8.090
Q'o pa huhun chi huyub.
    Are q'ut u xenahik
Q'alel
    Ah Pop,
R eqalem
    Pa huhun chi huyub vakamik.
Kehe r elik ri
    Ta x e 'elik
Chi r ih Ah Pop,
    Ah Pop Qam Haa,   8.100
Chi r ih puch Q'alel
    Ah Tzik Vinaq x el vi.

LXXXIII

Are q'ut x chi qa biih chik
    U be r ochoch kabavil.
Xa vi xere x u biinah r ochoch ri
    U bi kabavil.
Nimaq Tzak Tohil u bi tzak
    R ochoch Tohil r ech Qavekib.
Avilix q'ut u be tzak
    R ochoch Avilix r ech Ni-Hayibab.   8.110
Haka Vitz chi q'ut u bi tzak
    R ochoch u kabavil Ahav K'iche.
Tz'utu Haa k il na,
    Qahoba Haa 'u bi chik.
Nimaq tzak
    X q'ohe vi 'abah
X q'ihiloxik r umal ahavab K'iche
    Q'ihiloxik puch r umal r onohel amaq'.
Ch ok na 'u k'atoh amaq' nabe ch u vach ri Tohil
    Kate q'ut ta ch u q'ihila chik   8.120
Ah Pop
    Ah Pop Qam Haa
Kate ch ul ki ya ki q'uq'

Um muro fechando as defesas
    E a fortaleza atrás de Quiché.
E assim eles agiram também, os Tamub
    E Ilokab,
Eles tomaram prisioneiros
    E deram títulos
A seus filhos primogênitos,
    Os filhos engendrados   8.090
Que estavam em cada montanha.
    E esta é a origem
Dos capitães
    E conselheiros,
As posições
    De cada montanha hoje.
Assim eles vieram,
    Quando vieram,
Depois de Ah Pop
    E Ah Pop Qam Haa,   8.100
E depois de Qalel
    E Ah Tzik Vinaq eles vieram então.

LXXXIII

Aqui então contaremos
    Os nomes das casas dos deuses.
Realmente a casa era chamada
    Apenas conforme o nome do deus.
"Nimaq Tzak Tohil" ("O Grande Edifício de Tohil") era o nome do edifício
    E da casa de Tohil dos Qavekib,
E "Avilix" era o nome do edifício
    E da casa de Avilix dos Ni-Hayibab.   8.110
E "Haka Vitz" então foi o nome do edifício
    E da casa do deus de Ahav Quiché.
"Tzutu Haa" é ainda visível;
    "Qahoba Haa" ("Casa Cadente") é ainda seu nome.
Houve grandes edifícios
    Com um ídolo
Venerado pelos senhores de Quiché
    E venerado por todas as Tribos.
As Tribos vieram primeiro para queimar oferendas diante de Tohil,
    E então quando já haviam reverenciado   8.120
Ah Pop
    E Ah Pop Qam Haa,
Então vieram dar suas penas de quetzal,

                Ki patan ch u vach Ahav.
Are 'Ahav chik
                Are chi puch
Ki tzukun
                Ki koon,
Ah Pop
                Ah Pop Qam Haa   8.130
X qazan k'i tinamit.
                E nima 'ahavab.
E naval tak vinaq,
                Naval ahav
Ri Q'uq' Kumatz
                Qo Tuha.
Naval ahav q'u ri Kiq'ab
                Cahuizimah.
K etam ve
                Labal chi banik   8.140
Q'alah chi ki vach
                R onohel chi k ilo:
Ve kamik
                Ve vaih
Ve ch'aoh chi banik.
                Xax k etam vi.
Q'o q'ut ilobal r ech,
                Q'o vuh.
Popol Vuh u bi k umal.
                Ma na kehe 'e 'ahavab.   8.150
Nim ki q'oheyik
                Nim nay puch ki mevahik.
Are loq'obal tz'aq
                Loq'obal pu 'ahavarem k umal.
Nahatik chik x e mevahik,
                X e qahabik ch u vach ki kabavil.
Va q'ute ki mevahibal:
                Beleh vinaq k e mevahik
Hu beleh q'ut k e qahabik
                K e k'atonik.   8.160
Ox lahuh vinaq chik ki mevahibal,
                Ox lahuh chi q'ut k e qahabik.
K e k'atonik ch u vach Tohil,
                Ch u vach pu ki kabavil,
Xa tulul
                Xa 'ahache
Xa q'inom chi ki loob;

422

Seu tributo ao senhor.
Ele era ainda o senhor,
   E ele era ainda
Aquele que elas nutriam
   E sustentavam:
Ah Pop
   E Ah Pop Qam Haa.   8.130
Muitas cidades foram destruídas.
   Eles eram grandes senhores.
Eram pessoas de espírito,
   Senhores de espírito,
Quq Kumatz
   E Qo Tuha.
Senhores de espírito também eram Kiqab
   E Cahuizimah.
Sabiam
   Se guerra haveria.   8.140
Claramente eles viam
   Tudo o que viam,
Se morte,
   Se fome,
Se luta sucederia.
   Eles certamente sabiam,
E para isso havia um cristal;
   Havia um Livro.
Popol Vuh eles o chamaram.
   Não eram apenas senhores.   8.150
Grande era a natureza deles,
   E longos eram seus jejuns.
Estes eram edifícios sagrados,
   E sagrado era o poder para eles.
Por longo tempo então eles jejuaram;
   Eles se inclinaram diante de seu deus.
Este então foi o jejum deles:
   Nos 180 dias jejuaram,
E nos 180 se inclinaram
   E queimaram oferendas.   8.160
Nos 260 dias eles jejuaram
   E nos outros 260 se inclinaram.
Eles queimaram oferendas diante de Tohil
   E diante de seu deus.
Apenas sapotis,
   Apenas mata-sãos,
Apenas os frutos da asimina eles podiam ingerir,

>   *Are ma ha bi va chi ki veeh.*
> *Ve q'ut vuq lahuh vinaq k e qahabik,*
>   *Vuq lahuh k e mevahik.* 8.170
> *Ma vi k e vaik.*
>   *Qitzih vi chi nima 'avazinik chi ki bano.*
> *Are r etal*
>   *Ki q'oheyik e 'ahavab*
> *R uq q'ut ma ha bi 'ixoq chi var q'ut*
>   *Xa ki tukel chi ki chahih k ib.*
> *K e mevahik*
>   *Xa pa r ochoch kabavil k e q'ohe vi.*
> *Hu tak q'ih xa q'ihilonik*
>   *Xa k'atonik* 8.180
> *Xa pu qahabik chi ki bano.*
>   *Xa vi chiri 'e q'o vi*
> *X q'eq*
>   *Zaqirik*
> *Xa ch x oq' ki k'ux,*
>   *Xa pu ch x oq' ki pam.*
> *Ta k e tz'ononik chi r ech u zaq*
>   *U k'azileTm*
> *K al*
>   *Ki q'ahol* 8.190
> *Chi r e nay puch k ahavarem.*
>   *Chi ki paqaba ki vach chi kah.*
> *Va q'ute ki tz'onobal ch u vach ki kabavil*
>   *Ta k e tz'ononik.*
> *Are q'ut r oq'eh ki k'ux,*
>   *Va:*

LXXXIV

> *"Akarok at oob u q'ih,*
>   *At Hu r Aqan,*
> *At u K'ux Kah,*
>   *Ulev,* 8.200
> *At yaol r ech q'anal*
>   *Raxal,*
> *At pu yaol mial,*
>   *Q'ahol:*
> *Ch a tziloh,*
>   *Ch a maq'ih ulok*
> *A raxal,*
>   *A q'anal.*

         E não tinham milho nenhum para comer.
E se eles se inclinaram nos 340 dias,
         Ou jejuaram nos 340,   8.170
Eles não comeram.
         Realmente fizeram grandes juramentos.
Este era o sinal
         Do espírito dos senhores.
E também não podiam dormir com mulher então;
         Todos se guardaram para si mesmos.
Eles jejuaram
         E apenas ficaram na casa do deus.
Apenas ficaram venerando todos os dias,
         Apenas ficaram queimando oferendas   8.180
E apenas ficaram se inclinando.
         Eles apenas ficaram lá
No escuro
         Ou à luz do dia.
Seus corações apenas choraram
         E suas barrigas apenas gritaram.
Então eles oraram pela luz
         E pela vida
De seus filhos nascidos,
         Seus filhos engendrados,   8.190
E também pelo seu poder.
         Eles curvaram suas faces perante o Céu.
Esta então é sua prece a seu deus,
         Quando eles oraram.
E este é o clamor de seus corações
         Aqui:

         LXXXIV

"Salve! Tu, o dos cinco dias,
         Tu, Hu r Aqan,
Tu, Kux Kah
         E Ulev (Terra),   8.200
Tu, doador do que é maduro
         E do que é novo,
E tu, doador de filhas
         E filhos:
Deixa pingar,
         Deixa chover
Teu verde,
         Teu amarelo;

Ch a ya ta 'u k'azeyik
    Vinaqirik   8.210
V al
    Nu q'ahol
Chi poq' tah
    Chi vinaqir tah
Tzukul av e
    Kool av e
Zik'iy av e pa be,
    Pa hok
Pa be ya
    Pa zivan   8.220
Xe chee
    Xe q'aam.
Ch a ya ki mial
    Ki q'ahol.
Ma ta ha bi 'il
    Tz'ap
Yaan
    K'exo.
Ma ta ch ok q'ax tokonel chi k ih
    Chi ki vach.   8.230
M e pahik,
    M e zokotahik,
M e hoxovik,
    M e q'atovik,
M e qahik r ekem be
    R ah zik be.
Ma ta ha bi paq'
    Tox k'om
Chi k ih
    Chi ki vach.   8.240
K e 'ayatah pa raxa be
    Pa raxa hok.
Ma ta ha bi k il
    Ki tz'ap
A kuvil
    Av itzimal.
Utz tah
    Ki q'oheyik
Tzukul av e
    Kool av e   8.250
Ch a chi
    Ch a vach

Dá, rogo-te, vida
  E alimento 8.210
Para as minhas crianças
  E os meus filhos,
Que eles possam se multiplicar,
  Que possam continuar sendo
Teus nutridores
  E teus sustentadores,
Clamando por ti nos caminhos
  E nas estradas,
Nos rios
  E nas gargantas, 8.220
Sob as árvores
  E os arbustos.
Dá-lhes filhas
  E filhos.
Não deixes haver nenhuma desgraça
  Ou cativeiro,
Luta
  Ou perversão.
Não deixes que os demônios venham atrás deles
  Ou diante deles. 8.230
Não os deixes cair;
  Não os deixes ser feridos;
Não os deixes copular;
  Não os deixes ser condenados;
Não os deixes cair sob a estrada
  Ou sobre ela.
Não deixes que algo os aflija
  Ou ataque
Atrás
  Ou na frente. 8.240
Põe todos no caminho verde,
  Na estrada verde.
Não deixes que nada os desgrace
  Ou aprisione
Por tua culpa
  Ou tua feitiçaria.
Boa seja
  A natureza deles
Como teus nutridores,
  Teus sustentadores, 8.250
Perante tua boca,
  Perante tua face,

At u K'ux Kah,
    At u K'ux Ulev,
At Pizom Q'aq'al,
    At puch Tohil,
Avilix,
    Haka Vitz,
Pam kah,
    U pam ulev   8.260
K ah tzuq
    K ah xukut
Xa ta zaq
    Xa ta 'amaq'
U pam ch a chi
    Ch a vach
At
    Kabavil."
Kehe q'ut ri 'ahavab
    Ta k e mevahik   8.270
Ch u pam ri beleh vinaq,
    Ox lahuh vinaq,
Vuq lahuh vinaq puch.
    K'i mevaih q'ih ch oq' ki k'ux
Ch u vi k al
    Ki q'ahol
Ch u vi puch r onohel ixoq
    Alquval,
Ta x ki ban ki patan
    Huhun chi 'ahavab.   8.280
Are loq'obal zaq
    K'azilem
Loq'obal puch ahavarem.
    Are r ahavarem
Ah Pop
    Ah Pop Qam Haa
Q'alel
    Ah Tzik Vinaq.
E kakab ta k e 'oq'ik.
    K e halov k ib   8.290
Chi r e q'alixik amaq'
    R uq r onohel K'iche vinaq.
Xa hun
    X el vi
U xe tzih
    U xe puch

Tu, Kux Kah,
    Tu, Kux Ulev (Coração da Terra),
Tu, Pizom Qaqal,
    E tu, Tohil,
Avilix,
    Haka Vitz,
Pam Kah (Útero do Céu),
    Pam Ulev (Útero da Terra),   8.260
Pelas quatro criações
    E pelas quatro destruições.
Deixa haver só luz;
    Deixa haver só paz entre eles
Diante de tua boca
    E diante de tua face,
Ó tu,
    Kabavil (Deus)."
Assim os senhores fizeram
    Quando jejuaram   8.270
Nos 180 dias,
    Nos 260 dias,
Nos 340 dias.
    Muitos dias de jejum seus corações choraram
Pelas suas crianças nascidas,
    Pelos seus filhos engendrados,
E pelas suas esposas
    E crianças,
Quando cumpriram seu ritual,
    Cada um dos senhores.   8.280
Esse era o preço da luz
    E da vida
E o preço do poder.
    Esse era o poder
De Ah Pop,
    Ah Pop Qam Haa,
Qalel
    E Ah Tzik Vinaq.
Aos pares eles lamentavam;
    Eles se alternaram ao redor   8.290
Para venerar as Tribos
    E todo o povo quiché.
Cada um
    Veio então
Sob o peso da palavra
    E da

Tzukuh
    Kooh.
Xa vi 'u xe tzih
    Xa vi kehe k u bano   8.300
Tamub
    Ilokab
R uq Rabinaleb,
    Q'aq' Chekeleb,
Ah Tz'ikina Haa,
    Tuhala Haa,
Uch'aba Haa.
    Xa hun ch e 'el vi
Ta x ik'in chiri K'iche.
    Ta x u ban r ech r onohel.   8.310
Ma na xa ki kehe x e 'ahavarik.
    Ma na xa x ki kaq kochih
Tzukul k e,
    Kool k e.
Xa ta ki vain u k'aha x ki bano.
    Ma pu xa loq tah
X k itz'uba
    X k eleq'ah k ahavarem
Ki q'aq'al,
    Ki tepeval.   8.320
Ma nay pu xa ta kehe x qah u zivan
    U tinamit
Ch'uti 'amaq',
    Nima 'amaq'
Nim r ahil
    X ki yao.
X ul xit
    X ul puvaq
X ul puch zahkab r aqan
    Tuvik r aqan   8.330
Chi q'uval
    Chi yamanik
X ul puch raxon
    (Q'uq'.)
Kubul,
    Ch'akatik
U patan r onohel amaq'
    X ul chi ki vach naval ahavab
Q'uq' Kumatz
    Qo Tuha,   8.340

Nutrição
    E da sustentação.
Apenas sob o peso da palavra
    O mesmo foi feito   8.300
Pelos Tamub
    E Ilokab,
Juntamente com os Rabinaleb,
    Qaq Chekeleb,
Ah Tzikina Haa,
    Tuhala Haa,
Uchaba Haa.
    Cada um veio então,
Quando serviu seus meses em Quiché.
    Então isso foi feito por todos eles.   8.310
Mas não foi apenas assim que eles governaram;
    Não foi apenas determinando que lhes dessem
Nutrição,
    Sustentação.
O jejum deles foi uma penitência que eles fizeram,
    E assim não ia ser um esforço vão
Terem enfeitiçado
    E roubado o poder deles,
A glória deles,
    A majestade deles,   8.320
E tampouco foi obtida apenas a derrota dos desfiladeiros
    E das cidades,
Das pequenas Tribos
    E das grandes Tribos.
Um grande pagamento
    Elas deram.
Ali chegou turquesa;
    Ali chegou prata;
E ali chegaram argolas de gesso,
    Jade e   8.330
Jóias,
    Grandes como a mão,
E plumárias
    E penas de quetzal,
Sentado
    Ou em pé
O tributo de todas as Tribos
    Chegou perante os senhores de espírito,
Quq Kumatz
    E Qo Tuha,   8.340

Ch u vach puch Kiq'ab
    Cahuizimah
Ri 'Ah Pop
    Ah Pop Qam Haa
Q'alel
    Ah Tzik Vinaq.
Ma vi xa ch'utin x ki bano.
    Ma nay pu xa ta zkakin ch 'amaq' x ki qazah.
K'iya ch'ob chi 'amaq'
    X ul u patan K'iche,   8.350
Q'axiqol q'ut x qam vi
    X yaq'ex vi k umal.
Ma vi 'atan x vinaqirik ki q'aq'al
    Q'a Q'uq' Kumatz u xe nimal chi 'ahavarem.
Kehe q'ut u tikarik u nimarik
    Ri 'u nimarik puch K'iche.
Are chi q'ut x chi qa cholov leel ahavab
    R uq ki bi k onohel ahavab x chi qa biih chik.

LXXXV

Vae q'ute 'u leel
    U tazel   8.360
Ahavarem
    Chi r onohel ki zaqiribem:
Balam Kitze
    Balam Aqab
Mahuq'utah
    Iq'i Balam,
Nabe qa mam
    Nabe qa qahav
Ta x vachin q'ih
    X vachin ik', ch'umil.   8.370
Vae q'ute 'u leel,
    U tazel ahavarem
X chi qa tikiba ulok
    K'i ch u xe.
Q'ulaq'uh chi r okik ahavab
    Ta ch okik
Ta chi kamiheyik hu tak le chi 'ahavab
    Ri mama
R uq r ahaval chi tinamit
    R onohel chi huhun chi 'ahavab.   8.380
Vae q'ute x chi vachin u vach ch u huhunal ahavab,

E perante Kiqab
   E Cahuizimah,
Ah Pop,
   Ah Pop Qam Haa,
Qalel
   E Ah Tzik Vinaq.
Não foi apenas pouco o que eles fizeram,
   E não foi também apenas umas poucas Tribos mais que eles destruíram.
Muitas outras divisões de Tribos
   Vieram servir Quiché,   8.350
E sofrimento elas receberam,
   E foram perseguidas por eles.
Não foi de repente que sua glória foi criada,
   Até que Quq Kumatz desse origem à grandeza do poder.
Assim então foi o começo do crescimento,
   E então o crescimento de Quiché.
E aqui de novo vamos enumerar as gerações de senhores,
   Com os nomes de todos os senhores, que vamos repetir.

LXXXV

Esta então é a descendência,
   A ordem   8.360
De poder
   Em toda sua nobreza.
Balam Kitze,
   Balam Aqab,
Mahuqutah
   E Iq Balam
Foram nossos primeiros avós,
   Nossos primeiros pais
Quando o Sol apareceu
   E a Lua e as Estrelas apareceram.   8.370
Esta então é a descendência,
   A ordem de poder,
Que vamos começar pela origem,
   Exatamente lá.
Aos pares os senhores iam chegando
   Quando entraram,
Quando cada geração de senhores ia morrendo;
   Os avós,
E os governantes da cidade,
   Todos uniram os senhores.   8.380
Isto então seguirá a face de cada um dos respectivos senhores;

Vae q'ute x chi vachin u vach huhun ch u huhunal ahavab K'iche.

LXXXVI

Balam Kitze
    U xenabal Qavekib.
Qo Kaib
    U ka le chik Balam Kitze.
Balam Qo Nache x tikiban Ah Popol
    R ox le q'u ri
Qo Tuha
    Iztayol u kah le.   8.390
Q'uq' Kumatz
    Qo Tuha
U xe naval ahav
    R o le x q'ohe vi.
Tepepul
    Iztayol chik u vaq taz.
Kiq'ab
    Cahuizimah
U vuq hal ahavarem,
    Naval chi vi.   8.400
Tepepul
    Iztayol u vahxaq le.
Tecum
    Tepepul u beleh le.
Vahxaqib Q'aam
    Kiq'ab q'ut u lahuh le 'ahavab.
Vuqub Nooh
    Coatepec chik u hu lahuh taz ahavab.

Oxib Keh
    Beleheb Tz'i 'u kaab lahuh le 'ahavab.   8.410
Are q'ut k e 'ahavarik ta x ul Tonatiuh;
    X e hitz'axik r umal Castillan vinaq.
Tecum
    Tepepul
X e patanihik ch u vach Castillan vinaq.
    Are x e q'aholan kan ok r ox lahuh le 'ahavab.
Don Juan de Rojas
    Don Juan Cortes

Isto então seguirá a face de cada um dos respectivos senhores quichés.

LXXXVI

Balam Kitze
   Foi a origem dos Kavekib.
Qo Kaib
   Foi a segunda geração depois de Balam Kitze.
Balam Qo Nache (Jaguar Chefe Personificador) começou a função de Ah Popol
   E a terceira geração,
Enquanto Qo Tuha
   E Iztayol eram a quarta geração. 8.390
A Quq Kumatz
   E Qo Tuha,
A origem dos senhores de espírito,
   Foi a quinta geração então.
Tepepul (Príncipe da Montanha)
   E Iztayol foram a sexta posição.
Kiqab
   E Cahuizimah
Foram a sétima mudança de poder,
   Espíritos também. 8.400
Tepepul
   E Iztayol foram a oitava geração.
Tecum (Avô)
   E Tepepul foram a nona geração.
Vahxaqib Qaam (Oito Vinho)
   E Kiqab foram a décima geração de senhores.
Vuqub Nooh (Sete Incenso)
   E Coatepec (Montanha de Serpente) foram a seguir a décima primeira posição de senhores.
Oxib Keh (Três Veado)
   E Beleheb Tzi (Nove Cachorro) foram a décima segunda geração. 8.410
E foram eles que governavam quando "Tonatiuh"[11] chegou:
   Eles foram enforcados pelo povo castelhano.[12]
Tecum
   E Tepepul.
Eles pagaram tributo ao povo castelhano.
   Eles já haviam sido engendrados na décima terceira geração de senhores.
Senhor Juan de Rojas
   E Senhor Juan Cortés[13]

---

[11] *Tonatiuh*, o sol, era o apelido asteca do louro Pedro de Alvarado, que conquistou a Guatemala.
[12] Foram na verdade queimados vivos, em março de 1524.
[13] Ambos, Juan de Rojas e Juan Cortés, eram netos dos reis queimados por Alvarado, em 1524.

U kah lahuh le 'ahavab.
    E q'aholaxel   8.420
R umal Tecum
    Tepepul.

LXXXVII

Are q'ut u leel
    U tazel
Ahavarem
    Ri 'ahav
Ah Pop
    Ah Pop Qam Haa
Ch u vach Qavekib
    K'iche.   8.430
Are chi x chi qa biih chik r e chinamit
    Va chi q'ute nim haa r ech huhun chi 'ahavab
Chi r ih Ah Pop
    Ah Pop Qam Haa.
Are 'u biinam vi beleheb chinamit chi Qavekib,
    Beleheb u nim haa.
Va tak u bi 'e r ahaval
    Huhun chi nim haa.
Ahav Ah Pop hun u nim haa,
    Q'u Haa 'u bi nim haa,   8.440
Ahav Ah Pop Qam Haa.
    Tz'ikina Haa 'u bi 'u nim haa.
Nim Ch'okoh Qavek
    Hun u nim haa,
Ahav Ah Tohil
    Hun u nim haa,
Ahav Ah Q'uq' Kumatz
    Hun u nim haa,
Popol Vinaq chi T'uy
    Hun u nim haa,   8.450
Lol Met Keh Nay
    Hun u nim haa.
Popol Vinaq pa Hom Tz'alatz'
    X kulexeba hun u nim haa,
Tepev Yaqui
    Hun u nim haa.

Foram a décima quarta geração de senhores.
    Eles foram engendrados como herdeiros   8.420
De Tecum
    E Tepepul.

LXXXVII

E estas são as gerações,
    As posições
De poder
    Dos senhores
Ah Pop
    E Ah Pop Qam Haa
Perante os Qavekib
    De Quiché.   8.430
Aqui iremos contar mais sobre as famílias;
    Aqui estão as casas-grandes de cada um dos senhores
Depois de Ah Pop
    E Ah Pop Qam Haa.
Estes são os nomes das nove famílias dos Qavekib,
    Nove casas-grandes.
Estes são os nomes dos governantes
    De cada casa-grande.
Ahav Ah Pop tinha uma casa-grande.
    "Qu Haa" ("Casa Oculta") era o nome da casa-grande.   8.440
Ahav Ah Pop Qam Haa (Senhor Casa de Recepção),
    "Tzikina Haa" era o nome de sua casa-grande.
Nim Chokoh Qavek (O Grande Chefe de Kavek)
    Tinha uma casa-grande.
Ahav Ah Toril (Senhor Tormenta)
    Tinha uma casa-grande.
Ahav Ah Quq Kumatz (Senhor Quetzal Serpente)
    Tinha uma casa-grande.
Popol Vinaq Chi Tuy
    Tinha uma casa-grande.   8.450
Lol Met Keh Nay
    Tinha uma casa-grande.
Popol Vinaq pa Hom Tzalatz (Conselheiro sobre os Muros do Campo de Jogo)
    Tinha também uma casa-grande própria.
Tepev Yaqui
    Tinham uma casa-grande.

LXXXVIII

Are q'u ri beleheb chinamit
    Chi Qavekib.
Tzatz r al
    U q'ahol ahilatal   8.460
Chi r ih beleheb
    Chi nim haa.

LXXXIX

Va q'ute r ech Ni-Hayibab
    Beleheb chi vi chi nim haa.
Are nabe x chi qa biih
    U leabal r ib ahavarem
Xa hun u xe
    X chi tikar ch u vach
U xe q'ih
    U xe zaq chi vinaq.   8.470

XC

Balam Aqab
    Nabe
Mamaxel
    Qahavixel.
Qo' Acul
    Qo 'Acutec u ka le.
Qo Chahuh
    Qo Tz'iba Haa r ox le.
Beleheb Keh
    U kah le chik.   8.480
Qo Tuha
    R o le 'ahav.
Baatz'a chi q'ut
    U vaq le chik.
Iztayol chi q'ut
    U vuq le 'ahav.
Qo Tuha chi vi
    U vahxaq taz ahavarem.
Beleheb Keh
    U beleh taz.   8.490

LXXXVIII

E eram estas as nove famílias
  Dos Qavekib.[14]
Muitas foram suas crianças nascidas,
  Muitos foram seus filhos engendrados   8.460
Depois das nove
  Casas-grandes.

LXXXIX

Estas então são as casas-grandes:
  Mais nove casas-grandes.
Primeiro iremos contar
  A sucessão do poder.
Uma só era sua origem
  Que começou antes
Da origem do dia,
  Da origem da luz que foi criada.   8.470

XC

Balam Aqab
  É o primeiro,
Avô honrado
  E pai honrado.
Qo Acul
  E Qo Acutec foram a segunda geração.
Qo Chahuh (Chefe Chahuh)
  E Qo Tziba Haa (Chefe Casa Pintada) foram a terceira geração.
Beleheb Keh a seguir
  Foi a quarta geração.   8.480
Qo Tuha
  Foi o senhor de quinta geração.
E Baatza (Macaco) então a seguir
  Foi a sexta geração.
E Iztayol então
  Foi o senhor de sétima geração.
Qo Tuha a seguir então
  Foi a oitava posição de poder.
Beleheb Keh
  Foi a nona posição,   8.490

[14] Esta lista difere da anterior em dois pormenores: eleva o Grande Chefe do quarto lugar para o terceiro, e identifica a Mãe da Casa de Recepção com as Majestades Mexicanas.

Kame ch uch'ax chik
  U lahuh le.
Ahav Qo Tuha
  U hu lahuh le.
Don Christoval ch uch'axik
  X ahavarik ch u vach Castillan vinaq.
Don Pedro de Robles
  Ahav Q'alel vakamik.

XCI

Are q'u ri chi r onohel ahavab
  Elenaq chi r ih ri 'Ahav Q'alel.   8.500
Are chik x chi qa biih
  R ahaval huhun chi nim haa.
Ahav Q'alel
  U nabe 'ahav
Ch u vach Ni-Hayibab
  Hun u nim haa.
Ahav Ah Tzik Vinaq
  Hun u nim haa,
Ahav Q'alel Qam Haa
  Hun u nim haa,   8.510
Nima Qam Haa
  Hun u nim haa,
U Chuch Qam Haa
  Hun u nim haa,
Nim Ch'okoh Ni-Hayibab
  Hun u nim haa,
Ahav Avilix
  Hun u nim haa,
Yakolatam
  Hun u nim haa,   8.520
Nima Lol Met Yeol Tux
  Hun u nim haa.

XCII

Are q'ut nim haa
  Ri ch u vach Ni-Hayibab.
Are 'u biinam vi
  Beleheb chinamit chi Ni-Hayibab ch uch'axik.
K'iya tak q'ut u chinamital
  Huhun chi k e 'ahavab.

E Kame (Morte), como era chamada, a seguir
    Foi a décima geração.
Ahav Qo Tuha
    Foi a décima primeira geração.
O Senhor Cristóvão, como era chamado,
    Governou na presença do povo castelhano.
O Senhor Pedro de Robles
    É o Senhor Capitão hoje.

XCI

E estas são as bocas de todos os senhores,
    Sucessores de Ahav Qalel.   8.500
Aqui a seguir falaremos do
    Governante de cada casa-grande.
Ahav Qalel
    É o primeiro senhor
Perante os Ni-Hayibab.
    Tinha uma casa-grande.
Ahav Ah Tzik Vinaq
    Tinha uma casa-grande.
Ahav Qalel Qam Haa
    Tinha uma casa-grande.   8.510
Nima Qam Haa
    Tinha uma casa-grande.
U Chuch Qam Haa
    Tinha uma casa-grande.
Nim Chokoh Ni-Hayibab
    Tinha uma casa-grande.
Ahav Avilix
    Tinha uma casa-grande.
Yakolatam (Diretor)
    Tinha uma casa-grande.   8.520
Nima Lol Met Yeol Tux (Grande Inspetor de Algodão e Doador de Flores)
    Tinha uma casa-grande.

XCII

    E estas são as casas-grandes
    Que estavam perante os Ni-Hayibab.
Elas são chamadas então
    As noves famílias dos Ni-Hayibab, como se diz.
E muitas outras foram as famílias
    De cada um dos senhores.

Are 'u nabe
 Ri mi x qa biih ki bi. 8.530

XCIII

Are chi q'ut
 R ech Ahav K'iche.
Va 'u mam
 U qahav
Mahuq'utah
 Nabe vinaq.
Qo 'Ahav u bi
 U ka le 'ahav,
Q'aq' Laqan,
 Qo Kozom, 8.540
Qo Mah Kun,
 Vuqub Ah,
Qo Kamel,
 Qo Yaba Koh,
Vinaq,
 Bam.

XCIV

Are q'ut ahavab
 Ri ch u vach Ahav K'iche.
Are u leel
 U tazel puch. 8.550
Are q'ut u bi 'ahavab va ch u pam nim haa.
 Xa kahib u nim haa.

XCV

Ah Tzik Vinaq Ahav u bi nabe 'ahav
 Hun u nim haa,
Lol Met Ahav u kaab ahav
 Hun u nim haa,
Nim Ch'okoh Ahav r ox ahav
 Hun u nim haa,
Haka Vitz q'ut u kah ahav
 Hun u nim haa, 8.560
Chi kahib q'ut nim haa
 Ch u vach Ahav K'iche.

Estas são as primeiras,
    Cujos nomes diremos. 8.530

XCIII

E esta a seguir
    É para Ahav Quiché.
Este é o avô,
    Seu pai:
Mahuqutah,
    O primeiro homem.
Qo Ahav (Chefe Senhor) era o nome
    Do senhor da segunda geração.
Qaq Laqan (Serpente Nova)
    E Qo Kozom (Chefe Encurralado), 8.540
Qo Mah Kun (Chefe Sem Remédio),
    Vuqub Ah (Sete Milho),
Qo Kamel (Chefe Morte),
    Qo Yaba Koh (Chefe Pantera Doente),
Vinaq (Vinte)
    E Balam.

XCIV

E estes são os senhores
    Que estavam perante Ahav Quiché.
Estas são suas gerações
    E suas posições. 8.550
E estes são os nomes dos senhores aqui nas casas-grandes.
Havia apenas quatro casas-grandes.

XCV

Ah Tzik Vinaq (Nobre dos Senhores) era o nome do primeiro senhor.
    Ele tinha uma casa-grande.
Lol Met Ahav (Inspetor de Algodão dos Senhores) era o segundo senhor.
    Ele tinha uma casa-grande.
Nim Chokoh Ahav (Grande Chefe dos Senhores) era o terceiro senhor.
    Ele tinha uma casa-grande.
E Haka Vitz era o quarto senhor.
    Ele tinha uma casa-grande. 8.560
Assim houve quatro casas-grandes
    Perante Ahav Quiché.

XCVI

Are q'u ri 'e 'oxib chi Nim Ch'okoh.
    Kehe ri 'e qahavixel
R umal r onohel ahavab K'iche.
    Xa hun chi ki kuch vi k ib
E 'oxib chik Ch'okohib.
    E 'alanel
E 'u chuch tzih
    E 'u qahav tzih.   8.570
Nim zkakin u q'oheyik
    E 'oxib chi Ch'okohib.

XCVII

Nim Ch'okoh q'ut (ch u vach Qavekib)
    Ch u vach Ni-Hayib u kaab q'u ri.
Nim Ch'okoh Ahav ch u vach Ahav K'iche
    R ox Nim Ch'okoh.
Chi 'oxib q'ut ri Ch'okohib
    Huhun ch u vach chinamit.
Xere q'ut u q'oheyik K'iche
    Ri r umal ma ha bi chi 'ilobal r e.   8.580
Q'o nabe 'oher k umal ahavab
    Zachinak chik.
Xere q'u ri mi x utzinik chi k onohel K'iche
    Santa Cruz u bi.

XCVI

E aqueles que eram os três Nim Chokoh (Grandes Chefes).
Eram como pais honrados
Para todos os senhores quichés.
Eles se juntaram como um só,
Mas eram ainda três Chefes.
Eles eram chefes hereditários.
Eles eram as mães da palavra;
Eles eram os pais da palavra. 8.570
Assim grande era sua Natureza.
Houve três Chefes:

XCVII

Nim Chokoh (Grande Chefe) então perante os Qavekib,
E Nim Chokoh perante os Ni-Hayib era o segundo então,
E Nim Chokoh Ahav (Grande Chefe dos Senhores) perante Ahav Quiché
Era o terceiro Nim Chokoh.
Havia três desses Chefes então,
Cada um na sua própria família.[15]
Assim esta é a natureza de Quiché,
Nunca mais vista. 8.580
Ela existiu antigamente[16] para os senhores,
Mas está perdida.
Assim isto conclui tudo sobre Quiché,
Chamada Santa Cruz.

---

[15] A lista acima parece refletir, segundo Munro Edmonson, as mudanças por que passaram as linhagens (famílias) ao longo de cerca de doze "gerações", num período talvez não superior a 220 anos.

[16] Referência ao *Popol Vuh* original, que não existe mais, segundo o(s) autor(es) desta versão da cosmogonia maia-quiché.

GLOSSÁRIO

Nomes próprios de personagens, lugares e termos especiais em maia-quiché. Salvo indicação contrária: Nah = Náuatle.

Abanel = Inspirador
Achaq Iboy qut = Gorduras do Tatu
Ah Batena = Pessoas da Casa do Anel
Ah Bit = Sacerdote Modelador
Ah ch Ulimal = Povo das Correntezas
Ah Chut = Entalhador
Ah Qixib = Sacrificadores
Ah Qol = Mestre do Incenso
Ah Quq Kumatz = Sacerdote da Quetzal Serpente
Ah Quval = Lapidador de Gemas
Ah Kahib = Veneradores
Ah Kih = Sacerdote do Sol
Ah Po Zotzil = Conselheiro Morcego
Ah Raxa Laq = Espírito do Prato Verde-Azul
Ah Raxa Tzel = Espírito da Tigela Verde-Azul
Ah Toltecat = Artífice
Ah Tohil = Sacerdote de Tempestade
Ah Tzalam = Escultor
Ah Tzik Vinaq = Nobre
Ah Po Xa(hil) = Conselheiro Dançarino
Ah Pop = Conselheiro
Ah Pop Qam Haa = Conselheiro da Casa da Recepção
Ah u vi La = Povo das Urtigas
Ah Xe Lahuh = Povo de Sob Dez
Ah Yamanik = Joalheiro
Ah Zahkaba Ha = Povo do Rio de Gesso
Ahal Mez = Fazedor de Sujeira
Ahal Puh = Fazedor de Pus
Ahal Qana = Fazedor de Bílis
Ahal Tokob = Fazedor de Ferida
Ahaval Keh = Senhor Veado

Ahav = Chefe
Ahav Ah Tzik Vinaq = Senhor Nobre
Ahav Ah Pop = Senhor Conselheiro
Ahav Ah Pop Qam Haa = Senhor Casa de Recepção
Ahav Ah Quq Kumatz = Senhor Quetzal Serpente
Ahav Ah Tzik Vinaq = Senhor Nobre
Ahav Haka Vitz = Senhor Pico de Fogo
Ahav Iztayol = Chefe Vida Branca
Ahav Lol Met = Senhor Inspetor de Algodão
Ahav Nim Chokol Ahav = Senhor Grande Chefe dos Senhores
Ahav Qalel = Senhor Capitão
Ahav Qo Tuha = Senhor Chefe Banho de Vapor
Ahav Xik = Senhor Falcão
Akul = Homens da Colmeia
Alom = Portadora
Amaq Tan = Cidade dos Ramos
Amaq Ukin Kat = Cidade da Rede de Abóbora
Avilix = Senhor Jaguar
Aztapulul (Nah) = Penacho de Garça Real
Baatz = Macaco
Balam = Jaguar
Balam Aqab = Jaguar Noite
Balami Haa = Casa do Jaguar
Balam Kolob = Cordas de Tripa de Jaguar
Balam Kitze = Jaguar Quiché
Balam Qo Nache = Jaguar Chefe Personificador

Batena Haa = Casa do Anel
Beleheb Keh = Nove Veado
Beleheb Tzi = Nove Cachorro
Bitol = Modelador
Boqotahinaq Zanayeb = Bancos de Areia Fendidos
Buz = Saudando
Chahuizimah = Oito Macaco
Ch Ulimal = Correntezas
Ch u vi La = Urtiga
Chabi Qaq = Fogo de Obsidiana
Chabi Tukur = Faca Coruja
Chah Kar = Criador de Peixe/Protetor de Peixe
Cham cham = Brinco
Chamal Qan = Bela Serpente
Chamiya Baq = Bastão de Osso
Chamiya Holom = Bastão de Crânio
Chatam Ulev = Terra Plana
Chayim Haa = Casa da Faca
Chi Izuma Chi = Barba
Chi Qix = Espinhos
Chi Temah = Prancha
Chila Nim = Honra
Chimal Qan = Bela Serpente
Chimalmat (Nah) = Carregadora de Escudo
Chipi Ka Kulaha = Raio Anão
Chipi Nanahuac = Deuses Quarta Parte Anão
Chiyom = Crista de Pena de Papagaio
Chomi Haa = Casa da Beleza
Chumila Haa = Casa de Estrela
Chuqenel = Protetor
Cipacyalo (Nah) = Jacaré Arara
Cipacna (Nah) = Jacaré
Coatepec (Nah) = Montanha de Serpente
Evabal Zivan = Garganta Escondida
Haka Vitz = Pico de Fogo
Holom pich = Caveira de Mocho
Holom Tukur = Cabeça Coruja
Hu r Aqan = Um Perna
Hu r Aqan Tukur = Um Perna Coruja
Hu vinaq Ah Pop = Vinte Conselheiros
Hu vinaq Qalel = Vinte Capitães
Huliz Bab = Cheio de Buracos
Hun Ah Pu = Caçador
Hun Ah Pu Qoy = Caçador de Cuatá ou Macaco-Aranha

Hun Ah Pu Utiv = Caçador Coiote
Hun Ah Pu Vuch = Caçador Gambá
Hun Baatz = Um Macaco
Hun Choven = Um Guariba
Hun Hun Ah Pu = Um Caçador
Hun Kame = Um Morte
Hun Toh = Um Tormenta
Huyub = Montanhas
Ilokab = Videntes
Iq Balam = Vento Jaguar
Ix pu Tzia = Massa de Milho
Iyom = Bisavó/ Nossa Ancestral dos Netos/ Mulher com Netos
Iztayol (Nah) = Vida Branca
Ka Kulaha Hu r Aqan = Raio Um Perna
Ka Muqu = Está Escondido
Kaab r Aqan = Dois Perna
Kabavil = Deus
Kaha Palu Na = Casa do Mar Vermelho
Kama Lotz = Morcegos Assassinos
Kaqix(a) Haa = Casa do Papagaio
Kaqix Tukur = Arara Coruja
Kax e = Dentes Obturados
Kayal A = Água Amarga
Kazam Ah = Milho vivo
Ke(h) = Veado
Keema = Morte
Kenech Ahav = Crianças dos Senhores
Kiche = Quiché
Kiqab = Sangue
Kiq r E = Dentes Ensanguentados
Kiq r Ix Kaq = Garras Sanguinárias
Koh = Pantera
Kohah = Mascarados
Kotz Balam = Jaguar Espreitador
Kuchuma Kiq = Chefe de Sangue
Kumatz = Serpente
Kunabal Tohil = Medicamento de Tormenta
Kux Kah = Coração do Céu (cf. *U Kux Kah*)
Kux Ulev = Coração da Terra (cf. *U Kux Ulev*)
Lamakib = Barreiras
Lol Met Ahav = Inspetor de Algodão dos Senhores
Lol Met Keh Nay = Inspetor de Algodão e Estoques de Feijão
Macutax = Braçadeira de Pedras Preciosas

Mahuqutah = Zero
Makamob = Inundações
Mamom = Bisavô/ Nosso Ancestral dos Netos/ Homem com Neto
Matzanel = Amparador
Miqin A = Fontes Quentes
Molay = Bando de Pássaros
Muh = Dossel
Nim Aq = Grande Porco
Nim Chokoh = Grande(s) Chefe(s)
Nim Chokoh Ahav = Grande Chefe dos Senhores
Nim Chokoh Ni-Hayibab = Grande Chefe das Casas-Grandes
Nim Chokoh Qavek = Grande Chefe de Kavek
Nim-Hayibab = Casas-Grandes
Nima Lol Met Yeol Tux = Grande Fiscal de Algodão e Doador de Flores
Nima Qam Haa = Grande Casa de Recepção
Nima Tziz = Grande Quati
Nimaq Tzak Tohil = Grande Edifício de Tormenta
Miqin A = Fontes Quentes
Niqah Takah = Centro do Vale
On = Incrustração
Oliman (Nah) = Jogadores de Bola; olmeca
Oxib Keh = Três Veado
Pa Maq A = Rio Torrencial
Pakam = Rico
Pam Kah = Útero da Terra
Pam Ulev = Útero da Terra
Patan = Laço; imposto
Paxil = Fenda; Lugar da Abundância
Pek Ul Ya = Rio das Cataratas da Caverna
Petatayub = Capachos
Pixab = Alerta
Pizom = Coberta
Pizom Qaqal = Glória Coberta
Popol Vinaq chi Tuy = Conselheiro na Chefia
Popol Vinaq pa Hom Tzalatz = Conselheiro nas Fortificações/ sobre os Muros do Campo de Jogo
Popol Vuh = Livro do Conselho
Qahoba Haa = Casa Cadente

Qaholom = Gerador
Qalel = Capitão
Qalel Ahav = Capitão dos Senhores
Qalel Qam Haa = Grande Casa de Recepção
Qalel Zaq Iq = Capitão dos Ventos Brancos
Qalibal = Trono
Qan Abah = Contas de Ouro
Qan Chaheleb = Protetores da Serpente
Qan Ti = Víbora
Qaq Chekeleb = Árvores de Fogo
Qaq Laqan = Serpente Nova
Qavek = Kavek
Qavekib = Kaveks
Qavokeb = Chuvas
Qequma(l) Haa = Casa da Escuridão
Qiba Haa = Casa do Peito/ Tórax
Qih = Sol
Qo Acul = Chefe Acul
Qo Acutec = Chefe Acutec
Qo Ahav = Chefe Senhor
Qo Chahuh = Chefe Chahuh
Qo Kaib = Chefe Dois
Qo Kamel = Chefe Morte
Qo Kavib = Chefe Parentela
Qo Kozom = Chefe Encurralado
Qo Mah Kun = Chefe Sem Remédio
Qo Nache = Chefe Imitador
Qo Tuha = Chefe Banho de Vapor
Qo Tziba Haa = Chefe Casa Pintada
Qotoqo(l) Vach = Extirpadores de Olhos
Qu Haa = Casa Oculta
Quetzalcoat (Nah) = Quetzal Serpente
Qumarik Ah = Cana Podre
Quq Kumatz = Quetzal Serpente
Quun = Segredo
Quz = Reverenciando
R Ah Pop Achih = Conselheiro dos Fidalgos
R Ah Tzalam Achih = Pedreiro dos Fidalgos
R Atit Qih = Avó do Dia
R Atit Zak = Avó da Luz
Rabinaleb = Rabinais
Raxa Ka Kulaha = Raio Verde
Raxa Nanahuac = Deuses Quarta Parte Anão
Ri Chi Qaq = Boca de Fogo

Ri Tepepul = Príncipe da Montanha
Takahal = Vales
Tamub = Ramos
Tatil = Botoque de Jade
Tecum = Avô
Tepcan (Nah) = Palácios
Tepepul (Nah) = Príncipe da Montanha
Tepev (Nah) = Majestade
Tepev Yaqui (Nah) = Majestades Mexicanas
Tev Haa = Casa do Frio
Tinamit (Nah) = Cidade
Tohil = Tormenta
Tot tatam = Bracelete de Contas de Caracol
Tuhal Haa = Casa de Banho de Vapor
Tukum Balam = Jaguar Desperto
Tukur = Coruja
Tzakol = Construtor
Tzaq = Forte
Tziiz = Quati
Tzik Vinaq = Nobre
Tzikina Haa = Casa de Pássaro
Tzikovil balam = Garras de Jaguar
Tzikovil koh = Garras de Pantera
Tzoloh Chee = Árvore Salgueiro
Tzununi Haa = Casa do Beija-flor
Tzutu Haa = Casa Alagada
U Chuh Qam Haa = A Mãe da Casa de Recepção
U Kux Cho = O Coração do Lago
U Kux Palov = O Coração do Mar
U Kux Kah = O Coração do Céu
U Kux Ulev = O Coração da Terra
U Qalel Achih = Capitão dos Fidalgos
U Tzam Achih = Chefe dos Fidalgos
Uchaba Haa = Casa do Orador
Ulev = Terra
Vahxaq Lahuh = Dezoito
Vahxaqib Qaam = Oito Vinho
Vinaq = Vinte
Vok = Falcão
Vuqub Ah = Sete Milho
Vuqub Hun Ah Pu = Sete Caçador
Vuqub Kame = Sete Morte
Vuqub Kaqix = Sete Papagaio
Vuqub Nooh = Sete Incenso
Vuqub Peq = Sete Cavernas

Vuqub Zivan = Sete Gargantas/ Desfiladeiros
X Balam Ke = Jaguar Veado
X Kakav = Mulher do Cacau
X Kiq = Moça de Sangue
X Puch = Mocinha
X Qanil = Mulher da Maturação
X Qanul = Mulher Amarela
X Tah = Moça
X Toh = Mulher da Chuva
Xahobal Keh = Dança do Veado
Xe Balax = Sob Balax
Xe Lahuh = Dez Veado
Xe Qamaq = Sob Qamaq
Xibalba = Inframundo
Xikiri Pat = Corda de Enforcar
Xmucane = "Bisavó"
Xol = Veneração
Xpiacoc (Nah) = "Bisavô"
Xulu (Nah) = Pobre, Como Cachorro
Xuxulim Haa = Casa do Calafrio
Yakolatam = Diretor
Yakolatam u Tzam Pop Zaq Latol = Diretor dos Chefes de Linhagens da Nobreza
Yaqui (Nah) = Mexicano/ Povo Mexicano
Yaqui Tepev (Nah) = Majestades Mexicanas
Yolcoat (Nah) = Cobra Cascavel
Za baq = Osso de Nariz
Zahkaba Ha = Rio de Gesso
Zaq Ahib = Milhos Brancos
Zaq Iqib = Ventos Brancos
Zaq Ulevab = Terras Brancas
Zaq Ya = Rio Branco
Zaqi Kaz = Vida Branca
Zaqi Nima Tziz = Grande Quati Branco
Zaqi Nim Aq = Grande Porco Branco
Zaqil al = Crianças da Mãe da Luz
Zaqil qahol = Filhos do Pai da Luz
Zilizib = Trêmulo
Zivan Tinamit = Cidade da Garganta/ Desfiladeiro
Zochoh = Cobra Cascavel
Zotzi Haa = Casa do Morcego
Zyom = Mulher com Netos

GUIA DE PRONÚNCIA: segundo o livro *Reading the Maya Glyphs*, de Michael D. Coe e Mark Van Stone (Thames & Hudson, Nova York, 2002), o *h* é similar ao *h* inglês; o *j* é o *j* espanhol. O *k* tem o valor de *c*, ou, como propõe Dennis Tedlock, é igual ao som da letra hebraica *Qof* (/*kof*/). O *x* é pronunciado como *sh*. O *ch* equivale ao *ch* alemão na palavra *Bach*. O *tz* é como o *ts* na palavra inglesa *bats*. As vogais (*a, e, i, o, u*) são geralmente pronunciadas como no idioma espanhol. As vogais longas são marcadas pela duplicação, como em *baak*, osso.

APÊNDICES

O TEXTO COMO GERME

Gordon Brotherston

Na condição de "Bíblia da América", o *Popol Vuh* foi tendo, ao longo do século XX, influência crescente sobre artistas latino-americanos e do mundo. Depois de referências iniciais como as de Rubén Darío (o Huracán do povo quiché em "Momotombo") e de Salarrue (a fantasia atlântida "O-Yarkandal"), o texto teve impacto forte e decisivo na literatura com as *Leyendas de Guatemala* (1930) de Miguel Angel Asturias. Este mesmo escritor havia, três anos antes, traduzido o *Popol Vuh* para o espanhol, tarefa que lhe abriu os caminhos da imaginação. Desta maneira, como observou Gerald Martin, o *Popol Vuh* provê uma matriz para a narrativa latino-americana comparável com o que ocorria contemporaneamente no Brasil com os textos cosmogônicos caribes que serviriam de fonte para o *Macunaíma* (1928) de Mário de Andrade (Sá: 2004). Em *Visión de América* (1948) e *Los pasos perdidos* (1953), Alejo Carpentier citou a tradução do *Popol Vuh* de Asturias enquanto desenvolvia suas ideias sobre uma cultura americana autóctone profundamente arraigada ("lo real maravilloso americano") e o esquema das idades do mundo que previne contra o uso insensato da máquina. Na linha dos grandes "hereges" do século XVI Christopher Marlowe e Michel de Montaigne (que graças a Gómara transcreveu a "Pedra dos Sóis" para o francês), Carpentier exalta o sentido americano do tempo e da criação na sua visão do continente, preferindo o *Popol Vuh* a "los versículos hebraicos de la Biblia". Neste sentido o *Popol Vuh* veio fundamentar filosoficamente a visão americana de Carpentier e redimi-la do mero "realismo mágico" que, na crítica literária, tende hoje a substituí-lo. Até mesmo o argentino Jorge Luis Borges, que dificilmente possuiria vocação para "indigenista", voltou-se para o mesmo relato das idades do mundo. Em "La escritura del dios" (1948), citando desta vez a tradução do ano anterior de Adrián Recinos (daí a referência ao "Libro del Común"), recria os momentos culminantes da segunda idade do mundo na visão do sacerdote Balam e, como Carpentier, deduz daí uma lição filosófica. Esta "ficción" enfoca para a pele do jaguar (o *adugo biri* bororo), e para a inteligência da noite que é legível nela como nos códices: as quatorze sílabas que Balam lê na pele respeitam os Vinte Sinais (o Jaguar é o Sinal XIV), e recuperam o vasto entendimento do tempo e do gênesis que foi dessacralizado pelos cristãos, cegados por concepções da roda muito mais reduzidas do que aquela proposta pelo anel dos Sinais no *Popol Vuh* e na "Pedra dos Sóis". Assim, ao se aproximarem do

Popol Vuh, Asturias, Borges e Carpentier enriquecem, sucessivamente e cada uma a sua maneira, a narrativa latino-americana. A estas evidências da intertextualidade que fundamenta a narrativa latino-americana, se pode adicionar, no campo da arte, os desenhos feitos por Diego Rivera e outros para as primeiras edições destas traduções tão influentes. Poucos anos depois, a força política do texto quiché veio à tona por meio de *Los dos brujitos mayas* (Cidade da Guatemala, 1956), de Virgílio Rodríguez Beteta, e *Balun Canan*, de Rosario Castellanos (México, 1957), e inspirou as peças de conscientização produzida pelo grupo La Fragua, em Honduras, nos anos 1970 (Burke & Shapiro 1989), e pelo grupo Lo'il Maxil, em Chiapas, nos anos 1990.

No seu romance *Hombres de Maíz* (1949 — o qual lhe valeu o prêmio Nobel), o guatemalteco Miguel Ángel Asturias interpreta a realidade do seu herói, o guerrilheiro Gaspar Ilóm, segundo o enredo do *Popol Vuh*, quando este lidera uma rebelião em Cuchumatanes, o centro e fonte da primeira agricultura do milho na cosmogonia maia da região montanhosa. O episódio completo é baseado numa revolta maia verdadeira de 1900. Politicamente, isso está relacionado com o fato de que, ao iniciar a tradução do *Popol Vuh* e de outros clássicos maias, a visão de Asturias a respeito de seu próprio país e daqueles que constituem sua maioria se transformou, livrando-o do racismo branco típico da época. "Gaspar Ilóm" foi o nome adotado por seu filho, que se tornou um comandante guerrilheiro lutando pelos direitos maias na revolução necessária da Guatemala.

Como um romance que fala explicitamente da resistência camponesa na América Central, baseando-se na cosmogonia maia-quiché, *Hombres de Maíz* de Asturias foi atualizado, no que diz respeito a El Salvador, em *Cuzcatlan donde bate la mar del sur* (1986), de Manlio Argueta. Na Nicarágua, o *Popol Vuh* se destaca entre os textos maias incorporados pelo poeta Ernesto Cardenal à sua *Homenaje a los indios americanos* (1971), um trabalho de âmbito continental que frequentemente responde, em termos indígenas, à grande epopeia americana do chileno Pablo Neruda, *Canto General*. A prática de Cardenal repercutiu no longo poema de Pablo Antonio Cuadra, *El Jícaro* (1978), que utiliza a história de X Kiq, a mãe dos Gêmeos, para narrar como a tirania sanguinária de Somoza foi derrubada na Nicarágua. Por várias décadas, o *Popol Vuh* igualmente alimentou a fina inteligência revolucionária de Luiz Cardoza y Aragón, um compatriota de Asturias que traduziu a literatura quiché *(Rabinal Achi)* mais ou menos na mesma data, no início de sua carreira.

Da América Central e do México, essa releitura do texto se espalhou nas publicações chicanas e latinas nos Estados Unidos, especialmente aquelas redigidas por mulheres, para quem as figuras de X Kiq e Xmucane se tornaram arquetípicas. Recentemente, Dolores Prida publicou seu "Coração da Terra: Uma história do *Popol Vuh*", na antologia latina *Puro Teatro* (2000), e a obra informa brilhantemente o cabaret apresentado por Jesusa Rodrígues tanto no México como nos EUA. Ainda mais significativo, ela virou indispensável à conceitualização do primeiro romance em inglês que consegue respeitar a raiz indígena do real maravilhoso americano, *Almanac of the Dead* (1992), da escritora keres-pueblo Leslie Marmon Silko. Também se disseminou para o sul, como no já mencionado "La escritura del dios", de Borges; o poeta brasileiro Affonso Romano de Sant'Anna produziu igualmente um "moderno

Popol Vuh", no qual a obra maia-quiché dialoga com os textos guaranis do Brasil (*A grande fala do índio guarani perdido na história*, 1978).

Gradualmente, o texto e a visão de mundo do *Popol Vuh* vão sendo utilizados numa crescente variedade de suportes. Essa obra é agora invocada e refundida não apenas no mundo da narrativa e da poesia da literatura tradicional, mas também no teatro, no cinema, na música, nas artes plásticas e até mesmo nos meios eletrônicos. Em São Francisco, por exemplo, o *Popol Vuh* tornou-se um jogo interativo de computador (Servando Gonzales, 1991). Ele é também o tema do filme de Patricia Amlin (1985), baseado na tradução inglesa de Edmonson e em imagens retiradas das cerâmicas maias clássicas. Introduzindo o espírito revolucionário da La Fragua e Lo'il Maxil na grande metrópole, a peça *Popol Vuh*, de Luisa Josefa Hernandez, teve várias representações na cidade do México. Na música, Edgard Varèse incorporou passagens do *Popol Vuh* à sua obra *Ecuatorial* (1934), seguindo pistas dadas por Asturias em sua tradução de 1927 e em *Lendas da Guatemala*. Mais recentemente, o título do texto foi utilizado por um grupo musical que assinou a trilha sonora dos filmes sul-americanos de Werner Herzog (*Aguirre, Cobra Verde, Fitzcarraldo*), e de *Volcano* (1987), de Jamil Dehlavi.

Especialmente por ser uma importante narrativa de criação, originária não do Velho Mundo mas, indiscutivelmente, do Novo, atribuiu-se ao *Popol Vuh* uma força cultural e política que ficou mais explícita em consequência de algumas das principais revoluções do século XX. Por muitas décadas, na Guatemala, ele sancionou a luta da guerrilha com as forças homicidas da contrarrevolução, que eram tipicamente identificadas com os senhores de Xibalba. No México pós-revolucionário, a tradução de Asturias figurou nos programas de educação patrocinados pelo governo, nos anos 1930, numa edição popular ilustrada; depois da vitória sandinista em 1979, na Nicarágua, as leituras políticas do texto feitas por Cardenal e por Cuadra foram compartilhadas por outros, como o diretor de cinema e poeta argentino Fernando Birri. (Na Líbia, por improvável que pareça, o *Popol Vuh* nomeou a série da década de 1980 produzida pelo People's Establishment for Publication, Distribution and Advertising.)

Entrementes, como a seminal autobiografia de Rigoberta Menchú revelou, o conhecimento encravado no *Popol Vuh* nunca se distanciou do povo quiché que o criou. Contar com a assídua colaboração dos velhos e dos eruditos quichés foi, desde o início, o privilégio de tradutores do texto para outras línguas, desde a época em que Francisco Ximénez fez a primeira versão para o espanhol, no início do século XVIII, seguida pela de C.E. de Brasseur de Bourbourg na França, em 1856. Em meados do século XX, foi assim com Dora Burgess que, juntamente com Patricio Xec, publicou a tradução espanhola de 1955, que se tornou o principal modelo para Munro Edmonson, em cuja versão de 1971 baseamos a nossa em português, e que, por sua vez, conforme se sabe, trabalhou com Eleuterio Po'ot Yah (1971). Ao fazer, depois de Edmonson, a segunda tradução direta do quiché para o inglês (1981), Dennis Tedlock contou com o grande auxílio de Andrés Xiloj de Momostenango. Além disso, eruditos e escritores quichés, como Sam Colop e Victor Montejo (que admira a versão de Edmonson), produziram edições próprias do *Popol Vuh*. Graças a essa crescente especialização nativa, traduções estão agora sendo feitas do quiché para as outras línguas maias, entre elas o kekchi, o tzotzil e o tzeltal, todas coordenadas pelo mesmo espírito de colaboração que possibilitou, nos últimos anos, a fundação, na Guatemala, da primeira universidade maia.

(Tradução de Sérgio Medeiros)

BIBLIOGRAFIA

AMLIN, Patricia. 1989. *Popol Vuh: Sacred Book of the Quiché Maya* (filme).
ARGUETA, Manlio. 1986. *Cuzcatlan, donde bate la mar del sur.* Tegucigalpa, D.C., Honduras: Editorial Guaymuras.
ASTURIAS, Miguel Ángel. 1957. *Leyendas de Guatemala* (1930). Buenos Aires: Editorial Losada; "Leyendas de Guatemala" (1930). Em ASTURIAS, Miguel Ángel. (2000) *Cuentos y leyendas.* Madri: ALLCA/Ed. Mario Roberto Morales.
_____. 1949. *Hombres de maíz.* Buenos Aires: Editorial Losada.
ASTURIAS, Miguel Ángel; MENDOZA, J. M. González de. 1927. *Los dioses, los héroes y los hombres de Guatemala antigua: O el Libro del consejo, Popol Vuh de los indios Quichés* (Tradução da versão francesa do professor Georges Raynaud). Paris: Editorial Paris-América.
BA'Q Q'AAL, Rigoberto. 1996. *Popol vuh Kekchi.* Guatemala: CICM/Centro Ak' Kutan.
BARRERA VÁSQUEZ, Alfredo. 1948. *El libro de los libros del Chilam Balam.* México: Fondo de Cultura Económica.
BRASSEUR DE BOURBOURG, Charles Étienne. 1861. *Popol Vuh: le livre sacré et les mythes de l'antiquité américaine.* Paris: Arthus Bertrand.
BROTHERSTON, Gordon. 1997. *La América indígena en su literatura.* México: Fondo de Cultura Económica.
_____. 2004. "The Legible Jaguar". *Celebrating the Fourth World.* Colchester: University of Essex.
_____. 2005. *Feather Crown. The Eighteen Feasts of the Mexica Year.* Londres: British Museum Press.
BROTHERSTON, Gordon; HULME, Peter. 2000. *Borges: Ficciones.* Bristol: Duckworth.
BURGESS, Dora; XEC, Patricio. 1955. *Popol vuj.* Quetzaltenango: El Noticiero Evangélico.
BURKE, Edward; SHAPIRO, Ruth; YATES, Pamela. 1989. *Teatro!: Theater and the Spirit of Change* (documentário, 58m.). Nova York: Filmakers Library.
CARDOZA Y ARAGÓN, Luis. 1985. *Guatemala: las lineas de su mano.* Manágua (Nicaragua): COMPANIC – Complejo Papelero Nicaragüense.
_____. 1975. *Rabinal Achi.* México: Editorial Porrúa.
CARMACK, Robert M. 1973. *Quichean Civilization.* Berkeley: University of California Press.
CARMACK, Robert M.; MORALES SANTOS, Francisco. 1983. *Nuevas perspectivas sobre el Popol Vuh.* Cidade da Guatemala: Editorial Piedra Santa.
CHINCHILLA AGUILAR, Ernesto. 1967. *Breviario quiché-español del Popol Vuh, para uso en la enseñanza de la lengua quiché.* Guatemala: Ministerio de Educación.
COLOP, Sam. 1999. *Popol vuj.* Versión poética K'iche'. Quetzaltenango: PEMBI – Proyecto de Educación Maya Bilingüe Intercultural/GTZ.

CORDAN, Wolfgang. 1962. *Das Buch des Rates*. Düsseldorff e Köln: Eugen Diederichs Verlag (6. ed. 1990. München: Eugen Diederichs Verlag).

EDMONSON, Munro S. (Org.). 1971. *The Book of Counsel: The Popol Vuh of the Quiche Maya of Guatemala*. Nova Orleans: Middle American Research Institute/ Tulane University Press.

GONZÁLEZ, Servando. 1991. *Popol Vuh: An Interactive Text/Graphics Adventure* (computer game) São Francisco.

HERNÁNDEZ Y LAVALLE, Luisa Josefina. 1994. *Popol vuh y la paz ficticia*. México: Grupo Editorial Gaceta/DDF – Secretaría General de Desarrollo Social.

HIMMELBLAU, Jack. 1989. *Quiché Worlds in Creation: The Popol Vuh as a Narrative Work of Art*. Culver City (CA): Labyrinthos Press.

LÓPEZ, Carlos M. 1999. *Los Popol vuj y sus epistemologías*. Quito (Ecuador): Ediciones Abya-Yala.

MARTIN, Gerald. 1989. *Journeys through the Labyrinth: Latin American fiction in the Twentieth Century*. Londres: Verso.

MENCHÚ, Rigoberta. 1985. *Me llamo Rigoberta Menchú y asi me nació la conciencia*. México: Siglo XXI Editores.

MÉRIDA, Carlos. 1943. *Estampas del Popol vuh*, 10 litografias coloridas. Em anexo texto em espanhol e inglês com fragmentos do livro *Popol Vuh*. México: Graphic Arts Publications Editores.

MONTEJO, Victor. 1999. *Popol vuh: A Sacred Book of the Maya*. Ilustrado por Luis Garay. Toronto: Groundwood Books/ Douglas & Mclntyre.

PREUSS, Mary. 1988. *Gods of the Popol vuh*. Culver City (CA): Labyrinthos Press.

RAYNAUD, Georges. 1925. *Les dieux, les héros et les hommes de l'ancien Guatémala d'après le Livre du Conseil (Popol vuh)*. Paris: Editions A. Maisonneuve (reprint 2000).

RECINOS, Adrián. 1947. *Popol vuh: las antiguas historias del Quiché*. México: Fondo de Cultura Económica.

_____ .1947. *Popol vuh (Libro del Común)*. Mexico: Fondo de Cultura Económica.

_____ .1957. *Crónicas indígenas de Guatemala*. Guatemala: Editorial Universitaria.

RODRÍGUEZ BETETA, Virgilio. 1973. *Los dos brujitos mayas*. Guatemala: Pineda Ibarra.

SÁ, Lúcia. 2004. *Rain Forest Literatures*. Minneapolis: University of Minnesota Press.

SAMPAIO, Ernesto. 1994. *Popol vuh*. Lisboa: Hiena Editora.

SANDOVAL-SÁNCHEZ, Alberto; STERNBACH, Nancy Saporta. 2000. *Puro Teatro: A Latina Anthology*. Tucson: University of Arizona Press.

SANT'ANNA, Affonso Romano. 1978. *A grande fala do índio guarani perdido na história e outras derrotas (moderno Popol vuh)*. São Paulo: Summus Editorial.

SARAVIA ENRÍQUEZ, Albertina. 1965. *Popol vuh. Antiguas historias de los indios quichés de Guatemala*. México: Editorial Porrúa.

TEDLOCK, Dennis. 1985. *Popol vuh. The definitive edition of the Mayan book of the dawn of life and the glories of gods and kings*. Nova York: Simon and Schuster.

VARÈSE, Edgard. 1934. *Ecuatorial* (composição musical; várias gravações em CD, inclusive a de 1995, selo Sony, com Pierre Boulez à frente da Ensemble InterContemporain, coro da Rádio França, e a de 1998, selo London, *The Complete Works*, regência de Riccardo Chailly, Royal Concertgebouw Orchestra/ASKO Ensemble).

XIMÉNEZ, Francisco [ca. 1701]. 1973. *Popol vuh. Empiezan las historias del origen de los indios de esta provincia de Guatemala*. Edição fac-similar de Agustín Estrada Monroy. Guatemala: Editorial José de Pineda Ibarra.

_____ . [ca. 1701]. 1857. *Las historias del origen de los indios de esta provincia de Guatemala*. Editado por Karl Scherzer. Viena: Academia Imperial de Ciências.

VARÈSE E BORGES: (DES)LEITORES DO *POPOL VUH*

Sérgio Medeiros

O compositor Edgard Varèse e o escritor Jorge Luis Borges não são nomes que associaríamos imediatamente ao *Popol Vuh*, mas ambos assinaram obras que beberam na fonte cosmogônica maia-quiché. (O escritor guatemalteco Miguel Ángel Asturias, o grande leitor do *Popol Vuh* entre os artistas modernos, não será discutido aqui, pois entendo que o seu débito para com o poema épico maia-quiché já está suficientemente divulgado, o que não significa que a sua obra, que inclui, entre outros títulos, *Hombres de Maiz*, seja mais conhecida no Brasil que as obras dos dois outros artistas citados.) Pesquisar o que ambos buscaram (e encontraram) no *Popol Vuh* é a minha proposta.

Varèse, músico europeu que emigrou espiritual e fisicamente para a América, em busca de formas inovadoras de expressão musical, encontrou um material fértil no *Popol Vuh*, texto que lhe permitiu compor, num momento crucial da sua carreira, uma obra em que antigas palavras indígenas e novos sons eletrônicos dialogam; Borges, o cosmopolita escritor sul-americano que incorporou a seus famosos contos "metafísicos" a linguagem alegórica dos místicos ocidentais e orientais, também foi, enquanto redigia alguns de seus contos mais célebres, à mesma fonte ameríndia — o épico maia-quiché —, conciliando, numa de suas narrativas memoráveis, o imaginário indígena com outros imaginários, como, por exemplo, o asiático.[1]

Ambos nos oferecem, em suas respectivas obras, concepções próprias do *Popol Vuh* e da cultura maia-quiché, que enriquecem sobremaneira nossa relação (fantasiosa) com um passado obscurecido (que consideramos sempre lendário), anterior à conquista da América.

---

[1] É preciso mencionar aqui Alberto Ginastera (1916-1983), autor, entre outras composições de importância, da obra sinfônica *Popol Vuh: A criação maia*. Essa obra de Ginastera teve longa gestação, pois começou a ser concebida em 1957 e nunca foi concluída (das nove seções projetadas, a nona não foi completada), embora o compositor tenha trabalhado nela até às vésperas de sua morte, em Genebra, Suíça. Antes de chegar aos maias, o grande compositor argentino percorreu outras culturas ameríndias e buscou inspiração também no mundo andino, inicialmente para compor uma peça famosa, *Ollamtay, três movimentos sinfônicos*, ao final de uma temporada nos Estados Unidos, entre 1946-7.

I. O "POPOL VUH" ELETRÔNICO: MITO E VANGUARDA

> *Quand on me demande ma nationalité, je me dis planétaire,*
> *mais quand je me suis dit planétaire et que je songe à toutes les*
> *galaxies environnantes, je me trouve bougrement provincial.*
> Edgard Varèse

Quando desembarcou em Nova York, em 1915, vindo da França, o jovem compositor Edgard (ou Edgar, como ele também assinava) Varèse (1883-1965) ficou entusiasmado com a metrópole norte-americana, onde tudo lhe pareceu grandioso, ruidoso e dinâmico. Longe da guerra e da arte europeia, Varèse caminhou livre e atordoado pelas ruas de uma América caótica, urbana e industrial, cujos sons ressoariam na sua música.

Mas esse artista visionário, após percorrer as avenidas urgentes (como diria Borges), descobriu também a civilização indígena como fonte de inspiração. Isso não implicou, contudo, renunciar aos pressupostos "futuristas" da sua música. No mito indígena Varèse foi buscar elementos para compor a música do futuro, que ele criaria em Nova York e, mais tarde, durante uma breve estada na Europa, também em Paris. Este artigo se propõe a discutir como se deu esse diálogo entre mito e vanguarda na obra de um dos músicos mais importantes do século XX.

NOVA YORK, SÉCULO XX: PERCUSSÃO

Um dos "dramas" de Varèse foi, desde os anos de sua formação na Europa, na primeira década do século passado, conceber composições para meios que ainda não existiam, meios que só estariam efetivamente à sua disposição muito tempo depois, ou seja, nos anos 1950.

Mas se coube justamente a Varèse estabelecer "a atual natureza da música", como afirmou John Cage (1912-1992) num artigo de 1958, isso não se deveu inicialmente aos avanços tecnológicos que permitiram, após a Segunda Guerra, a construção de instrumentos eletrônicos, e sim à sua determinação de aceitar todos os fenômenos audíveis como material apropriado à música, sem distinguir mais entre sons e ruídos.

Não se poderia reduzir, porém, o desejo de "abrir totalmente à música todo o universo dos sons", fundamento da estética de Varèse, à recriação de sons urbanos ou naturais. O próprio Varèse não se incluía no grupo dos compositores "bruitistes", seguidores da estética de Luigi Russolo (1885-1965), pois, como lembrou Griffiths, ele "criticava no italiano a imitação grosseira dos ruídos cotidianos". Mesmo assim, como reconhece Griffiths, Russolo era um exemplo a ser seguido e provavelmente inspirou a complexa escrita para percussão da primeira obra americana de Varèse, *Amériques*, "Américas" no plural, que ele próprio considerou como o verdadeiro início da sua obra, tendo, por essa razão, destruído em 1960 ou 1961 a única partitura, *Bourgogne*, que lhe restara de seus anos de formação na Europa.

Russolo e os futuristas, porém, não estavam interessados apenas em reproduzir os ruídos urbanos, como sugeriu Varèse em sua crítica ao movimento. Russolo imaginara a "associação" de vários timbres, o que não poderia ter redundado em mera imitação de ruídos cotidianos, além do que, como lembra Otto Karolyi, os futuristas também pesquisaram a manipulação eletrônica ou mecânica de sons. Lançado em 1913, o famoso manifesto "A Arte dos Ruídos" de Russolo, que não era músico, mas artista plástico, começa denunciando o formalismo alienado da música tradicional, que, por ser distinta e independente da vida, trabalharia apenas com sons, "mundo fantástico sobreposto ao real, mundo inviolável e sagrado". A arte musical renegava o ruído, imbuída que estava na busca da pureza, da limpidez e da doçura do som, acariciando "os ouvidos com suaves harmonias". Nesse manifesto, que foi lido por muitos, de Ravel e Stravinsky a Cage (este o considerava um "livro de cabeceira"), Russolo declarou que era preciso romper o círculo estreito dos sons puros e conquistar a variedade infinita de "sons-ruídos". A vida moderna, alegava Russolo, é acompanhada de ruídos; o ruído não só é familiar ao nosso ouvido, mas simboliza a própria vida.

Varèse parecia concordar inicialmente com esse corolário importante do manifesto, pois fez declarações que podemos considerar afins ao pensamento futurista. Assim, ele chegou a declarar: "A velocidade e a síntese são as características do nosso tempo". Segundo Jonathan W. Bernard, Varèse era inclinado ao ecletismo, recorrendo a ideias de diferentes fontes para compor seu próprio pensamento estético, razão por que ele pode ter sido estimulado ou encorajado por ideias defendidas tanto por artistas futuristas quanto por cubistas, dois grupos de vanguarda distintos, mas que, ainda assim, possuíam evidentes pontos de contato, sobretudo no que se refere à importância do espaço para ambos. Termos como volume, massa, plano eram caros a Varèse, que tampouco deixava de lado o conceito de movimento, tão tematizado pelo futurismo italiano.

Varèse, que não apreciava ser rotulado de "compositor experimental" nem admitia ser chamado de "futurista", resolveu a seu modo a equação "música = som + ruído", proposta por Russolo, ao escrever, entre 1918 e 1921, graças ao auxílio de dois mecenas anônimos, a primeira partitura de sua obra americana: a já citada *Amériques* (duração: 24:38), para grande orquestra sinfônica, que estrearia em 9 de abril de 1926, na Filadélfia.

Ao dar à composição (a mais longa de quantas escreveria) esse título no plural, Varèse declarou que não aludia a um lugar puramente geográfico, pois as "Américas" simbolizavam a descoberta "de novos mundos na terra, no céu e no espírito dos homens". Aqueles que ouviram a obra na sua estreia entenderam que Varèse representou nela, ou pelo menos sugeriu, a "vida moderna" de Nova York. Esse parecer é compreensível, pois a composição estava ancorada "no maior grupo de percussão da época", e nela o compositor extravasou sua paixão por apitos e sirenes — que soam na sua obra como "ícones" da vida moderna, sugerindo trens, navios, carros da polícia, ambulâncias etc.

A música de percussão foi definida por John Cage como uma ponte entre duas épocas, sendo a sua função fazer a transição da música academicamente sancionada para a música de todos os sons do futuro. Ou seja, o compositor de música de percussão estaria explorando conscientemente aquilo que é proibido ou considerado "não-musical", ou "primitivo", como, por exemplo, a música das culturas tradicionais e indígenas. A dicotomia entre "primitivo" e "civilizado" era aceita sem reservas por Varèse, que declarou: "(...) eu quero abranger tudo que é humano, do elemento mais primitivo às mais avançadas conquistas da ciência".

O interesse de Varèse pela música "primitiva" e pela música das civilizações extraeuropeias começou cedo, em 1889, quando visitou a Exposição Universal de Paris e ouviu as orquestras de percussão da África e da Ásia, ficando impressionado com sua sonoridade. Karolyi aponta, aliás, como a provável causa da proliferação dos instrumentos de percussão na arte ocidental moderna, uma maior consciência e um maior contato e envolvimento dos compositores com a cultura musical não-europeia. Uma das composições mais importantes de Varèse, *Intégrales*, estreada em 1925, foi comparada à música japonesa ou tibetana, mas o compositor afirmou, numa carta, que se tratava de pura coincidência.

A valorização dos instrumentos de percussão de todo tipo, na música do século XX, está relacionada com uma "enfática preocupação com o ritmo", sendo o melhor exemplo as composições de Varèse. "Considero o ritmo a parte primordial e talvez essencial da música", declarou Olivier Messiaen (1908-1992), que em suas obras também destacou a percussão e utilizou uma série de procedimentos da música indiana antiga, as 120 "fórmulas rítmicas", chamadas "decî-tâlas", tidas por ele como "o ápice da criação rítmica hindu e humana!". A exploração dos ritmos, combinada com a emancipação da dissonância e do ruído, marcou a linguagem de Cage e Messiaen tanto quanto já havia marcado, antes deles, a escrita de *Amériques*.

Essa ampla pesquisa na área do ritmo culminou, no que diz respeito à obra de Varèse, numa revolucionária composição para orquestra de percussão e duas sirenes, *Ionisation* (duração: 5:51), de 1931. A obra, que na avaliação de Augusto de Campos é a "radicalização da radicalização — a síntese de todo o trabalho precedente do compositor", não foi, porém, composta em Nova York. Em 1928, Varèse retornou à Europa e residiu cinco anos na capital francesa, quando frequentou a casa de Heitor Villa-Lobos (1887-1959) no Boulevard Saint-Michel, sendo iniciado ali nas técnicas da "batucada", segundo Vivier, o que o estimulou talvez a compor uma obra como *Ionisation*. Ao comentar a amizade entre os dois músicos, Alejo Carpentier afirmou: "Na música de Villa-Lobos, Varèse procurava a vivacidade intensa que o toque de percussão dava a certos choros, nos quais os instrumentos tradicionais se misturavam com os instrumentos já clássicos no Brasil e em Cuba".

Antes de *Ionisation*, Varèse compusera três outras obras orquestrais: *Hyperprism* (1923), *Intégrales* (1925), e *Arcana* (1927), mas nenhuma delas reuniu tantos instrumentos de percussão como sua nova peça — cerca de quarenta, para treze percussionistas. Obra rítmica, *Ionisation* não pretendia, para relembrar os argumentos do compositor, reproduzir "servilmente a trepidação da nossa vida cotidiana", como tentaram fazer, segundo ele, os futuristas. Na avaliação de Varèse, o ritmo confere "à obra não apenas a vida, mas a coesão. É o elemento de estabilidade".

Ao contrário dos futuristas, Varèse parecia desejar instrumentos que obedecessem principalmente às exigências do seu ritmo interior. A riqueza timbrística da sua orquestra de percussão estava apta a revelar também, e sobretudo, o lado secreto do homem moderno, e não apenas o seu meio ambiente. Por isso, como observou John Cage num artigo, a imaginação era condição imprescindível para Varèse, cuja arte expressaria "intenções psicológicas". "Em vez de lidar com os sons como sons, lidava com estes como Varèse", concluiu Cage, que defendia, nessa época, uma arte que não fosse mais o produto da vontade individual, finalidade da arte europeia desde o Renascimento, como observou Paul Griffiths. Varèse seria ainda um artista do passado, opinou Cage, pois relutava em deixar os sons serem eles mesmos.

Os sons de Varèse são, ou pretendem ser, "mágicos". O compositor declarou, num ensaio de 1936, que a nova música, tal como ele a concebia, naquele momento, haveria de ser "Uma magia completamente nova!". O termo "magia", utilizado por ele, revela um lado curioso e intrigante da sua relação com a arte do ocidente e com a arte de um modo geral, pois a construção da música do futuro o levou a buscar material e inspiração em fontes extraeuropeias, em fontes míticas e milenares.

QUICHÉ, SÉCULO XVI: ELETRÔNICA

Sabemos que Varèse sonhava fazer uma música para meios que ainda não existiam na sua época. Essa música "absolutamente nova" ele denominava de "sons organizados", e sua realização plena dependia dos avanços tecnológicos, que possibilitariam a construção de aparelhagens capazes de emitir sons jamais ouvidos. A sua orquestra de percussão era a radicalização de algo que já existia na música moderna, mas que não podia satisfazê-lo inteiramente.

A sua confiança nas conquistas tecnológicas o levou a afirmar, a propósito de *Intégrales* (duração: 10:18), que esta obra havia sido concebida "para certos meios acústicos que não existem ainda", mas que um dia existiriam e seriam utilizados. Curiosamente, como sabemos, *Intégrales* soou, aos ouvidos de quem conhecia a arte oriental e podia confrontar a música nova de Varèse com a tradição musical japonesa ou tibetana, extremamente moderna... e antiga, milenar.

Na partitura seguinte, *Arcana* (duração: 18:22), Varèse incluiu uma citação de Paracelso, revelando (desde o título) sua atração pelas teorias herméticas, embora tivesse dado a uma obra um pouco anterior um "título pseudomatemático", *Hyperprism* (duração: 4:18), como querendo proclamar, segundo Paul Griffiths, "que uma nova era estava começando na música, uma era de ímpeto científico".

Acredito que compreenderemos melhor essa misteriosa e produtiva relação entre magia e tecnologia, ciências ocultas e ciências exatas, intrínseca à obra de Varèse, se voltarmos nossa atenção para uma composição de 1934, intitulada *Ecuatorial* (duração: 11:27), palavra espanhola que significa "equatorial", na qual o compositor se dirige à divindade por meio de uma antiga oração e utiliza, pela primeira vez em sua obra, dois instrumentos eletrônicos que acabavam de ser criados. O hibridismo das fontes e dos recursos musicais empregados ecoa aquele ecletismo da estética de Varèse já comentado atrás.

Em agosto de 1933, Varèse deixou novamente Paris, levando consigo a tradução francesa de *Lendas da Guatemala*, de Miguel Ángel Asturias, obra que lhe revelou uma outra América, diferente daquela que ele já conhecia. Essa outra América, antiga e quase secreta, descoberta após o convívio com a América urbana e industrial, não implicava um desencanto ou ruptura com a metrópole, mas uma compreensão mais ampla, uma visão mais larga desse território infinito que o compositor descreveu em *Amériques*.

Ao desembarcar de novo na sua querida Nova York, Varèse não era mais um compositor desconhecido, quase inédito: a sua revolucionária peça para orquestra de percussão já havia estreado no Carnegie Hall, no início do ano (6 de março de 1933), quando o compositor ainda se encontrava em solo europeu. "Desconhecido na Europa", observou Alejo Carpentier, "Varèse era motivo de escândalo na América". Segundo o escritor cubano, até 1925, ninguém, na França, "ouvira falar dele".

A leitura de *Lendas da Guatemala* estimulou Varèse a ir até a fonte de inspiração do escritor guatemalteco: a cosmogonia maia-quiché intitulada *Popol Vuh*, na tradução do padre espanhol Francisco Ximénez. O texto de *Ecuatorial* foi retirado dessa tradução datada do século XVIII, aparentemente porque a língua espanhola antiga agradou ao compositor — ela lhe pareceu mais sonora e mais forte. Varèse tinha familiaridade com a literatura de língua espanhola; *Offrandes*, de 1921, para soprano e orquestra, consiste em dois poemas, um de Vicente Huidobro, poeta chileno, e outro de José Juan Tablada, poeta mexicano, cantados em francês.

Não era a primeira vez que Varèse se interessava por temas "ameríndios". Nos seus anos de formação na Europa, ele havia pensado em transformar em argumento de ópera um curto e violento romance de Júlio Verne, *Martin Paz*, ambientado no Peru: o herói é um índio que se revolta contra os conquistadores europeus e se refugia com sua tribo nas montanhas, onde finalmente morre. Segundo Vivier, "Em *Ecuatorial* Varèse homenageará a tribo pré-colombiana *perdida na montanha*".

É preciso esclarecer que o assunto do *Popol Vuh* não é o destino de um herói, mas o destino de um povo, desde o início do mundo até o século XVI, quando os conquistadores espanhóis chegaram à Guatemala. Mitos, lendas e fatos históricos narram a origem e a evolução dos maias-quichés, que construíram, no século XV, ao se fixarem na cidade batizada com o nome de Quiché, numa região montanhosa, o estado mais poderoso da Guatemala.

Sendo uma cosmogonia, o *Popol Vuh* narra a origem do mundo e também a do ser humano, que foi criado e destruído, antes de adquirir sua forma definitiva, a atual, após a quarta e última criação. Data dessa época a deambulação dos homens pelas montanhas, tema que interessou a Varèse. No último canto da cosmogonia (na nossa tradução, versos 8.190-8.268), um sacerdote dirige-se à divindade, pedindo proteção para o seu povo, a fim de que este não seja destruído. Justamente essa invocação foi selecionada por Varèse. Eis o que diz a parte final do texto, na tradução do padre Ximénez: "*Ho oh ah whoo hé oh-ha*. Dad la vida. Dad la vida. Dad la vida. *Ho hé whoo*.

Dad la vida oh fuerza envuelta en el cielo, en la tierra, en los cuatro ángulos, en las cuatro extremidades, en tanto exista el alba, en tanto exista la tribú." (As passagens em itálico, constituídas de sons onomatopaicos, foram acrescentadas livremente pelo próprio Varèse. A sua apreensão da cultura maia-quiché era, às vezes, pouco canônica, ou mais poética que propriamente acadêmica.)

O *Popol Vuh* já foi chamado de "Bíblia ameríndia", e assim o considerava o próprio Varèse, que ao longo de sua vida não aderiu a nenhuma religião, embora tivesse, conforme opinou Vivier, "um sentimento profundo de Deus, do Grande Arquiteto do Universo". Esse arquiteto ou construtor é também um dos personagens da cosmogonia maia. Padre Ximénez, seu primeiro tradutor, considerava que a crença religiosa expressa no livro, e, evidentemente, também na oração selecionada por Varèse, era obra do demônio e precisava ser combatida. Acredita-se que foi com esse último propósito, aliás, que os padres recém-chegados à Guatemala ensinaram o alfabeto aos índios, a fim de que estes pudessem traduzir para seu idioma nativo os textos cristãos, os quais deveriam substituir os códices redigidos nas escritas indígenas (hieroglífica e icônica), códices que continham as verdades da sua fé.

O antigo *Livro do Conselho* era lido, antes da vinda dos espanhóis, de diferentes maneiras, inclusive para fazer previsões, pois a sua leitura ou decifração auxiliava os leitores-adivinhos a tomar decisões corretas nas épocas mais oportunas. Gostaria de enfatizar esse aspecto da obra original, aspecto comprovado, aliás, pelos outros códices maias que sobreviveram, os quais contêm passagens sobre adivinhações.

Se considerarmos a sua importância para a música ocidental moderna, talvez pudéssemos comparar o *Popol Vuh* a outro oráculo, o *I Ching*, que se traduz como "Livro das Mutações", o texto mais antigo da humanidade, segundo John Cage, que dele se serviu para compor obras "indeterminadas", em que os sons são apenas sons, pois passaram a ser escolhidos sem a "interferência" das aversões e preferências do compositor. Cage delegou ao oráculo chinês as decisões sobre os sons, ruídos e silêncios que empregaria em sua música.

Parece-me interessante refletir nesse paralelo (acentuado pela história da música moderna) entre o *Popol Vuh* e o *I Ching*. Alguns dos artistas mais inovadores do século XX foram buscar material, inspiração e/ou procedimentos em escritas muito antigas, escritas que, como os dois livros citados (*Popol* Vuh e *I Ching*), funcionavam e funcionam ainda como oráculos.

Não sei se essa dimensão profética, essa função oracular do *Popol Vuh*, livro sobre o passado (é uma cosmogonia), sobre o presente (é um modelo de ação) e sobre o futuro (é uma interpretação do destino humano na Terra), interessou realmente a Edgard Varèse, não sei se ele sequer chegou a estar consciente disso. Se aceitarmos as suas declarações a respeito da invocação utilizada em *Ecuatorial*, tocou-o a intensidade dramática e o caráter mágico (termo ambíguo, podendo significar muitas coisas) das palavras dirigidas à divindade, ao Construtor do Universo.

"O título sugere simplesmente as regiões onde floresceu a arte pré-colombiana", explicou Varèse, que admirava com sinceridade não só os povos ameríndios, como também a cultura africana e as civilizações do Extremo Oriente, como a chinesa e a japonesa. E acrescentou: "Quis dar à música a mesma intensidade rude, elementar, que caracteriza essas obras estranhas e primitivas". Não existe nenhuma informação de que Varèse conhecesse a música indígena; tinha, porém, uma visão positiva sobre a arte pré-colombiana de um modo geral, como o trecho citado o demonstra. Se a arte e a mitologia indígenas atraíram a atenção de Varèse, o mesmo não se pode dizer da música norte-americana do início do século XX, que o deixou indiferente.

Antes de uma execução da obra em Paris, Varèse teria dito: "Espero que *Ecuatorial* seja apresentada com a intensidade, a violência e a dureza que o texto requer". Para o compositor, deveria haver drama, efeito teatral no ato de proferir a oração, o que parece indicar que ele não pretendia recriar um ritual autenticamente maia (a audição da peça não autoriza essa interpretação, creio eu), mas criar uma peça de música moderna de valor independente, inspirada na cultura indígena.

Há duas versões da obra: a primeira, de 1934, para voz de baixo; a segunda, de 1961, para coro masculino em uníssono, mas essa alteração não surtiu o efeito desejado, e o compositor retornou à primeira versão. Varèse desejava um intérprete espanhol, ou negro, ou russo, pois são os que possuem, na sua avaliação, senso do dramático. Esse ecletismo das vozes dos intérpretes ideais desautoriza de vez pensar em *Ecuatorial* como uma peça "maia": trata-se, ao contrário, de uma peça musical moderna, e nada mais do que isso.

A dramaticidade e a violência marcaram a arte de Varèse desde o início da sua carreira. Quando sua obra *Bourgogne* foi executada em Berlim, em 1910, um crítico da época disse que a música do jovem compositor era um "ruído infernal". Varèse destruiu essa partitura, como sabemos, mas não abdicou do "ruído" — urbano ou místico...

Vimos acima um pequeno trecho da oração maia. Varèse acrescentou ao espanhol antigo sons puramente vocais, como "Hengh hongh whoo", ou "Hongh hengh whoo hengh", para aumentar o apelo dramático da oração. A linguagem lógica, segundo Vivier, transforma-se numa expressão instintiva, informal, na boca do homem que se dirige a Deus.

Obra para pequena orquestra (piano, órgão, 8 metais, 6 instrumentos de percussão), *Ecuatorial*, "uma expressão do mito antigo", como disse Paul Griffiths, incluiu, pela primeira vez na obra do compositor, dois instrumentos eletrônicos. Creio que poderíamos afirmar que Varèse, aqui, conciliou de fato o mito e a ciência, o antigo e o moderno. Seu *Popol Vuh* eletrônico anuncia o futuro da música.

Inicialmente, Varèse escolheu dois aparelhos de Leon Thérémin. Criado na Rússia, entre 1919-20, e mais tarde trazido para os Estados Unidos, por seu inventor, esse aparelho é capaz de produzir sons similares à voz humana, entre outros efeitos, mas, quando foi incorporado à orquestra de *Ecuatorial*, na estreia da obra, em 1934, ele se revelou desastroso, pois fugiu ao controle dos executantes, sobrepondo-se aos sons dos outros instrumentos. Varèse teve de substituí-lo por Ondas Martenot, instrumentos eletrônicos mais elaborados (estes criam timbres novos, às vezes assustadores e irreais, outras doces, e seu volume pode ser controlado) que haviam sido criados e fabricados a partir de 1928 por Maurice Martenot. Coincidentemente, Giacinto Scelsi (1905-1988) também usou Ondas Martenot na sua obra para coro e orquestra, *Uaxuctum*, de 1966, baseada numa lenda maia, a da cidade destruída por razões religiosas.

Esses instrumentos eletrônicos pioneiros, quando empregados na execução de *Ecuatorial*, "dão ainda maior força a imprecações e fórmulas cabalísticas maias", na avaliação de Paul Griffiths. Numa excelente gravação da obra, lançada pela London Records em 1998 (*Varèse — the Complete Works*), as ondas e os instrumentos de Thérémin foram substituídos por um aparelho especial que combina os sons ora etéreos ora imponentes de ambos os instrumentos.

OS DESERTOS DA ALMA

A música do futuro, anunciada por Varèse desde o início da sua carreira americana, através de obras como *Amériques* e *Ecuatorial*, assumiria sua configuração mais radicalmente nova e tecnológica a partir dos anos 1950, com a invenção do gravador de fita, que permitiu o advento da música concreta, feita sobre a gravação e manipulação de sons naturais.

De posse de um gravador, Varèse retomou, em certa medida, a estética futurista de Russolo, indo a diferentes lugares e também às fabricas recolher sons para a sua próxima obra, *Déserts* (duração: 23:38), concluída em 1954. Essa nova composição, que conciliava orquestra e fita magnética, sons tocados ao vivo e ruídos gravados, quebrou um "silêncio" de duas décadas, silêncio que se seguiu à sua dilacerante oração à divindade. A composição de *Ecuatorial* foi premonitória, como afirmou Odile Vivier: "não somente ele [Varèse] iria viver a seguir entre os índios do Novo México, como se sentiria só como um homem 'perdido na montanha após deixar a Cidade da Abundância'".

Em Santa Fé, no Novo México, durante seu período de depressão, Varèse deu cursos e conviveu com povos nativos que o receberam muito bem. Mas a crise foi superada e Varèse decidiu expressar em sua música "os desertos físicos, os da terra, do mar e do céu, de areia e neve, dos espaços interestelares ou das grandes cidades, mas também os do espírito, daquele distante espaço interior que nenhum telescópio pode atingir, e onde o homem está só". Talvez a obra *Déserts* seja uma espécie de balanço desses anos de crise de expressão e de insatisfação com os instrumentos eletrônicos primitivos; um balanço desses anos em que o compositor não pôde tornar realidade seus projetos ambiciosos, que exigiam um meio de expressão inteiramente novo, como o gravador de fita.

Varèse compôs, finalmente, em 1958, a sua primeira (e única) música em fita (uma montagem de sons: ruídos de máquinas, sinos, pianos, percussão e sons eletrônicos "puros"), *Poème Électronique* (duração: 8:02), que foi difundida por 400 alto-falantes, dentro do pavilhão da Philips, desenhado por Le Corbusier (com a colaboração de Xenakis, que se tornaria a seguir um dos nomes mais importantes da música contemporânea) para a Feira Mundial de Bruxelas, enquanto imagens escolhidas pelo arquiteto (animais, máscaras, pinturas, cenas variadas) eram projetadas ao acaso.

Pode-se descobrir muitas relações entre o *Poème Électronique*, uma das obras-primas da música eletroacústica, e *Ecuatorial*, segundo Odile Vivier: esta obra prefigura aquela na sutileza da sua textura, na criação de novas matérias, de novos sons, inclusive na invocação à divindade. Uma voz feminina (soprano), acompanhada de um coro, diz: "Ó Deus". Essa voz deveria exprimir a tragédia e a inquisição: "É uma oração no desespero, um grito na direção de Deus", na opinião de Vivier, "mas sem a confiança implorante de *Ecuatorial*".

Diria que se trata do ápice da música ritualística e religiosa (a vanguarda musical do século XX foi, em muitas ocasiões, intensamente religiosa: bastaria citar alguns títulos sintomáticos — *Moisés e Aarão*, de Schoenberg, *Vingt Regards sur l'Enfant-Jésus*, de Messiaen), e também uma síntese de toda a obra de Varèse, que uniu o mito e a vanguarda, o *Popol Vuh* e o Futurismo.

BIBLIOGRAFIA CONSULTADA

BERNARD, Jonathan W. 1987. *The Music of Edgard Varèse*. New Haven e Londres: Yale University Press.
BOULEZ, Pierre; CAGE, John. 1991. *Correspondance*. Paris: Christian Bourgois Éditeur.
BROTHERSTON, Gordon. 1992. *Book of the Fourth World: Reading the Native Americas Through their Literature*. Nova York: Cambridge University Press.
CAGE, John. 1973. *Silence*. Hanover: Wesleyan University Press.
CAMPOS, Augusto de. 1998. *Música de invenção*. São Paulo: Editora Perspectiva.
CARPENTIER, Alejo. 2000. *O músico em mim*. Rio de Janeiro: Civilização Brasileira.
EDMONSON, Munro S. (Org.). 1971. *The Book of Counsel: The Popol Vuh of the Quiche Maya of Guatemala*. Nova Orleans: Middle American Research Institute/ Tulane University Press.
GRIFFITHS, Paul. 1987. *A Música Moderna*. Rio de Janeiro: Jorge Zahar Editor.
_____. 1995. *Enciclopédia da Música do Século XX*. São Paulo: Martins Fontes.
KAROLYI, Otto. 1995. *Introducing Modern Music*. Londres: Penguin Books.
MILLER, Henry. 1970. *The Air-conditioned Nightmare*. Nova York: A New Directions Book.
RUSSOLO, Luigi. 1996. "A arte dos ruídos: Manifesto Futurista". In: MENEZES, Flô (Org.). *Música eletroacústica: História e estéticas*. São Paulo: Edusp.
SAMUEL, Claude. 1999. *Permanences d'Olivier Messiaen: Dialogues et Commentaires*. Paris: Actes Sud.
TEDLOCK, Dennis (Org.). 1996. *Popol vuh. The definitive edition of the Mayan book of the dawn of life and the glories of gods and kings*. Nova York: Simon and Schuster/Touchstone Book.
VARÈSE, Edgar. 1996. "Novos instrumentos e nova música". In: MENEZES, Flô (Org.). *Música eletroacústica: História e estéticas*. São Paulo: Edusp.
VIVIER, Odile. 1973. *Varèse*. Paris: Seuil. (Coleção Solfèges)

II. UM OLHAR, UMA SENTENÇA

O conto "La escritura del dios" ("A escrita do deus"), de Jorge Luis Borges (1899-1986), integra a importante coletânea *O Aleph* (1949) e narra a descoberta e a decifração de um texto da cultura maia — uma frase sagrada, legada aos homens por um deus do panteão indígena.

Evitarei fazer, por enquanto, especulações sobre o que o seu autor sabia da cultura maia e do poema épico maia-quiché *Popol Vuh* em particular, mas é evidente que o leu, provavelmente numa versão espanhola (a tradução de Padre Ximénez, do século XVIII, é a mais antiga), citando passagens dela no conto mencionado, que passo a comentar.

No início da narrativa, há alusões, proferidas por um sacerdote indígena (é um relato em primeira pessoa), a uma "sentença mágica" muito antiga, que teria sobrevivido intacta em meio às ruínas de um império destruído ou, numa dimensão mais ampla, em meio às formas inconstantes de um mundo notoriamente mutável, esse que habitamos e que nunca se mantém igual a si mesmo. Tanto o cosmo quanto as civilizações são corruptíveis e instáveis, tudo, em suma, passa.

Quem proferir essa "sentença mágica", reza a tradição, se tornará instantaneamente todo-poderoso, crença que motiva, no conto, a busca que acompanharemos a seguir.

O primeiro parágrafo faz a descrição detalhada de uma "prisão profunda", na forma de um poço dividido ao meio por uma parede altíssima: de um lado está aquele que fala no conto, o mago Tzinacan, da pirâmide de Qaholom, incendiada por Pedro de Alvarado; do outro, um jaguar. Esse sacerdote indígena, imobilizado na sua cela escura, pode perceber o jaguar do outro lado, através das barras que existem ao nível do solo, mas apenas ao meio-dia, a hora sem sombra (detalhe importante), quando um alçapão na abóbada se abre e a luz penetra no recinto, junto com a água e a comida destinadas aos prisioneiros.

Minha discussão se concentrará, inicialmente, na interpretação desse instante, a hora sem sombra, em que o mago e o jaguar podem se defrontar, através de barras, enquanto se alimentam.

O verbo "alimentar" sugere, neste contexto (se considerarmos unicamente a perspectiva do mago), duas experiências, uma material (a ingestão da carne) e outra intelectual e/ou espiritual (a leitura da pele do animal), e é essa última experiência que me interessa destacar. Em outras palavras, embora confinado na escuridão do poço, o velho sacerdote experimenta, diariamente, um instante de "visão lúcida", ou iluminação, percebendo seu vizinho não só como um animal, mas também, de maneira cada vez mais obsessiva, como um ser mágico, um jaguar transfigurado que se tornou um livro, um códice pré-colombiano, cuja pele poderia servir de suporte para uma sentença sagrada e divina.

"Cada cega jornada me concedia um instante de luz, e assim pude fixar na mente as negras formas que riscavam a pelagem amarela", declara o mago, deixando-nos entrever a experiência fatigante e interminável de ver, ler, decifrar passo a passo os signos da sentença divina. Essas lentas e interrompidas "iluminações" preparam a visão final, a decifração da sentença inteira.

No decorrer do processo de decifração, o mago várias vezes caiu em desespero: "Mais de uma vez gritei à abóbada que era impossível decifrar aquele texto". Isso não implica que duvidou, sequer momentaneamente, da existência do texto em si — seu desabafo evidencia a impossibilidade humana de lê-lo e não a de crer nele. Há aqui a demarcação de um limite, a separação entre aquilo que um mago pode ver e entender e aquilo que um deus escreveu, utilizando uma linguagem que lhe é própria. O mago parece convencido de que essa dificuldade de interpretação repousa no fato de que nenhuma palavra articulada ou escrita poderia ser, na linguagem do deus, "inferior ao universo".

No período que precedeu a conquista e a colonização, o mago-jaguar (suas metades estavam então unidas) maia-quiché foi pessoa importante e poderosa, o guardião de algo precioso (um tesouro), privilégio que corresponde à sua função religiosa e política na sociedade indígena maia. Ele mesmo o diz: "Na véspera do incêndio da Pirâmide, os homens que desceram de altos cavalos me castigaram com metais ardentes para que revelasse o lugar de um tesouro escondido. Abateram, diante de meus olhos, o ídolo do deus, mas este não me abandonou e me mantive silencioso entre os tormentos". Embora o saibamos miserável e confinado no fundo do poço, verificamos que o seu tesouro, numa dimensão mais espiritual e essencial, está intacto e ainda lhe pertence: é a pele do mágico animal, que brilha esporadicamente, atrás das barras.

Como o conto é narrado exclusivamente da perspectiva do homem, não sabemos o que o animal "sente" até o final da narrativa. Num texto breve de Borges, incluído no livro *O fazedor* (1960), outro "mago", o poeta Dante Alighieri, também se defronta com um felino enjaulado. Mas, nessa parábola, intitulada "Inferno, I, 32", diferentemente do que sucede em "A escrita do deus", penetramos na mente e na alma do animal. Borges escreve:

> Do crepúsculo do dia ao crepúsculo da noite, um leopardo, nos finais do século XII, via umas tábuas de madeira, umas barras verticais de ferro, homens e mulheres cambiantes, um paredão e talvez um canalete de pedra com folhas secas. Não sabia, não podia saber, que ansiava por amor e crueldade e pelo ardente prazer de dilacerar e pelo vento com cheiro de veado, mas algo nele se sufocava e se rebelava e Deus lhe falou em um sonho: 'Vives e morrerás nesta prisão, para que um homem que conheço te olhe um número determinado de vezes e não te esqueça e ponha tua figura e teu símbolo em um poema, que tem seu preciso lugar na trama do universo. Sofres o cativeiro, mas terás dado uma palavra ao poema'. Deus, no sonho, iluminou a rudeza do animal e este compreendeu as razões e aceitou esse destino, mas só houve nele, ao despertar, uma obscura resignação, uma valorosa ignorância, porque a máquina do mundo é complexa demais para a simplicidade de uma fera.

Aqui, temos acesso ao mundo interior do felino aprisionado e exibido aos visitantes de um jardim zoológico, enquanto em "A escrita do deus" o animal está numa prisão escura onde não pode ser visto por ninguém, exceto pelo mago, ocasionalmente. O jaguar americano é, por isso mesmo, um ser misterioso, mais criatura de sonho que um felino real, ao contrário do leopardo da parábola, que, por encontrar-se numa situação "normal", parece menos intrigante que o outro. Além disso, quando descreve o seu íntimo, o que o texto ressalta é a sua natureza selvagem, como se o narrador quisesse enfatizar que se trata realmente de um mero felino.

É verdade que em "A escrita do deus" o jaguar é apresentado inicialmente como um simples animal enjaulado: "(...) de um lado estou eu, Tzinacan, mago da pirâmide de Qaholom, que Pedro de Alvarado incendiou; do outro há um jaguar, que mede com secretos passos iguais o tempo e o espaço do cativeiro". Contudo, o mago depois vislumbra, atrás das grades, não mais um animal encarcerado, mas uma escrita viva e indecifrável: "Dediquei longos anos a aprender a ordem e a configuração das manchas (...). Algumas incluíam pontos; outras formavam raias transversais na face interior das pernas; outras, anulares, se repetiam. Talvez fossem um mesmo som ou uma mesma palavra. Muitas tinham bordas vermelhas".

O animal mágico, nesse trecho, está reduzido à pele, e a pele, embora descrita ainda como sendo a de um jaguar igual a qualquer outro, sabidamente é um pergaminho, um códice pré-colombiano. Nesse sentido, o jaguar é "lido", não meramente visto. Os olhos que o observam buscam nele algo sagrado e secreto, algo diferente do mero animal que se percebe, digamos, no zoológico. O mago maia possui, na sua prisão, um zoo particular (se tomarmos como referência a experiência de Dante), profundo e onírico, já que só ele próprio pode perceber o animal atrás das barras. O carcereiro vê ambos do alto, de um ângulo inusitado (se é que os vê), e essa intrusão apenas confirma a sua condição de prisioneiros.

É possível afirmar que o mago criou, para povoar sua solidão, um jaguar mítico, em cuja pele imagina vislumbrar sinais de autoria de um deus. Como os chapéus femininos descritos no famoso conto "O Zahir", de Borges, também as marcas da pele do felino correm o risco de se tornar "arbitrários e desautorizados caprichos". (Aqui, caberia lembrar dois versos do poema de Borges "Baruch Spinoza", incluído em *A moeda de ferro* (1976), versos que dizem: "Alguien construye a Dios en la penumbra./ Un hombre engendra a Dios. Es un judío".) Se aceitarmos essa hipótese (a de que a "sentença divina" é uma construção do mago), o abismo se revela ainda mais profundo que o poço onde jaz o prisioneiro.

Na segunda parte de *O Fazedor* (livro composto de metades distintas, como o poço do mago maia), o leitor encontrará "O outro tigre" (é o título do poema), engendrado desta vez numa biblioteca, uma vasta biblioteca, onde o poeta imagina um tigre "fuerte, inocente, ensangrentado y nuevo", mas esse tigre, ele descobre a seguir, é "falso", ou seja, "un tigre de símbolos y sombras". Para o poeta, "el hecho de nombrarlo/ y de conjecturar su circunstancia/ lo hace ficción del arte y no criatura/ viviente de las que andan por la tierra."

Nesse poema sem final, o poeta ainda persegue o tigre que nunca estará no verso, "el otro tigre", o tigre que existe "más alla de las mitologías". Esse tigre concreto do poeta não é menos inacessível que o tigre mágico de Tzinacan: ambos estão sempre *além* do alcance da linguagem humana, são o *outro* tigre, o *outro* jaguar.

Tzinacan nunca duvida da veracidade espiritual dessa "construção" poético-religiosa, o jaguar mágico. O poeta cria um tigre de palavras, e está consciente disso; o mago, um animal divino, híbrido de duas grafias: a pintura e a escrita, um ideograma vivo, portador de algo sagrado — a mensagem do deus. Reside nisso a diferença entre o sacerdote maia do século XVI e o poeta do século XX: o primeiro crê na sua criação, o segundo deplora sua irrealidade, seu caráter de ficção e artifício. O poeta parece ter tido esta experiência descrita por Blanchot: "A palavra me dá o que ela significa, mas primeiro o suprime. (...). A palavra me dá o ser, mas ele me chegará privado de ser. Ela é a ausência desse ser, seu nada, o que resta dele quando perdeu o ser, isto é, o único fato que ele não é. Desse ponto de vista, falar é um direito estranho".

* * *

Foi durante um sonho que o leopardo da parábola "Inferno, I, 32", que mencionei atrás, conheceu seu destino: "Padeces cautiverio, pero habrás dado una palabra al poema". Após essa iluminação onírica, o animal desperta, ignorante e resignado. A parábola se concentra a seguir no destino do poeta, quando, anos depois da redação da sua obra-prima (a viagem xamanística ao mundo dos mortos), ele sonha e agoniza, sendo então visitado por Deus, que lhe esclarece o propósito da sua vida e do seu trabalho. Ao despertar, Dante continuou tão ignorante quanto a fera que viveu resignada atrás das barras e lhe deu uma palavra.[1] Para ambos, poeta e fera, "la máquina del mundo es harto compleja".

A última revelação que teve Dante, antes de realizar sua derradeira viagem, se perdeu, inapelavelmente. A sua obra imortal, a sua poesia, nada contém do sentido último que o artista só alcançou, para logo perder, no leito de morte. Como Borges, Dante também fracassou em sua tentativa de revelar o *outro*.

Resta indagar se o mago maia, filho de uma cultura diferente daquela dos dois escritores, foi mais bem-sucedido do que ambos.

O mago maia-quiché que se interroga: "entre meus dias e minhas noites que diferença existe?", emerge de um sonho angustioso (que o conto descreve) e comenta: "Mais que um decifrador ou um vingador, mais que um sacerdote do deus, eu era um encarcerado. Do incansável labirinto de sonhos regressei, como à minha casa, à dura prisão. Bendisse sua umidade, bendisse seu tigre, bendisse a fresta de luz, bendisse meu velho corpo dolorido, bendisse a treva e a pedra".

Descobrir-se "prisioneiro" parece ser uma grata sensação, pois interrompe definitivamente o sonho, ou a série infinita de sonhos dentro de sonhos. Seria esse pesadelo uma metáfora da experiência religiosa que o conto descreve, a impossível decifração de uma sentença talvez jamais escrita? Contudo, logo após essa percepção (nada religiosa ou grandiosa) de haver retornado ao fundo do poço costumeiro, algo sucede a Tzinacan: a súbita iluminação, a qual coloca o mago, de forma brusca, noutra dimensão da realidade.

---

[1] O animal que aparece no "Inferno", canto I, 32, de *La Divina Commedia* é chamado "lonza" (palavra de origem latina que deu, em português, onça; o termo é usado, no Brasil, como sinônimo de jaguar, termo indígena). A onça, ou "lonza", é um animal com pele semelhante à do leopardo, animal que é referido por Borges na sua parábola.

O carcereiro lhe entrega a água e o alimento diário — a carne e um pouco de luz. Quando "escurece" de novo (o sonho, o pesadelo ameaçam retornar), algo indescritível e poderoso ocorre diante/dentro do mago: "Então ocorreu o que não posso esquecer nem comunicar. Ocorreu a união com a divindade, com o universo (não sei se estas palavras diferem)".

O mago Tzinacan então *vê* algo grandioso: "Vi o universo e vi os íntimos desígnios do universo". Assiste, como numa tela de cinema, às origens (as criações do homem) narradas no Livro do Conselho, o *Popol Vuh*, e compreende tudo — "Oh, felicidade de entender maior que a de imaginar ou que a de sentir!" —, decifrando por fim a sentença escrita na pele do jaguar.

O mago se uniu com o universo e também com o jaguar, reunindo as metades de si mesmo. Tornou-se novamente um mago-jaguar, extremamente poderoso.

No seu êxtase, Tzinacan viu uma Roda (os maias não exploraram a roda, a qual aparece, contudo, em seus brinquedos infantis; encontramos em sua cosmogonia, porém, referências a ciclos de tempos[2]) que era constituída de tudo o que foi, é e será. Essa Roda encerra todo o conhecimento possível. O mago pôde ler então a pelagem do tigre, que continha efetivamente uma escrita mágica, subitamente recuperada (não se anula, porém, a outra hipótese já aventada, a de que tudo seja um delírio do mago alquebrado e sofrido): "É uma fórmula de catorze palavras casuais (que parecem casuais) e me bastaria dizê-la em voz alta para ser todo-poderoso".

O poder do mago lhe permitiria, como ele próprio afirma, reconstituir não só a pirâmide incendiada pelos colonizadores espanhóis como também o império ameríndio. Poderia em suma destroçar, como um felino enfurecido e no auge de suas forças, Alvarado e todos os outros conquistadores.

O mago iluminado, na verdade, é mais que a soma do homem e do jaguar, é mais que a união dessas metades separadas por um muro alto: ele se tornou um *outro* Tzinacan. Quando a "luz divina" (locução minha) penetra na noite, o feiticeiro maia não reconhece mais a si mesmo: "Quarenta sílabas, catorze palavras, e eu, Tzinacan, regeria as terras que Montezuma regeu. Mas eu sei que nunca direi essas palavras, porque não me lembro de Tzinacan".

* * *

Quem é esse *outro* Tzinacan que, tendo desvendado a escrita do jaguar, não se recorda mais do seu próprio passado nem da sua identidade?

O "esquecimento" de si mesmo, do seu passado indígena e do seu ódio ao colonizador (damo-nos conta de que a pirâmide de Qahalom foi incendiada *duas* vezes — a primeira pelo colonizador, a segunda pela iluminação descrita atrás, que tudo fulminou), é assim justificado pelo narrador: "Quem entreviu o universo, quem entreviu os ardentes desígnios do universo não pode pensar num homem, em suas

---

2 "Once again Tzinacán, the Jaguar Priest, is in dialogue with the Old World; his vision is counterposed to that of St. Paul on the road to Damascus (light), of Muhammad (the sword), of the Sufi mystic 'abd al-Qadir (the rose). The symbol chosen for Tzinacán's vision of divinity may seem problematic, since the Mayas like others New World peoples did not use the wheel and since the wheel is an important symbol in Buddhism" (BALDERSTON, Daniel. 1993. *Out of Context: Historical Reference and the Representation of Reality in Borges*. Durham: Duke University Press, p. 76).

triviais venturas ou desventuras, mesmo que esse homem seja ele. Esse homem *foi ele* e agora não lhe importa. Que lhe importa a sorte daquele outro, que lhe importa a nação daquele outro, se ele agora é ninguém".

Aparentemente, a divisão que mostrei existir, no início, entre o mago e o jaguar, ainda persiste, mas noutro nível: o homem iluminado que se uniu ao jaguar se separou do mago encarcerado, que é agora tratado como um ser "trivial" e abandonado ao seu triste destino. Essa situação talvez revele o caráter ilusório da iluminação de Tzinacan, pois preserva, noutros termos, a realidade cotidiana e a separação das metades. O fato é que, ilusória ou não, a iluminação prolonga o impasse e a imobilidade do mago, que não é mais capaz de agir nem de sair do cativeiro.

O próprio narrador, contudo, parece estar convencido de que experienciou uma "libertação" total e que "abandonou" (espiritualmente, é verdade) não só o seu poço profundo, mas também o seu passado, o seu presente e o seu futuro. Essa libertação tão plena o desobrigou de pronunciar a fórmula mágica do tigre, porque ele passou a perceber o seu destino sob novo ângulo, mais elevado que o ângulo meramente histórico ou existencial: "Por isso não pronuncio a fórmula, por isso deixo que os dias me esqueçam, deitado na escuridão". O mago viu o universo, uniu-se a ele para, a partir daí, de um patamar diferente, reavaliar seu passado e seu presente, e descobrir-se ninguém. É a voz de ninguém (ou de todos) que se cala para sempre: "Que morra comigo o mistério que está escrito nos tigres".

Uma experiência equivalente, embora destituída de misticismo, é narrada por Borges em "Pedro Salvadores", texto incluído no seu livro *Elogio da Sombra* (1969): o personagem do título, procurado pela polícia, esconde-se num sótão e ali permanece nove anos seguidos, durante o governo ditatorial de Rosas. Borges não é capaz de explicar o seu destino: "Seria, no começo, um acossado, um ameaçado; depois, não saberemos nunca, um animal tranquilo em sua toca ou uma espécie de obscura divindade".

As imagens de que se serve o mago para rememorar sua experiência merecem uma análise detida. Destacarei, inicialmente, esta frase dita pelo mago: "Vi o deus sem face que há por trás dos deuses". No instante do êxtase e da revelação, tudo e todos, inclusive os deuses, se mostram diferentes; o universo é mais íntimo, mais terrível e secreto e, por conta disso, incomunicável.

Comentando a "passividade" do mago maia, Bell-Villada chamou a atenção para o fato de que a sua nova situação não redundou numa oposição política ao colonizador, mas na apreensão, através do êxtase religioso, de uma ordem superior, divina, que excluiu ou anulou os sofrimentos físicos do indivíduo e reconciliou todos os contrários. O estudioso destaca, sobretudo, o fim da luta (se considerarmos a perspectiva do protagonista do conto) entre o opressor Pedro de Alvarado, o líder católico espanhol mais cruel, e o mago oprimido, o último sacerdote pagão. Assim como o colonizador e o colonizado se tornam uma coisa só, também o jaguar mítico, animal dotado de violência instintiva e de sabedoria divina, une opostos.

* * *

Na sua última parte (o poema está dividido em quatro cantos), o *Popol Vuh* menciona uma figura histórica chamada Tzinacan, líder político e religioso, que "A escrita do deus" incorpora. Além disso, o termo que, no conto de Borges, denomina a pirâmide incendiada pelos espanhóis, Qaholom, "gerador" em maia-quiché, representa, na primeira parte do mesmo poema, um espírito a quem se atribui a criação da Terra, a qual foi depois habitada por seres que receberam o nome de jaguar: Jaguar Veado, Jaguar Quiché, Jaguar Noite... O jaguar, animal que sugere, na mitologia ameríndia, forças mágicas, também serve, segundo Edmonson, para denominar o poder dos feiticeiros, além de simbolizar as glórias lendárias dos maias.

Ao final do conto, Borges menciona alguns episódios do poema maia-quiché relacionados à origem da Terra e dos homens, pois o mago, no seu êxtase, vê com os próprios olhos o que registra o *Popol Vuh*: ou seja, que as montanhas surgiram da água e que bonecos de madeira habitaram o nosso planeta — seus utensílios domésticos, como jarros e grelhas, os atacaram, e também os seus cachorros, porque eles os haviam maltratado.

Graças ao hibridismo das suas fontes, Borges construiu algo mais que a narração do destino de um mago pagão: fez provavelmente uma síntese dos recursos místicos conhecidos, dialogando inclusive com outros contos seus, como "O Zahir" e "O Aleph" (ambos integram o volume *El Aleph*), que narram experiências análogas. O hibridismo imagético de "A escrita do deus" — a fusão de símbolos oriundos de tradições diversas — não é algo novo em Borges, mas um procedimento que poderíamos chamar de típico, e que pode estar casado, às vezes, a um "estilo" também híbrido, que aceita a coexistência do sublime e do cômico, como sucede, aliás, nos seus outros relatos de experiências místicas, sobretudo os já mencionados "O Zahir" e "O Aleph". (O mesmo procedimento configura a versão musical do *Popol Vuh*, realizada por Edgard Varèse, peça híbrida que funde materiais aparentemente incongruentes, assunto do artigo precedente.)

BIBLIOGRAFIA CONSULTADA

ALIGHIERI, Dante. 1991. *La Divina Commedia*. Milão: Oscar Mondadori.
BALDERSTON, Daniel. 1993. *Out of Context: Historical Reference and the Representation of Reality in Borges*. Durham e Londres: Duke University Press.
BELL-VILLADA, Gene H. 2000. *Borges and His Fiction*. Austin: University of Texas Press.
BLANCHOT, Maurice. 1969. *L'Entretien Infini*. Paris: Gallimard.
_____ . 1997. *A Parte do Fogo*. Rio de Janeiro: Rocco.
BORGES, Jorge Luis. 1998-1999. *Obras Completas* (v. I, II, III e IV). São Paulo: Globo.
    (A edição em espanhol das *Obras Completas*, publicada pela Editora Emecé, Buenos Aires, também foi consultada: os versos citados no texto são dessa edição).
BROTHERSTON, Gordon. 1992. *Book of the Fourth World: Reading the Native Americas Through their Literature*. Cambridge: Cambridge University Press.
BURGIN, Richard. 1998. *Jorge Luis Borges: Conversations*. Jackson: University Press of Mississippi.
DUNDES, Alan. 1996. *Morfologia e estrutura no conto folclórico*. São Paulo: Perspectiva.
EDMONSON, Munro S. (Org.). 1971. *The Book of Counsel: The Popol Vuh of the Quiche Maya of*

Guatemala. Nova Orleans: Middle American Research Institute/ Tulane University Press.
MEDEIROS, Sérgio (Org.). 2002. *Makunaíma e Jurupari: Cosmogonias ameríndias*. São Paulo: Perspectiva.
MOLLOY, Sylvia. 1979. *Las Letras de Borges*. Buenos Aires: Sudamericana.
RODRÍGUES MONEGAL, Emir. 1988. *Jorge Luis Borges: A Literary Biography*. Nova York: Paragon House Publishers.
SARLO, Beatriz. 2003. *Borges, un escritor en las orillas*. Buenos Aires: Seix Barral.
TEDLOCK, Dennis (Org.). 1996. *Popol vuh. The definitive edition of the Mayan book of the dawn of life and the glories of gods and kings*. Nova York: Simon and Schuster/Touchstone Book.

SOBRE OS ORGANIZADORES

GORDON BROTHERSTON

Nascido em Chester (Inglaterra), Gordon Brotherston é Professor Honorário da Universidade de Manchester e Professor Emérito da Universidade de Essex, onde foi membro do Departamento de Literatura e dirigiu o programa de Teoria e Prática da Tradução Literária, bem como o centro de Estudos Latino-Americanos. Atuou como professor e conferencista em vários países, tendo lecionado em países como Brasil (USP), México (UNAM, ENAH), Estados Unidos (Stanford, Bloomington, Iowa) e Canadá (UBC). Dentre seus trabalhos mais importantes, pode-se citar os volumes *Image of the New World, Book of the Fourth World: reading the Native Americas through their Literature, Painted Books from Mexico, The Emergence of the Latin American Novel* e *Latin American Poetry, Origins and Presence*. Publicou, em colaboração com o poeta norte-americano Edward Dorn, o volume *The Sun Unwound*, que reúne traduções de textos latino-americanos; seu trabalho mais recente nessa área consiste na antologia *River Under the House*, que contém poemas traduzidos com a colaboração do poeta norte-americano Ted Berrigan.

SÉRGIO MEDEIROS

Nascido em Bela Vista (MS), Sérgio Medeiros ensina literatura na Universidade Federal de Santa Catarina e fez estágio de pós-doutorado na Universidade de Stanford (Estados Unidos). Organizou o volume de mitos amazônicos *Makunaíma e Jurupari* e a edição mais recente das *Memórias* do Visconde Taunay. Traduziu para o português escritores como James Joyce, Lewis Carroll e Flaubert, entre outros. É autor de um livro sobre os mitos xavantes, *O Dono dos Sonhos*, e de vários livros de poesia, destacando-se *A idolatria poética ou a febre de imagens*, que ganhou o Prêmio Literário Biblioteca Nacional 2017, e *Trio pagão*, que contém poemas verbais e visuais. Seus poemas já foram traduzidos para o espanhol, o inglês e o italiano. É um dos editores da revista eletrônica *Qorpus*.

CADASTRO ILUMINURAS

Para receber informações sobre nossos lançamentos e promoções, envie e-mail para:

cadastro@iluminuras.com.br

Este livro foi composto em *Warnock* pela *Iluminuras* e terminou de ser impresso em março de 2018 nas oficinas da *Meta Brasil*, em Cotia, SP, em papel off-white 80 gramas.